出版者寄语

选择了《教材动态全解》，你就找到了一个可释疑解惑的知心朋友！

使用了《教材动态全解》，你的成绩会有一个令人欣喜的提高！

动态全解·初中数学

作者名单

主　编　金立淑

编　写　汪　兴　　吕园满　　刘　毅　　顾艳香
　　　　刘宗才　　王　琳　　胡良英　　王木华
　　　　龙凤英　　吴玉容　　熊　辉　　刘文华
　　　　喻运荒　　吴群英　　陈　华　　王福龙
　　　　陈正福　　李冠军　　倪文涛　　孙黄校
　　　　熊怀忠　　吕小燕　　吕光明　　吴三堂
　　　　孙莲花　　孙爱珍　　樊萃萍　　姚　健
　　　　陈　勇　　孙建容

教材动态全解

主编/金立淑

人教版新课标

七年级数学

下册

东北师范大学出版社 长 春

图书在版编目（CIP）数据

教材动态全解·七年级数学（下）·人教版新课标/
金立淑主编. —长春：东北师范大学出版社，
2005.10
ISBN 7 - 5602 - 3735 - 5

Ⅰ. 教… Ⅱ. 金… Ⅲ. 数学课－初中－教学参考
资料 Ⅳ. G634

中国版本图书馆 CIP 数据核字（2004）第 023731 号

□责任编辑：杜立新 □封面设计：魏国强
□责任校对：何小怀 □责任印制：张文霞

东北师范大学出版社出版发行
长春市人民大街 5268 号（130024）
销售热线：0431—5695744 5688470
传真：0431—5695734
网址：http：//www.nenup.com
电子函件：sdcbs@mail.jl.cn
东北师范大学出版社激光照排中心制版
沈阳新华印刷厂印装
沈阳市铁西区建设中路 30 号（110021）
2006 年 11 月第 2 版 2006 年 11 月第 1 次印刷
幅面尺寸：148 mm×210 mm 印张：9.125 字数：330 千
印数：00 001 — 10 000 册

定价：12.00 元
如发现印装质量问题，影响阅读，可直接与承印厂联系调换

前　言

　　《教材动态全解》丛书是适应全国中高考命题形式多样化改革需要的初高中各年级同步课堂教学的配套用书。

　　《教材动态全解》丛书是针对目前国内各省市地区教材版本选择纷繁复杂的局面配备的教辅用书，囊括人教版、北师大版、华东师大版、语文版、苏版等国家教育部教材审定委员会审查通过的教材版本，覆盖初高中各个年级不同学科，且根据各版本教材各自的规律和特点编写。

　　《教材动态全解》丛书吸收欧美发达国家"活性动态"教辅版式的精髓，紧密结合我国现阶段课堂教学改革的国情，根据不同学科教材的特点和课堂改革的需要，是"教材动态"全解型和名师"课堂动态"实录型优秀图书。这套丛书具有以下突出特点：

　　一、全面丰富实用

　　全书知识点分布全面，不遗漏一个忽略点，不放弃一个疑似点，真正体现信息量大，内容丰富，题量充足。全书对教材中的重点、难点、疑点进行逐词、逐句、逐段透彻解读。精编例题，对每一个知识点、易错点、易忽略点、易混淆点、疑似点进行一对一剖析。点点对应例题，题题揭示规律。

　　二、体例设置灵活

　　全书在大栏目统一的基础上，小栏目的设置由编者根据教材内容需要作动态变化。精选全国著名中学师生互动，突破疑难点的精彩课堂实录，突出教师教法的灵活性和学生学法的灵活性。

三、创设互动情境

全书体例版式独特新颖，教育理念前瞻性强，引导学生不断创设问题情境，激励学生注重参与教学过程。书中原创大量新颖的与生产生活实际相结合的探究性问题，培养学生在探究过程中发现知识，并运用知识解决实际问题的能力。

四、分析解读透彻

丛书对《课程标准》和现行《考试大纲》研究透彻，对名师的教法和优秀学生的学法研究透彻，对各年级学生的认知水平和储备不同学科知识研究透彻，对单元学习目标和章节训练习题难易度研究透彻，对重点、难点、疑点突破方法研究透彻，对各种题型及其同类变式的解题方法、技巧、规律、误区研究透彻，对培养学生能力升级的步骤和途径研究透彻。

五、适用对象全面

丛书在策划初始即考虑到全国各地区教材版本使用复杂的现状，对目前国内各省市地区可能使用的教材版本均有所涉及，因此，丛书适合全国各地重点中学和普通中学各类学生使用，适用对象全面。

本丛书虽然从策划到编写，再到出版，精心设计，认真操作，可谓尽心尽力，但疏漏之处在所难免，诚望广大读者批评指正。

第一编辑室

2005 年 11 月

目 录

第五章

JIAOCAI DONGTAI QUANJIE

相交线与平行线

5.1 相 交 线

教 材内容全解

一、邻补角的概念

定义1：两条直线相交所构成的四个角中，有公共顶点且有一条公共边的两个角是邻补角.如图5-1-1，∠1与∠2有公共顶点O，有一条公共边OC，所以∠1和∠2是邻补角.

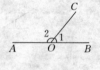

图5-1-1

定义2：邻补角也可以看成一条直线与端点在这条直线上的一条射线组成的两个角.如图5-1-1中的∠1和∠2.

提醒 由定义可知邻补角的本质特征是：两个角有一条边公共，另一条边互为反向延长线.邻补角具有特殊的位置关系，是两角互补的特例，所以两个角互为邻补角，那么这两个角一定互补，但两个角互补不一定为邻补角.一个角的邻补角只能有两个，同一个角的两个邻补角是一对对顶角，但一个角的补角有很多个.

二、对顶角的概念

定义1：两条直线相交所构成的四个角中，有公共顶点但没有公共边的两个角是对顶角.如图5-1-2，∠1的两边是OA和OC，∠2的两边是OB和OD，所以∠1和∠2是对顶角；∠1和∠3有一边OA是公共的，所以∠1和∠3不是对顶角.

图5-1-2

定义2：一个角的两边分别是另一个角的两边的反向延长线，这两个角是对顶角.如图5-1-2，∠1的两边OA和OC分别是∠2的两边OB和OD的反向延长线，所以∠1与∠2是对顶角.

提醒 由定义可知对顶角的本质特征是：先是两个角有公共顶点，再是两个角的边互为反向延长线.这就是说只有当两条直线相交时,才能产生对顶角,如图 5-1-3 中的 ∠1 和∠2,它们都不是对顶角.

图 5-1-3

三、邻补角、对顶角的性质

如图 5-1-2,∠1 与∠3 互补且∠1 与∠3 是邻补角,所以得到**邻补角的性质**:邻补角互补.

如图 5-1-2,∠1 与∠3 互补,∠2 与∠3 互补,即∠3 的补角是∠1 与∠2,根据"同角的补角相等",可得出∠1=∠2,这样得到**对顶角的性质**:对顶角相等.

上面这个结论,用推理格式可写成:

因为∠1 与∠3 互补,∠2 与∠3 互补(邻补角的定义),

所以∠1=∠2(同角的补角相等).

例 1 下列判断中正确的是 ( )

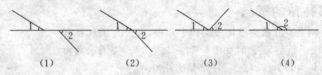

(1)   (2)   (3)   (4)

图 5-1-4

A.图 5-1-4(1)中∠1 和∠2 是一组对顶角

B.图 5-1-4(2)中∠1 和∠2 是一组对顶角

C.图 5-1-4(3)中∠1 与∠2 是一对邻补角

D.图 5-1-4(4)中∠1 与∠2 是一对邻补角

解析 图(1)、(2)中∠1 与∠2 不是由两条直线相交所构成的角,故∠1 与∠2 不是对顶角.

图(3)中,∠1 与∠2 不是一组邻补角,因为它们不是两条直线相交所构成的角.

图(4)中,∠1 与∠2 是一对邻补角.

解答 D

特别提示

对顶角和邻补角是成对出现的,是具有特殊位置关系的两个角.只有当两条直线相交时,才能产生对顶角和邻补角.

例 2 "桃林春色,柏子秋波"是古城八景之一,为了实地测量"柏子"古塔(图5-1-5)外墙底部的底角(如图 5-1-6 中∠ABC)的大小,金煜同学设计了两种测量方案:

方案 1:作 AB 的延长线,量出∠CBD 的度数,便知∠ABC 的度数.

方案 2:作 AB 的延长线、CB 的延长线,量出∠DBE 的度数,便知∠ABC 的度数.

同学们,你能解释她这样做的道理吗?

图 5 - 1 - 5

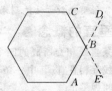

图 5 - 1 - 6

解答 显然,直接测量底角的度数是很困难的,金煜同学运用转化的思想方法,利用邻补角、对顶角的性质进行迁移.其中,方案 1 中采用了邻补角的性质,因为 $\angle CBD +$ $\angle ABC = 180°$,即 $\angle ABC = 180° - \angle CBD$,所以,只要量出 $\angle CBD$ 的度数便可求出 $\angle ABC$ 的度数;方案 2 中采用了对顶角的性质,因为 $\angle DBE = \angle ABC$,所以,只要量出了 $\angle DBE$ 的度数便可以知道 $\angle ABC$ 的度数.

例 3 如图 5 - 1 - 7 所示,AB 与 CD 相交于点 O,OE 平分 $\angle AOD$,$\angle AOC = 120°$,求 $\angle BOD$ 和 $\angle AOE$ 的度数.

解析 $\angle BOD$ 与 $\angle AOC$ 是对顶角,可得 $\angle BOD$ 的度数.由于 $\angle AOC$ 与 $\angle AOD$ 是邻补角,可得 $\angle AOD$ 的度数,又由于 OE 平分 $\angle AOD$,可得 $\angle AOE$ 的度数.

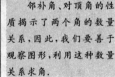

图 5 - 1 - 7

解答 因为 AB 与 CD 相交于点 O(已知),

由对顶角相等,得 $\angle BOD = \angle AOC = 120°$.

由邻补角的定义,可得 $\angle AOD = 180° - \angle AOC = 180° - 120° = 60°$,

又因为 OE 平分 $\angle AOD$,

所以 $\angle AOE = \dfrac{1}{2} \angle AOD = \dfrac{1}{2} \times 60° = 30°$.

> **特别提示**
>
> 邻补角、对顶角的性质揭示了两个角的数量关系,因此,我们要善于观察图形,利用这种数量关系求角.

例 4 如图 5 - 1 - 8 所示,直线 AB,CD,EF 相交于 O 点,$\angle AOF = 3\angle FOB$,$\angle AOC = 90°$.求 $\angle EOC$ 的度数.

解析 由观察图形可知,$\angle AOF$ 与 $\angle FOB$ 是邻补角,$\angle BOF$ 与 $\angle AOE$ 是对顶角,利用它们的性质和已知条件可求得 $\angle EOC$ 的度数.

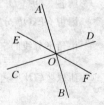

图 5 - 1 - 8

解答 设 $\angle BOF = x$,则 $\angle AOF = 3x$.

由邻补角的定义可得 $x + 3x = 180°$,

解方程,得 $x = 45°$,即 $\angle BOF = 45°$.

由对顶角相等,得 $\angle AOE = \angle BOF = 45°$,

即 $\angle EOC = \angle AOC - \angle AOE =$

$90° - 45° = 45°$.

> **特别提示**
>
> 一般情况下,有类似 $\angle AOF = 3\angle FOB$ 这样的条件时引入未知数较好.

点评 几何计算题,常常要用到图形的几何性质,计算时要有理有据.另外,几何计算题也常常借用代数方法达到求解的目的.

四、垂直的概念

当两条直线相交所成的四个角中,有一个角是直角时,就说这两条直线互相垂直.其中一条直线叫做另一条直线的垂线,它们的交点叫做垂足.

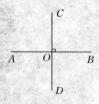

图 5 - 1 - 9

如图 5 - 1 - 9 所示,直线 AB,CD 互相垂直,记作 $AB\perp CD$ 或 $CD\perp AB$,读作"AB 垂直于 CD".若垂足为点 O,记作"$AB\perp CD$,垂足为 O".

提醒 (1)两条直线互相垂直是两条直线相交的特殊情况,特殊在交角都为直角."垂线"是一条直线对另一条直线的称呼,"互相垂直"是两条直线的位置关系.

(2)如果遇到线段与线段、线段与射线、射线与射线、线段或射线与直线垂直时,特指它们所在的直线互相垂直.

(3)根据两条直线互相垂直的定义可知:两条直线互相垂直,则四个交角为直角.反之,若两条直线交角为直角,则这两条直线互相垂直(这是定义的双重性).如图 5 - 1 - 10 所示:

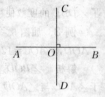

图 5 - 1 - 10

正用:因为 $\angle AOC=90°$,

所以 $AB\perp CD$ 于 O(判定).

反用:因为 $AB\perp CD$ 于 O,

所以 $\angle AOC=90°$(性质).

例5 如图 5 - 1 - 11 所示,OA,OB 在一条直线上,OE 平分 $\angle AOC$,OF 平分 $\angle COB$.试问:OE 与 OF 垂直吗?为什么?

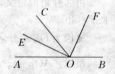

图 5 - 1 - 11

解析 判断两条直线是否垂直,主要根据定义看这两条直线的交角是否为90°.

解答 $OE\perp OF$.

因为 OE,OF 分别是 $\angle AOC$,$\angle COB$ 的平分线,

由角平分线的定义可知 $\angle COF=\dfrac{1}{2}\angle COB$,$\angle COE=\dfrac{1}{2}\angle AOC$.

所以 $\angle COF+\angle COE=\dfrac{1}{2}\angle COB+\dfrac{1}{2}\angle AOC=\dfrac{1}{2}(\angle COB+\angle AOC)=$

$$\dfrac{1}{2}\times 180°=90°.$$

所以 $OE\perp OF$.

点评 用定义来判定两条直线垂直是最常用的方法之一.

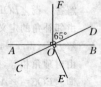

图 5 - 1 - 12

例6 如图 5 - 1 - 12 所示,直线 AB 与 CD 相交于点 O,$OE\perp CD$,$OF\perp AB$,$\angle DOF=65°$.求 $\angle BOE$ 和 $\angle AOC$ 的度数.

解析 由垂直定义可知∠BOF,∠DOE 均为 $90°$,可先求 ∠BOD,再求 ∠BOE. 利用对顶角相等这条性质可得 ∠AOC 与 ∠BOD 相等.

解答 由垂直的定义可得

∠BOF＝∠DOE＝$90°$,

所以∠BOD＝$90°-65°＝25°$,

所以∠BOE＝$90°-25°＝65°$.

所以∠AOC＝∠BOD＝$25°$.

解题方法
　　图形的定义既可以作为判定图形的依据,也可以作为该图形具备的性质.

五、垂线的画法

过一点画已知直线的垂线,让三角板的一条直角边与已知直线重合,沿直线左右移动三角板,使其另一条直角边经过已知点,沿此直角边画直线,则这条直线就是已知直线的垂线.

提醒 (1)可以过直线上一点或直线外一点画已知直线的垂线,并且只能画出一条垂线来.

(2)如过一点画射线或线段的垂线时,是指画它们所在直线的垂线,垂足有时在射线的反向延长线上或在线段的延长线上,如图 5 - 1 - 13 所示.

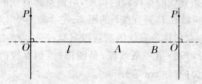

图 5 - 1 - 13

例 7 如图 5 - 1 - 14 所示,直线 AB,CD 相交于点 O,Q 是 CD 上一点.

(1)过点 Q 画 AB 的垂线,E 为垂足.

(2)过点 O 画 CD 的垂线.

解析 (1)过一点画已知直线的垂线,让三角板的一条直角边与已知直线重合,沿直线左右移动三角板,使其另一条直角边经过已知点,沿直角边画直线,则这条直线就是已知直线的垂线.

图 5 - 1 - 14

(2)画已知直线的垂线可以画无数条,但过一点画已知直线的垂线只能画一条.特别值得注意的是过一点画射线或线段的垂线时的情形.

解答

小明的解答:　　　　　　　　　　小颖的解答:

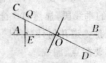

图 5 - 1 - 15

点评 画直线的垂线,一定要搞清楚是过哪一点向哪一条直线画垂线.本例中(1)是过点 Q 画 AB 的垂线,是经过直线外一点画已知直线的垂线,画时应让三角板的一条直角边与 AB 重合,另一条直角边经过 Q 点;(2)是过点 O 画 CD 的垂线,是经过直线上一点画已知直线的垂线,画时应让三角板的一条直角边与 CD 重合,使直角顶点与 O 点重合,沿另一条直角边画直线.因此,小明的解答不对,小颖的解答是对的.

六、垂线的性质及点到直线的距离

1. 垂线的性质

性质1: 过一点有且只有一条直线与已知直线垂直.

性质2: 直线外一点与直线上各点连接的所有线段中,垂线段最短.简称:垂线段最短.

垂线段的定义:如图 5-1-16 所示, P 为直线 l 外一点, $PO \perp l$,垂足为 O ,线段 PO 叫做垂线段. A , B 为直线 l 上的两点,线段 PA 与 PB 叫做斜线段.

图 5-1-16

2. 点到直线的距离

从直线外一点到这条直线的垂线段的长度,叫做点到直线的距离.如图 5-1-16 所示,线段 PO 的长度,叫做点 P 到直线 l 的距离.

提醒 (1)直线外一点到这条直线的垂线段只有一条,而斜线段有无数条.

(2)垂线是直线;垂线段特指一条线段,是图形;点到直线的距离是指垂线段的长度,是一个数量,是有单位的(如 cm 等).

例8 (1)如图 5-1-17 所示, $AC \perp l_1$, $AB \perp l_2$,垂足分别为点 A 和 B ,则点 A 到直线 l_2 的距离是线段 _____ 的长度.

(2)如图 5-1-18 所示, $PO \perp OR$, $OQ \perp PR$,能表示点到直线(或线段)的距离的线段有 _____ 条.

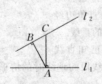

图 5-1-17

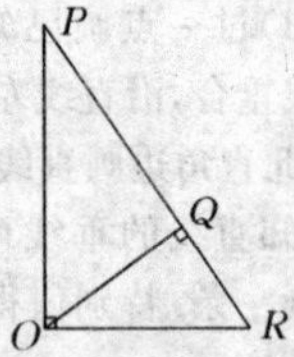

图 5-1-18

解析 (1)题要找点 A 到直线 l_2 的距离,即是找点 A 到直线 l_2 的垂线段,显然 AB 符合要求.

(2)题是一道几何计数问题,实际上是找点到线段的距离.注意不要漏点、漏线.

PO ——点 P 到 OR 的距离;

PQ ——点 P 到 OQ 的距离;

特别提示

表示点到直线的距离必须明确是哪一个点到哪一条直线的距离.注意不要被图形中无关的点和线混淆视线而盲目作答.

RO——点 R 到 OP 的距离；

RQ——点 R 到 OQ 的距离；

OQ——点 O 到 PR 的距离.

解答 （1）AB （2）5

同类变式 如图 5 - 1 - 19 所示，$\angle BAC$ 为钝角，

(1)画出点 C 到 AB 的垂线段；

(2)过 A 点画 BC 的垂线；

(3)量出点 B 到 AC 的距离.

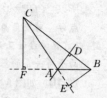

图 5 - 1 - 19

解析 （1）先过点 C 画 AB 的垂线，垂足在 BA 延长线上.

(2)要利用三角板上的直角正确画出图形.

(3)先画出垂线段，再用直尺量度.

解答 （1）线段 CF 就是点 C 到 AB 的垂线段.

(2)直线 AD 就是 BC 的垂线.

(3)量得线段 $BE \approx 0.75$ cm，点 B 到 AC 的距离约为 0.75 cm.

潜 能开发广角

综合方法

在"角"的相关计算中，要注意：

(1)利用邻补角、对顶角的定义准确地识别两种角，并利用这两种角的性质是进行两个角的比较和度数计算的转化机制之一.

(2)利用两条直线垂直的性质也是进行角的比较和度数计算的转化机制之一.

例 9 如图 5 - 1 - 20 所示，直线 AB 与 CD 交于一点 O，$\angle EOB = 90°$，且 $\angle EOD : \angle DOB = 3 : 1$. 求 $\angle COE$ 的度数.

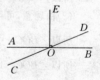

解析一 事实上，$\angle BOD = \dfrac{1}{4} \angle EOB = 22.5°$，$\angle AOC = \angle BOD = 22.5°$，

所以 $\angle COE = \angle AOC + \angle AOE = 90° + 22.5° = 112.5°$.

图 5 - 1 - 20

解析二 事实上，$\angle EOD = \dfrac{3}{4} \angle EOB = 67.5°$，

所以 $\angle COE = 180° - \angle EOD = 180° - 67.5° = 112.5°$.

解答一 因为 $\angle EOB = 90°$（已知），

所以 $\angle AOE = 90°$（邻补角定义）.

因为 $\angle EOD : \angle DOB = 3 : 1$（已知），

所以 $\angle BOD = \dfrac{1}{4} \angle EOB = 22.5°$，

所以∠COA＝∠BOD＝22.5°(对顶角相等).

所以∠COE＝∠COA＋∠AOE＝22.5°＋90°＝112.5°.

解答二 因为∠EOD＝$\frac{3}{4}$∠EOB＝67.5°,

所以∠COE＝180°－∠EOD＝180°－67.5°＝112.5°(邻补角定义).

点评 对顶角与邻补角主要是由图形的位置关系定义的,同时也是数量关系的典型;以前曾学习过互为余角,互为补角,它们只是从数量关系上加以定义.上述四种角是研究两个角关系的基础,切勿等闲视之.

例10 如图5-1-21所示,直线AB,CD相交于点O,OM⊥AB.

(1)若∠1＝∠2,求∠NOD的度数.

(2)若∠1＝$\frac{1}{4}$∠BOC,求∠AOC和∠MOD的度数.

图5-1-21

解析 由已知条件和观察图形,可知∠1与∠COA互余,又∠1＝∠2,即可推出∠2与∠COA互余,利用这些关系可求出∠NOD.

由∠1＝$\frac{1}{4}$∠BOC,而∠BOC＝∠1＋90°,即可求出∠1的度数.

解答 (1)由OM⊥AB,可得∠BOM＝∠AOM＝90°,

而∠AOM＝∠1＋∠AOC,∠1＝∠2,

所以∠AOM＝∠2＋∠AOC＝90°.

又因为∠2＋∠AOC＝∠CON,

所以∠CON＝90°.

又因为∠NOD＝∠COD－∠CON,

所以∠NOD＝180°－90°＝90°.

(2)由题意,可得∠BOC－∠1＝90°,

所以∠BOC－$\frac{1}{4}$∠BOC＝90°,

所以∠BOC＝120°.

∠1＝$\frac{1}{4}$∠BOC＝$\frac{1}{4}$×120°＝30°.

所以∠AOC＝∠AOM－∠1＝90°－30°＝60°.

所以∠MOD＝∠COD－∠1＝180°－30°＝150°.

特别提示

①垂线的概念为本节的重点也是难点.若两条直线垂直,那么它们相交所得的四个角中每个角都是90°,在计算角的度数时,根据需要选用一个即可.②利用方程的思想方法解有关"角"的计算问题,简洁而明快,令人拍案叫绝.

例11 OC把∠AOB分成两部分且有下面两个等式成立:①∠AOC＝$\frac{1}{3}$直角＋$\frac{1}{3}$∠BOC;②∠BOC＝$\frac{1}{3}$平角－$\frac{1}{3}$∠AOC.

问:(1)OA与OB的位置关系怎样?

(2)OC 是否为 $\angle AOB$ 的平分线？并写出判断理由.

解析 要回答问题中(1)、(2)两问，实质就是要求出 $\angle AOC$ 和 $\angle BOC$ 的度数.

解答 由条件(1)设 $\angle BOC = x$，则 $\angle AOC = 30° + \dfrac{1}{3}x$.

由条件(2)得 $x = \dfrac{1}{3} \times 180° - \dfrac{1}{3}(30° + \dfrac{1}{3}x)$.

解方程得 $x = 45°$.

故 $\angle BOC = 45°$，$\angle AOC = 45°$.

(1)因为 $\angle BOC = 45°$，$\angle AOC = 45°$，

  所以 $\angle AOB = 90°$，

  所以 $OA \perp OB$.

(2)因为 $\angle BOC = 45°$，$\angle AOC = 45°$，

  所以 $\angle BOC = \angle AOC$.

  所以 OC 是 $\angle AOB$ 的平分线.

点评 本例是一道开放性例题，其实质是一道求角的题目，它通过题目中告诉的相等关系，"将计就计"构造关于所求角度的方程，促使问题顺利解决.

前沿考向

中考对本节涉及内容的要求有：

(1)会判断、识别对顶角和邻补角，灵活运用对顶角、邻补角所揭示的数量关系解有关角的计算问题.

(2)掌握垂线、垂线段、点到直线的距离等概念，会用三角板过一点画已知直线的垂线，并会度量点到直线的距离，灵活使用垂线的两个性质解决实际问题.

一、错因辨析

例 12 下列判断中正确的个数是   ( )

① 如果两个角相等，那么这两个角是对顶角.

② 对顶角的平分线在同一条直线上.

③ 如果两个角有公共顶点，且角平分线互为反向延长线，那么这两个角是对顶角.

④ 如果两个角是对顶角，那么这两个角相等.

A.0 个   B.1 个   C.2 个   D.3 个

解析 ① 可看反例，如图 5 - 1 - 22(1)所示，$\angle 1$ 与 $\angle 2$ 相等，但 $\angle 1$ 与 $\angle 2$ 不是对顶角.

② 判断是正确的.

③ 可看反例，如图 5 - 1 - 22(2)所示，$\angle AOB$ 与 $\angle COD$ 不是对顶角.

④ 判断是正确的.

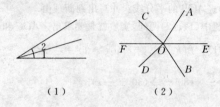

（1）　　　　（2）

图 5 - 1 - 22

解答 C

点评 本例为北京市海淀区中考试题,得分率为 56%,错因:思维.部分学生在运用对顶角的性质时没有进行认真读题、审题,如判断③的两个角不一定是对顶角.辨认对顶角的要领:①两条直线相交构成的四个角;②有公共顶点没有公共边.两个条件具备的角才是对顶角.

例 13 已知如图 5 - 1 - 23 所示,直线 AB,CD 相交于 O, OD 平分 $\angle BOE$,$\angle AOC=42°$,则 $\angle AOE$ 的度数为　　　（　　）

A. 126°　　　　B. 96°

C. 102°　　　　D. 138°

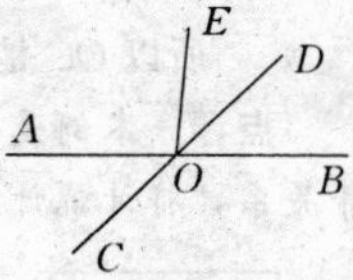

解析 ① 先用对顶角知识,求出 $\angle BOD=\angle AOC=42°$;

图 5 - 1 - 23

② 运用角平分线定义,得出 $\angle EOD=\angle BOD$,则有 $\angle BOE=2\times 42°=84°$;

③ 运用邻补角的定义,求出所需角度:$\angle AOE=180°-\angle BOE=180°-84°=96°$.

解答 B

点评 本例为黄冈市调考题,得分率为 63%,错因:知识.①少数学生误认为 $\angle COB$ 与 $\angle AOE$ 为对顶角.②在答题中没有主动联系所学知识,寻求其应用,错选 D.

例 14 判断下列语句中,正确的个数有　　　　　　　　　　（　　）

① 两条直线相交,若有一组邻补角相等,则这两条直线互相垂直.

② 从直线外一点到已知直线的垂线段,叫做这个点到已知直线的距离.

③ 从直线外一点画已知直线的垂线,垂线的长度就是这个点到已知直线的距离.

④ 画出已知直线外一点到已知直线的距离.

A. 1 个　　　　B. 2 个　　　　C. 3 个　　　　D. 4 个

解析 ① 这种说法是正确的,因为一组邻补角的和为一个平角,当它们相等时,就可以知道它们是直角.

② 这种说法是错误的,因为从直线外一点到这条直线的垂线段的长度叫做点到直线的距离,仅仅有垂线段,没有指明这条垂直线段的长度是错误的.

③ 这种说法是错误的,因为垂线是直线,直线没有长度,它可以无限延伸,所以说"垂线的长度"是错误的.

④ 这种说法是错误的,"画"是画图形,画图不能得到数量,只有"量"才能得到数量.这句话应该说成:画出已知直线外一点到已知直线的垂线段,量出垂线段的长度,说出这一点到已知直线的距离.

点评 本例为麻城市调考题,得分率为 60%,错因:知识.本节内容在中考试题中常以选择题、填空题为主要题型出现,内容多以考"对概念的理解"为主,因此,准确把握概念,真正领会概念的内涵是做好这类题的关键.很多同学对这类看似简单的概念判断题粗心大意而失分.

二、阅读与探索

例 15 先阅读题(1)的解答,再探索题(2)、(3)、(4)的结论.

(1)如图 5 - 1 - 24 所示,已知 $\angle AOB$ 是直角,$\angle BOC = 30°$,OM 平分 $\angle AOC$,ON 平分 $\angle BOC$,求 $\angle MON$ 的度数.

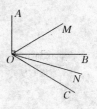

图 5 - 1 - 24

解答:(1)因为 $\angle AOB$ 是直角,

所以 $\angle AOB = 90°$.

又因为 $\angle BOC = 30°$,

所以 $\angle AOC = 90° + 30° = 120°$.

因为 OM 平分 $\angle AOC$,

所以 $\angle MOC = \dfrac{1}{2} \angle AOC = 60°$.

因为 ON 平分 $\angle BOC$,

所以 $\angle BON = \angle NOC = \dfrac{1}{2} \angle BOC = 15°$.

所以 $\angle MON = \angle MOC - \angle NOC = 45°$.

(2)当 $\angle AOB = \alpha$,其他条件不变时,$\angle MON =$ _____.

(3)当 $\angle BOC = \beta$,其他条件不变时,$\angle MON =$ _____.

(4)分析(1)、(2)、(3)的结果和(1)的解答过程,可以看出,$\angle MON = \dfrac{1}{2}$ _____.

解答 (2)$\dfrac{1}{2}\alpha$ (3)$45°$ (4)$\angle AOB$

点评 本例(1)~(4)体现了从特例中发现一般规律的观察、发现、小结的过程.这种思维方法告诉我们:世界上的许多重大发现都是从个别特例起步的.正如牛顿发现重力,韦达发现根与系数的关系一样.希望读者在不断总结规律中发现规律,提高创新能力.

例 16 两条直线相交有两组对顶角;三条直线相交于一点,有 6 组对顶角;……;n 条直线相交于一点,有多少组对顶角?

探索过程

(1)从特殊入手,寻找问题的解决途径(如图 5 - 1 - 25):

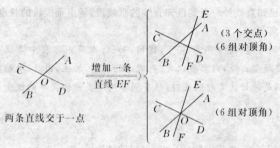

两条直线交于一点 —增加一条直线EF→

（3个交点）
（6组对顶角）

（6组对顶角）

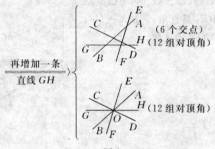

—再增加一条直线GH→

（6个交点）
（12组对顶角）

（12组对顶角）

图 5 - 1 - 25

（2）分析对比,比较两个图形之间的关系:

直线交于一点与直线两两相交,它们的对顶角的组数是相同的.

（3）归纳小结,找出规律,探求公式:

n 条直线两两相交,最多有 $\dfrac{n(n-1)}{2}$ 个交点,每个交点处有两组对顶角,故 n 条直线相交于一点共有 $n(n-1)$ 组对顶角.

随堂能力测试

一、填空题

1．两条直线相交,其中一个角的对顶角有＿＿＿＿个,一个角的邻补角有＿＿＿＿个.

2．如图 5 - 1 - 26 所示,AB 和 CD 交于点 O,$\angle AOE＝90°$,则 $\angle AOC$ 与 $\angle BOD$ 是＿＿＿＿,$\angle AOC$ 和 $\angle AOD$ 是＿＿＿＿,$\angle AOC$ 和 $\angle DOE$ 是＿＿＿＿.

3．如图 5 - 1 - 27 所示,直线 AB 和 CD 相交于点 O,$\angle AOC$ 与 $\angle BOD$ 的和为 $220°$,则 $\angle BOC$ 的度数为＿＿＿＿.

4．如图 5 - 1 - 28 所示,直线 AB 和 CD 相交于点 O,已知 $\angle AOC＝70°$,且 $\angle BOE$∶$\angle EOD＝2$∶3,则 $\angle EOD＝$＿＿＿＿.

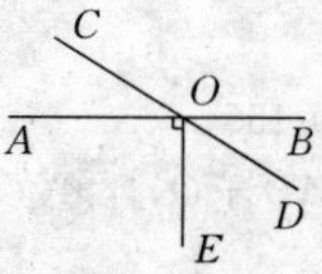

图 5 - 1 - 26

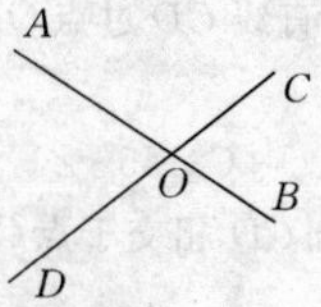

图 5 - 1 - 27

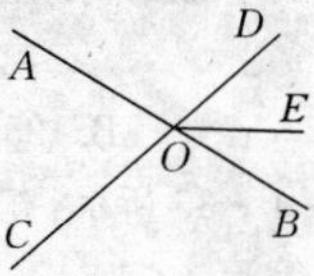

图 5 - 1 - 28

5. 如图 5 - 1 - 29 所示，直线 AB,CD,EF 交于一点 $O,OG \perp EF$，且 $\angle GOB = 30°$，$\angle AOC = 40°$，则 $\angle COE =$ _____.

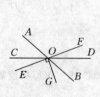

图 5 - 1 - 29

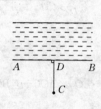

图 5 - 1 - 30

图 5 - 1 - 31

6. 如图 5 - 1 - 30 所示，计划把池中的水引到 C 处，可过 C 点引 $CD \perp AB$ 于 D，然后沿 CD 开渠，可使所开的渠道最短，这种设计的依据是 _____.

7. 如图 5 - 1 - 31 所示，$AC \perp BC$，$AC = 12$，$BC = 5$，$AB = 13$，则点 B 到 AC 的距离是 _____，点 A 到 BC 的距离是 _____，A,B 两点的距离是 _____.

二、选择题

8. 如图 5 - 1 - 32 所示的四个图形中，$\angle 1$ 和 $\angle 2$ 是对顶角的图形共有 （ ）

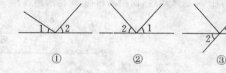

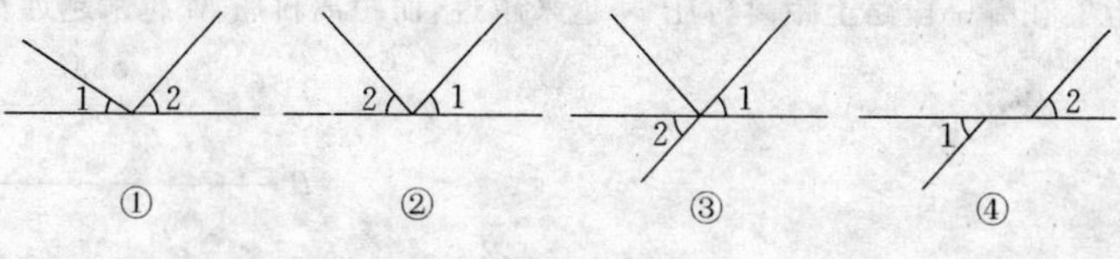

① ② ③ ④

图 5 - 1 - 32

A. 0 个   B. 1 个   C. 2 个   D. 3 个

9. 如图 5 - 1 - 33 所示，三条直线 AB,CD,EF 相交于同一点 O. 若 $\angle AOE = 2\angle AOC$，$\angle COF$ 比 $\angle AOE$ 大 $30°$，则 $\angle AOC$ 的度数是 （ ）

A. $30°$ B. $60°$ C. $20°$ D. $45°$

10. 点 P 为直线 l 外一点，点 A,B,C 为 l 上三点，$PA = 3$ cm，$PB = 4$ cm，$PC = 5$ cm，则点 P 到直线 l 的距离 （ ）

A. 为 3 cm   B. 为 4 cm

C. 小于 3 cm   D. 不大于 3 cm

11. 如图 5-1-34 所示,$OA \perp OB$,直线 CD 过点 O,且 $\angle AOC = 35°$,则 $\angle BOD$ 等于   (   )

    A. 55°   B. 125°   C. 145°   D. 155°

12. 如图 5-1-35 所示,直线 AB 和 CD 相交于点 O,$OE \perp AB$ 于 O,且 $\angle COE = 40°$,则
    $\angle BOD$ 等于   (   )

    A. 40°   B. 45°   C. 50°   D. 155°

图 5-1-33   图 5-1-34   图 5-1-35

三、解答题

13. 已知直线 AB 和 CD 相交于点 O,$\angle AOC + \angle BOD = 234°$,求 $\angle BOC$ 的度数.

14. 细心画一画,用心想一想:如图 5-1-36,一辆客车在直线形公路 AB 上由 A 向 B 行驶,M,N 分别是位于公路两侧的村庄.

    (1) 设客车行驶到公路 AB 上点 P 位置时,距离村庄 M 最近;行驶到点 Q 位置时,距离村庄 N 最近.请在图中的公路 AB 上分别画出点 P 和点 Q 的位置.

    (2) 当客车从 A 出发向 B 行驶时,在公路 AB 的哪一段上距离 M,N 两村庄都越来越近?在哪一段路上距离村庄 N 越来越近,而距离村庄 M 越来越远?

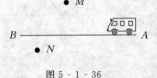

图 5-1-36

15. 如图 5-1-37 所示,已知直线 AB,CD,EF 相交于点 O,$CD \perp AB$,$\angle AOE : \angle AOD = 2 : 5$.求 $\angle BOF$ 和 $\angle DOF$ 的度数.

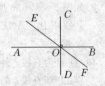

图 5-1-37

16. 已知直线 *AB*，*CD* 交于 *O*，如图 5 - 1 - 38 所示，

(1) *OE*，*OF* 分别是 ∠*AOC*，∠*BOD* 的平分线，射线 *OE*，*OF* 在同一直线上吗？为什么？*OG* 是 ∠*AOD* 的平分线，*OE* 与 *OG* 有怎样的位置关系？为什么？

(2) 如果 *OG* 平分 ∠*AOD*，*OE*⊥*OG*，∠1 与 ∠2 有何关系？试说明理由.

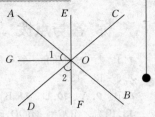

图 5 - 1 - 38

17. 观察图 5 - 1 - 39，并回答下列问题.

(1) 一条直线把平面分成_____个部分；两条直线相交有_____个交点，把平面分成_____个部分.

(2) 三条直线两两相交，最多有_____个交点，把平面最多分成_____个部分；四条直线两两相交，最多有_____个交点，把平面最多分成_____个部分.

一条直线　　两条直线相交　　三条直线两两相交　　四条直线两两相交

图 5 - 1 - 39

(3) 根据以上两问总结规律，想一想，九条直线两两相交，最多有多少个交点？把平面最多分成多少个部分？

标 答与点拨

1. 1 2 **2.** 对顶角 邻补角 互余 **3.** 70° **4.** 42° **5.** 20° **6.** 垂线段最短

7. 5 12 13

8. B **9.** A **10.** D **11.** B **12.** C

13. 因为∠AOC=∠BOD,而∠AOC+∠BOD=234°,所以∠BOD=117°,
所以∠BOC=180°-117°=63°.

14. (1)分别过M,N作AB的垂线,垂足为点P和点Q.(2)在PA段距离两村越来越
近,在PQ段距离村庄N越来越近,离村庄M越来越远.

15. 设∠AOE=2x,则∠AOD=5x,
因为∠AOD=90°,所以x=18°.
故∠AOE=36°,所以∠BOF=36°,∠DOF=54°.

16. (1)OE,OF在同一直线上,OE⊥OG.(2)互余.

17. (1)2 1 4 (2)3 7 6 11 (3)36;46.

5.2 平 行 线

教 材内容全解

一、平行线的概念及表示法

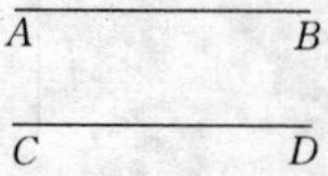

在同一平面内,不相交的两条直线叫做平行线. 如图5-2-1
所示,AB与CD平行,可记作"AB∥CD"或"CD∥AB".

图5-2-1

提醒 平行线的定义包括三个基本特征:

(1)必须是在同一个平面内. 如果不在同一个平面内,即使不
相交,也不是平行线.

(2)必须是两条直线. 如果是两条线段或射线在同一平面内不相交也不一定是平
行线.

(3)必须是不相交的直线.

在平行线定义中,特别要强调"同一平面内",因为空间也存在两条不相交的直线,
但它们不平行,这样的两条直线叫做异面直线.

平面内两条直线的位置关系是不相交就平行,平行就不相交.

二、平行公理及平行线的画法

(1)平行公理:经过直线外一点,有且只有一条直线与这条直线平行.

(2)由平行公理可以得出：

推论：如果两条直线都与第三条直线平行，那么这两条直线也互相平行.

也就是说，如果 $a/\!/b,c/\!/b$，那么 $a/\!/c$，如图 5 - 2 - 2 所示.

图 5 - 2 - 2

提醒 （1）在平行公理中应强调以下两点：

① 直线外一点.

② "有且只有"中，"有"表示存在性，"只有"表示它的唯一性.

(2)我们有时也说两条射线或线段平行，这实际上是指它们所在的直线平行.

例1 下列四句命题中正确的个数有　　　　　　　　（　　）

① 在同一平面内两条直线不平行就相交.

② 过一点有且只有一条直线和已知直线平行.

③ 说两条射线或线段平行是指它们所在的直线平行.

④ 两条不相交的直线是平行线.

A.1个　　　B.2个　　　C.3个　　　D.4个

解析 在同一平面内两条直线的位置关系有两种：一种是相交，另一种是平行.二者必居其一，故①对.显然，过已知直线上一点不能作已知直线的平行线，故②错误.③是对的.两条不相交的直线不一定是平行线，如长方体不共面的两条棱，故④错误.

解答 B

> **特别提示**
> 　　这是一道概念判断题，理解概念是解答好这类题的关键.其中，定义中的"同一平面内"，平行公理中"过直线外一点"等特定条件要在理解的基础上记忆，要在比较中理解.

例2 在同一平面内两条直线的位置关系可能是　　　　（　　）

A. 相交或垂直　　　B. 垂直或平行　　　C. 平行或相交　　　D. 不确定

解析 两条直线互相垂直是相交的一个特例，在同一平面内，直线的位置关系只有两种：相交或平行.

解答 C

例3 如图 5 - 2 - 3 所示，已知直线 AB 和 AB 外一点 P，过 P 点画 AB 的平行线 CD.

画法 (1)"放"，把三角板一边放在 AB 上.

(2)"贴"，把直尺紧贴在三角板的另一边上.

(3)"推"，把三角板沿直尺边推到使刚才落在 AB 上的边恰好经过已知点 P 的位置.

(4)"画"，沿三角板经过 P 点的边画直线 CD.

结论：直线 CD 即为所求.

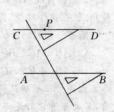

图 5 - 2 - 3

三、同位角、内错角、同旁内角

如图 5 - 2 - 4 所示，直线 AB,CD 与直线 EF 相交(或者说两条直线 AB,CD 被第

三条直线 EF 所截),构成八个角,简称"三线八角".

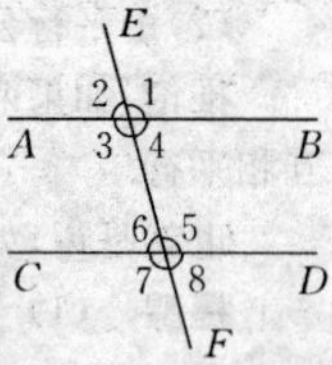

(1)∠1 与∠5,这两个角分别在 AB 和 CD 的上方,并且在 EF 的右侧,像这样位置相同的一对角叫做同位角.例如∠2 与∠6,∠3 与∠7,∠4 与∠8 都是同位角.

图5-2-4

(2)∠3 与∠5,这两个角都在 AB 和 CD 之间,并且∠3 在 EF 的左侧,∠5 在 EF 的右侧,像这样的一对角叫做内错角.例如∠4 与∠6 是内错角.

(3)∠3 与∠6 在直线 AB 和 CD 之间,并且在 EF 的同一旁,像这样的一对角叫做同旁内角.例如∠4 与∠5 是同旁内角.

提醒 ①同位角、内错角、同旁内角是指具有特殊位置关系的两个角,是成对出现的.②这三类角必须是由两条直线被第三条直线所截形成的.③同位角特征:截线同旁,被截两线的同方向.内错角特征:截线两旁,被截两线之间.同旁内角特征:截线同旁,被截两线之间.④两条直线被第三条直线截成的8个角中共有4对同位角,2对内错角,2对同旁内角.

例4 如图5-2-5所示,

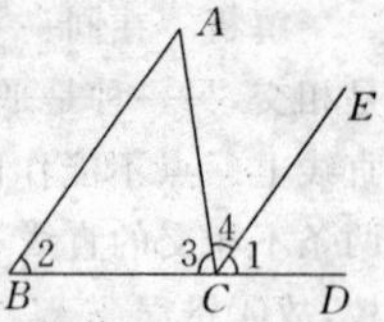

(1)∠1 和∠2 是直线_____和直线_____被第三条直线_____所截而成的_____角;

(2)∠2 与∠3 是直线_____和直线_____被第三条直线_____所截而成的_____角;

(3)∠4 与∠A 是直线_____和直线_____被第三条直线_____所截而成的_____角.

图5-2-5

解析 从两个角去判断哪两条直线被第三条直线所截,应先看这两个角的两边.如∠1 的两边是射线 CE 与 CD,∠2 的两边是射线 BA 与 BD,则两个角的公共边所在的直线 BD 是截这两个角的其他两边 BA 和 CE 的直线,即题中所说的第三条直线,而∠1 与∠2 是在直线 AB 和 CE 的同一侧,在第三条直线 BD 的同一旁,因此,它们是一对同位角.依据这个规律,你能将(2)、(3)做出来吗?

解答 (1)BA CE BD 同位

(2)AB AC BC 同旁内

(3)AB CE AC 内错

点评 正确辨认同位角、内错角、同旁内角的思路是:首先弄清所判断的是哪两个角,其次弄清它们是哪两条直线被第三条直线所截形成的.弄清这两个角是由哪两条直线被第三条直线所截而成的,最简单的方法是:两个角公共边所在的直线是截线,其余两边就是被截的两条直线.

例5 如图5-2-6所示,

(1)指出 DC 和 AB 被 AC 所截的内错角.

(2)指出 AD 和 BC 被 AE 所截的同位角.

(3)指出∠4与∠7,∠2与∠6,∠9与∠EAD,∠ADC与∠DAB是什么关系的角,并指出是哪两线被哪一线所截的.

(4)指出∠6与∠7是什么关系的角.

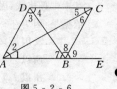

图 5 - 2 - 6

解析 做题时,将多余的线当成没有,只保留"三线".指出两角关系时,关键看这两角的两边,共用的为截线,余下的线为被截两线.若无公共边,则这两角无这三类角关系.

解答 (1)∠1与∠5.

(2)∠9与∠DAE.

(3)∠4与∠7是内错角,是 DC 和 AB 被 DB 所截的;

∠2与∠6是内错角,是 AD 和 BC 被 AC 所截的;

∠9与∠EAD是同位角,是 AD 和 BC 被 AE 所截的;

∠ADC与∠DAB是同旁内角,是 DC 和 AB 被 AD 所截的.

(4)∠6与∠7既不是同位角,也不是内错角和同旁内角.

点评 学习图形、研究图形的一个重要方法就是熟记基本图形.倘若提到某一概念、结论时不知它的基本图形,就难以展开观察,即使这个基本图形就在眼前,你也会看不到,更谈不上解决实际问题了.这仅仅是第一步,第二步就是分离基本图形,才能进行思维.第三步,倘若题设中无基本图形(或不完全),可添加适当的线,将其构造出来,再展开思考(这一步是添加辅助线的基本原理).

四、判断两条直线平行的条件

方法 1:两条直线被第三条直线所截,如果同位角相等,那么这两条直线平行.简称:同位角相等,两直线平行.

基本图形如图 5 - 2 - 7 所示.

基本推理格式:因为∠1=∠2,

所以 $l_1 // l_2$.

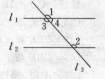

图 5 - 2 - 7

方法 2:两条直线被第三条直线所截,如果内错角相等,那么这两条直线平行.简称:内错角相等,两直线平行.

基本图形如图 5 - 2 - 7 所示.

基本推理格式:因为∠2=∠3,所以 $l_1 // l_2$.

依据是:因为∠1=∠3(对顶角相等),

又因为∠2=∠3,

所以∠1=∠2,

所以 $l_1 // l_2$.

方法 3:两条直线被第三条直线所截,如果同旁内角互补,那么这两条直线平行.简称:同旁内角互补,两直线平行.

基本图形如图 5 - 2 - 7 所示.

基本推理格式:因为∠2+∠4=180°,所以 l_1∥l_2.

依据是:因为∠2+∠4=180°,

又因为∠1+∠4=180°,

所以∠1=∠2,

所以 l_1∥l_2.

例6 根据图 5-2-8 所示图形完成下列推理过程.

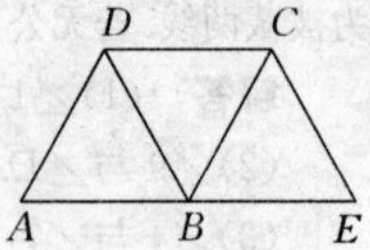

(1)因为∠ABD=∠BDC(已知),

所以 _____∥_____(_____).

(2)因为∠DBC=∠ADB(已知),

所以 _____∥_____(_____).

(3)因为∠CBE=∠DCB(已知),

所以 _____∥_____(_____).

(4)因为∠CBE=∠A(已知),

所以 _____∥_____(_____).

(5)因为∠A+∠ADC=180°(已知),

所以 _____∥_____(_____).

(6)因为∠A+∠ABC=180°(已知),

所以 _____∥_____(_____).

图 5-2-8

解析 (1)∠ABD 和∠BDC 是 AE 和 CD 被 BD 所截形成的角.

(2)∠DBC 和∠ADB 是 AD 和 BC 被 BD 所截形成的角.

(3)∠CBE 和∠DCB 是 AE 和 CD 被 BC 所截形成的角.

(4)∠CBE 和∠A 是 AD 和 BC 被 AE 所截形成的角.

(5)∠A 和∠ADC 是 AE 和 DC 被 AD 所截形成的角.

(6)∠A 和∠ABC 是 AD 和 BC 被 AE 所截形成的角.

解答 (1)AE CD 内错角相等,两直线平行

(2)AD BC 内错角相等,两直线平行

(3)AE CD 内错角相等,两直线平行

(4)AD BC 同位角相等,两直线平行

(5)AE DC 同旁内角互补,两直线平行

(6)AD BC 同旁内角互补,两直线平行

点评 到目前为止,判定两条直线平行的方法共有五种:

①平行线的定义.②平行公理的推论:如果两条直线都与第三条直线平行,那么这两条直线也互相平行.③同位角相等,两直线平行.④内错角相等,两直线平行.⑤同旁内角互补,两直线平行.

判定两条直线平行时,一般不常用定义,其他四种方法要灵活使用.推理时要注意书写格式.

例7 如图5-2-9所示，已知 a,b,c 是直线，且 $\angle 1 = \angle 2$，那么 a 与 b 平行吗？为什么？

解析 由 $\angle 1 = \angle 2$ 显然不能直接推证 $a \parallel b$。根据两条直线平行的判定方法，必须设法将 $\angle 1 = \angle 2$ 这个条件转化为一组同位角相等，或一组内错角相等，或一组同旁内角互补。

解答 能判定 $a \parallel b$。

理由(1)：因为 $\angle 1 = \angle 3$（对顶角相等），

又因为 $\angle 1 = \angle 2$，

所以 $\angle 2 = \angle 3$，

所以 $a \parallel b$（同位角相等，两直线平行）。

理由(2)：因为 $\angle 1 = \angle 3$（对顶角相等），

$\angle 2 = \angle 4$（对顶角相等），

所以 $\angle 4 = \angle 3$，

所以 $a \parallel b$（内错角相等，两直线平行）。

理由(3)：因为 $\angle 1 + \angle 5 = 180°$（邻补角的性质），

又因为 $\angle 1 = \angle 2$（已知），

所以 $\angle 2 + \angle 5 = 180°$（等量代换）。

又因为 $\angle 2 = \angle 4$（对顶角相等），

所以 $\angle 4 + \angle 5 = 180°$（等量代换），

所以 $a \parallel b$（同旁内角互补，两直线平行）。

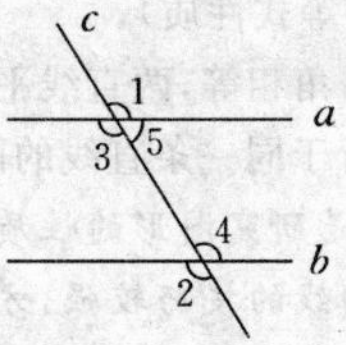

图 5 - 2 - 9

特别提示

在有关说理题中，给出的条件往往不能直接运用定理、公理去推证结果，而是要把题目中给定的条件进行代换、转化，常用的方法是利用"对顶角"、"邻补角"、"角平分线"、"相等量"等知识把条件转化为定理和公理需要的条件，然后利用公理和定理推证出结果。

三种证法说明三种判定方法是相通的，比较一下哪种方法最简洁。

潜 能开发广角

前沿考向

本节内容课标要求是：会用同位角或内错角相等，同旁内角互补判定两条直线平行。由于本节内容不多，知识点单一，故在中考命题中常以填空题或选择题出现，多以开放题为主要题型。

一、以结论探索条件

例8 如图5-2-10所示，当 $\angle BED$ 与 $\angle B$，$\angle D$ 满足 _____ 条件时，可以判定 $AB \parallel CD$。

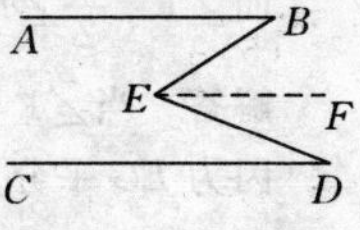

(1)在"_____"上填上一个条件。

(2)试说明你填写的条件的正确性。

图 5 - 2 - 10

解析 先实验：用量角器量出各个角的大小，再画几个类似的图形，量出类似角的大小，就不难发现 $\angle BED = \angle B + \angle D$。如何证明呢？根据现有的条件，$\angle B$，$\angle D$ 与

$\angle BED$ 这三个角之间没有直接联系,但我们可以在 $\angle BED$ 的内部作一个角与 $\angle B$ 相等,构造"三线八角"的基本图形.

解答 (1) $\angle BED = \angle B + \angle D$

(2)理由是:如图 5 - 2 - 10 所示,过 E 点在 $\angle BED$ 的内部作一个角 $\angle BEF = \angle B$,

所以 $AB /\!/ EF$(内错角相等,两直线平行).

又因为 $\angle BED = \angle B + \angle D$(已知),

所以 $\angle FED = \angle D$(等式性质),

所以 $EF /\!/ CD$(内错角相等,两直线平行).

所以 $AB /\!/ CD$(平行于同一条直线的两条直线平行).

点评 添加辅助线是研究图形的性质时常用的技巧,它在计算或证明中起着牵线与搭桥的作用.添加辅助线的技巧较强,方法变化多样,没有固定的模式,因此,必须在长期的学习中不断积累经验.

例 9 (2004 年江苏试验区试题)如图 5 - 2 - 11 所示,直线 a,b 被直线 c 所截,现给出下列四个条件:①$\angle 1 = \angle 5$;②$\angle 1 = \angle 7$;③$\angle 2 + \angle 3 = 180°$;④$\angle 4 = \angle 7$.其中能判定 $a /\!/ b$ 的条件的序号是 ( )

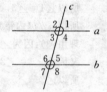

图 5 - 2 - 11

A.①② B.①③ C.①④ D.③④

解析 显然①能使 $a /\!/ b$.

②$\angle 1 = \angle 7$,又 $\angle 7 = \angle 5$,

所以 $\angle 1 = \angle 5$,所以 $a /\!/ b$.

解答 A

点评 由 $\angle 1 = \angle 7$ 不能直接判定 $a /\!/ b$,可以通过对顶角相等将问题转化为同位角相等,再运用平行线的判定方法确定结论是成立的.

例 10 如图 5 - 2 - 12 所示,直线 AB 和 CD 被直线 MN 所截,EG 平分 $\angle BEF$,FH 平分 $\angle DFE$.问:$\angle 1$ 与 $\angle 2$ 应满足什么条件时,$AB /\!/ CD$?

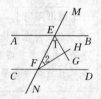

图 5 - 2 - 12

解析 "逆向思维"——欲要满足 $AB /\!/ CD$,则必须找到 $\angle BEF + \angle DFE = 180°$,

而 $\angle 1 = \dfrac{1}{2} \angle BEF$,$\angle 2 = \dfrac{1}{2} \angle EFD$,则有 $\angle 1 + \angle 2 = 90°$.

解答 当 $\angle 1$ 与 $\angle 2$ 互余时,$AB /\!/ CD$.理由如下:

因为 EG 平分 $\angle BEF$,FH 平分 $\angle DFE$,

所以 $\angle BEF = 2\angle 1$,$\angle DFE = 2\angle 2$.

因为 $\angle 1 + \angle 2 = 90°$,

所以 $\angle BEF + \angle DFE = 180°$,

所以 $AB /\!/ CD$(同旁内角互补,两直线平行).

特别提示

本例探索条件的过程采用了"由果索因"的方法,即在 $AB /\!/ CD$ 的条件下推出 $\angle 1$ 与 $\angle 2$ 应满足的关系式 $\angle 1 + \angle 2 = 90°$.

点评 在数学题求解、说理的过程中，一般有两种思考方法，其一是从题目的结论出发，分析所要说明的结论能成立必须具备的是哪些条件，再看这些条件成立又须具备什么条件，直到追溯到已知条件为止，这种思考方法叫做分析法．本节例 8、例 9、例 10 就应用了这种思想．

二、由条件探索结论

例 11 如图 5 - 2 - 13 所示，已知 $CD\perp DA, DA\perp AB, \angle 1=\angle 2$．试确定直线 DF 与 AE 的位置关系，并说明理由．

解析 观察是认识事物的基本途径，是解决问题的前提．观察图形，可以猜想 $DF/\!/AE$．

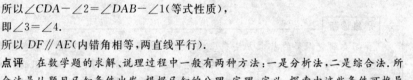

解答 $DF/\!/AE$．理由如下：

因为 $CD\perp DA, AD\perp AB$（已知），

所以 $\angle CDA=\angle DAB=90°$（垂直的定义）．

又因为 $\angle 1=\angle 2$（已知），

所以 $\angle CDA-\angle 2=\angle DAB-\angle 1$（等式性质），

即 $\angle 3=\angle 4$．

所以 $DF/\!/AE$（内错角相等，两直线平行）．

图 5 - 2 - 13

点评 在数学题的求解、说理过程中一般有两种方法：一是分析法，二是综合法．所谓综合法是从题目已知条件出发，根据已知的公理、定理、定义，探索由这些条件可推导出哪些结论，再由这些结论推导出新的结论，直到得出结果．这种从已知条件出发的说理方法叫做综合法．比较起来，分析法是"执果索因"，利于思考；综合法是"由因导果"，宜于表达．

例 12 已知如图 5 - 2 - 14 所示，$\angle B=\angle C$，点 B, A, D 在同一条直线上，$\angle DAC=\angle B+\angle C, AE$ 是 $\angle DAC$ 的平分线．试说明 $AE/\!/BC$ 的理由．

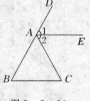

阅读下列说理方法一，并填写推理依据，再将说理方法一的第一步中 $\angle B=\dfrac{1}{2}\angle DAC$ 改为 $\angle C=\dfrac{1}{2}\angle DAC$，独立写出说理方法二．

图 5 - 2 - 14

说理方法一：

因为 $\angle B+\angle C=\angle DAC, \angle B=\angle C$（   ），

所以 $\angle B=\dfrac{1}{2}\angle DAC$（   ）．

因为 AE 是 $\angle DAC$ 的平分线（   ），

所以 $\angle 1=\dfrac{1}{2}\angle DAC$（   ），

所以 $\angle B=\angle 1$（   ）．

所以 $AE /\!/ BC($).

解答 已知 等式性质(或等量代换) 已知 角平分线的定义 等量代换 同位角相等,两直线平行

说理方法二:

因为 $\angle B+\angle C=\angle DAC,\angle B=\angle C$(已知),

所以 $\angle C=\dfrac{1}{2}\angle DAC$(等式性质).

又因为 AE 是 $\angle DAC$ 的平分线(已知),

所以 $\angle 2=\dfrac{1}{2}\angle DAC$(角平分线定义),

所以 $\angle C=\angle 2$(等量代换).

所以 $AE /\!/ BC$(内错角相等,两直线平行).

> **特别提示**
>
> 本例为阅读理解题,其题型为先阅读后模仿,这就要求同学们在阅读中要读出说理方法一的实质.

点评 本题要求在阅读中填写依据,要认真读懂原题的证明思路,再合理填写.而独立写出解法二可以借鉴解法一的思路,进行适当变形即可.

思维诊断

学习和研究图形的基本方法是掌握定义下的基本图形,本节中的基本图形是"三线八角".善于在较为复杂的图形中挖掘出基本图形是学习这方面知识的一大技能,很多同学在较为复杂的图形中由于观察基本图形有误而考场失分.

例 13 如图 5-2-15 所示,下列推理中正确的数目有
( )

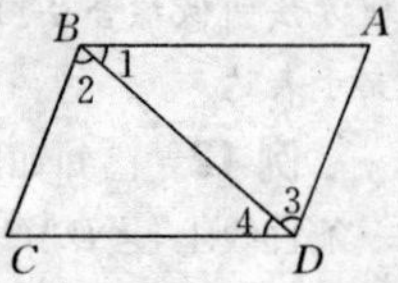

① 因为 $\angle 1=\angle 4$,所以 $BC /\!/ AD$.

② 因为 $\angle 2=\angle 3$,所以 $AB /\!/ CD$.

③ 因为 $\angle BCD+\angle ADC=180°$,所以 $AD /\!/ BC$.

① 因为 $\angle 1+\angle 2+\angle C=180°$,所以 $BC /\!/ AD$.

图 5-2-15

A.1 个 B.2 个 C.3 个 D.4 个

解析 ①因为 $\angle 1$ 与 $\angle 4$ 是 AB 和 CD 被 BD 所截产生,所以由 $\angle 1=\angle 4$ 应得到 $AB /\!/ CD$.②同①,应改为:因为 $\angle 2=\angle 3$,所以 $BC /\!/ AD$.③推理正确.④应为:因为 $\angle 1+\angle 2+\angle C=180°$,所以 $AB /\!/ CD$.

解答 A

点评 本例为北京市海淀区中考题,得分率为 54%,错因:知识.少数同学在看图时,未排除干扰成分(线段),将有用的部分(线段)抽取出来.如①中,因为 $\angle 1$ 与 $\angle 4$ 是 AB 和 CD 被 BD 所截产生,干扰的线段 BC 和 AD 应排除,而它所得的结论恰好是应排除的线段用起来了.因而结论是错误的.

例 14 如图 5-2-16,已知 $\angle B=25°$,$\angle BCD=45°$,$\angle CDE=30°$,$\angle E=10°$,试

说明 $AB/\!/EF$ 的理由.

图 5 - 2 - 16

解析 通过观察图形不难发现,要说明 $AB/\!/EF$ 不可能直接应用两直线平行的判定方法,因为 AB,EF 之间不存在截线.因此,设法构造"三线八角"的基本图形是解决本例的关键.

解答 在 $\angle C$ 内作 $\angle BCM=25°,\angle D$ 内作 $\angle NDE=10°$,

则有 $CM/\!/AB,DN/\!/EF$,

则有 $\angle MCD=45°-25°=20°,\angle CDN=30°-10°=20°$,

所以 $\angle MCD=\angle CDN$,

所以 $CM/\!/DN$,

所以 $AB/\!/DN/\!/EF$.

点评 解与平行线有关的问题时,要熟悉以下基本图形及其变式:①"F"形:⊢;⊢;②"Z"形:⟍;③"冖"形.对于本例,通过添加辅助线构造"Z"形来达到解题的目的.

例 15 如图 5 - 2 - 17 所示,已知 $\angle 1=\angle 2$,问:再添加什么条件可使 $AB/\!/CD$?

解析 本题实质要我们构造有关图形的说理题,必须熟悉平行线的判定方法,结合本题已有条件,逐一选出合适的条件.要注意的是构造有关图形的命题时条件要充分,但也不能过剩.

图 5 - 2 - 17

解答 可分别添加以下任意一个条件:

① $\angle MBE=\angle MDF$;   ② $\angle EBN=\angle FDN$;

③ $\angle EBD+\angle BDF=180°$;   ④ $EB\perp MN,FD\perp MN$ 等.

点评 本例是黄冈市中考题,得分率为 69%,错因:思维.①不能无视要求,列出 $\angle ABM=\angle CDM$ 等直接推出 $AB/\!/CD$ 的条件.②在确定两条直线被第三条直线所截得的同位角等有关角时,要注意对应,不能将 $\angle 1,\angle 2$ 误看做第三条直线截其他两条直线所得的相应角.

随堂能力测试

一、填空题

1. 直线 l_1 与 l_2 在同一平面内不相交,则它们的位置关系是 _____.

2. 在同一平面内,两条直线有 _____ 种位置关系,它们是 _____.

3. 若直线 $l_1/\!/l_2,l_2/\!/l_3$,则 _____ $/\!/$ _____,其理由是 _____

4. 平行用符号"_____"表示,直线 AB 与 CD 平行,可以记作 "_____",读作 _____.

5. 经过直线 _____ 一点, _____ 一条直线与这条直线平行.

6. 如图 5 - 2 - 18 所示，

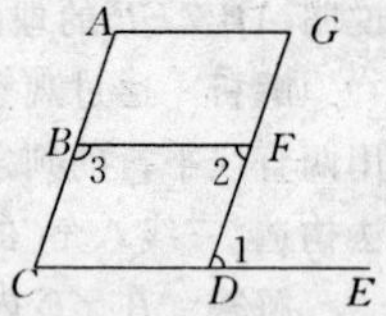

(1) 若∠1＝∠2，则_____//_____，

　　理由是_____.

(2) 若∠1＝∠G，则_____//_____，

　　理由是_____.

(3) 若∠1＝∠C，则_____//_____，

　　理由是_____.

(4) 若∠2＋∠3＝180°，则_____//_____，

　　理由是_____.

图 5 - 2 - 18

二、选择题

7. 一条直线与另两条平行线的关系是 　　　　　　　　　　　　　　　　(　　)

　　A. 一定与两条平行线平行

　　B. 可能与两条平行线中的一条平行，一条相交

　　C. 一定与两条平行线相交

　　D. 与两条平行线都平行或都相交

8. 在同一平面内的两条直线的位置关系可能有 　　　　　　　　　　　　　(　　)

　　A. 两种：平行或相交　　　　　　　　B. 两种：平行或垂直

　　C. 三种：平行、垂直或相交　　　　　D. 两种：垂直或相交

9. 如图 5 - 2 - 19 所示，在长方体 $ABCD—A'B'C'D'$ 中，棱 BC 所在的直线与棱 AA' 所

　　在的直线是 　　　　　　　　　　　　　　　　　　　　　　　　　　　(　　)

　　A. 相交直线　　　　　　　　　　　　B. 平行直线

　　C. 异面直线　　　　　　　　　　　　D. 以上结论都不对

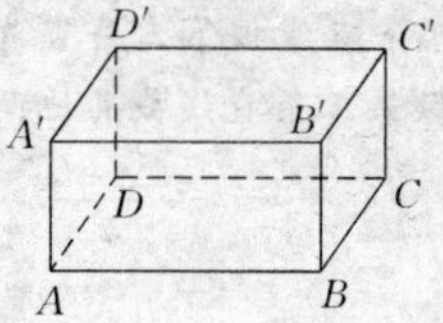

图 5 - 2 - 19 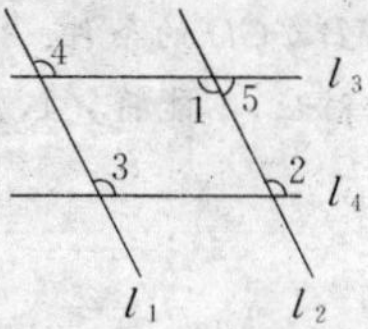　　　　　　图 5 - 2 - 20 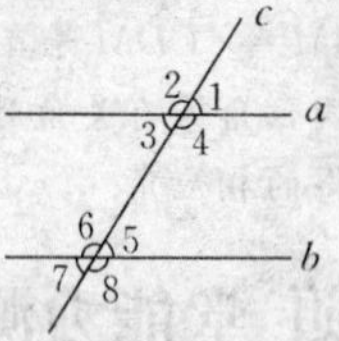　　　　　　图 5 - 2 - 21

10. 如图 5 - 2 - 20 所示，下列推理判断错误的是 　　　　　　　　　　　　(　　)

　　A. 因为∠1＝∠2，所以 l_3∥l_4　　　　B. 因为∠3＝∠4，所以 l_3∥l_1

　　C. 因为∠1＝∠3，所以 l_3∥l_1　　　　D. 因为∠2＝∠3，所以 l_1∥l_2

11. 如图 5 - 2 - 21 所示，直线 a,b 被直线 c 所截，现给出下列四个条件：①∠1＝∠5；

　　②∠1＝∠7；③∠2＋∠3＝180°；④∠4＝∠7. 其中能判定 a∥b 的条件的序号是

　　　　　　　　　　　　　　　　　　　　　　　　　　　　　　　　　　　(　　)

　　A. ①②　　　　　　B. ①③　　　　　　C. ①④　　　　　　D. ③④

三、解答题

12. 如图 5 - 2 - 22 所示，AF，CE，DB 相交于点 B，BE 平分 $\angle DBF$，且 $\angle 1 = \angle C$，问：BD 与 AC 平行吗？为什么？

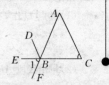

图 5 - 2 - 22

13. 阅读图 5 - 2 - 23 中情景，请对两名同学的答案进行点评（提出你的看法及理由）.

图 5 - 2 - 23

14. 三个相同的三角尺拼接成一个图形，请找出图中的一组平行线，说明你的理由.

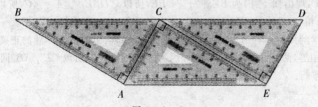

图 5 - 2 - 24

小颖：AC 与 DE 是平行的. 因为 $\angle EDC$ 与 $\angle ACB$ 是同位角，而且又相等.

你能看懂她的意思吗？

小明：我是这样想的：$\angle BCA = \angle EAC \Rightarrow BD \parallel AE$.

你知道这一步的理由吗？

请你再找另一组平行线，说说你的理由.

15. 如图 5-2-25 所示,点 D,E 是线段 AB 的三等分点.

(1)过点 D 作 $DF\parallel BC$ 交 AC 于 F,过点 E 作 $EG\parallel BC$ 交 AC 于 G.

(2)量出线段 AF,FG,GC 的长度(精确到 0.1 cm),你有什么发现?

(3)量出线段 FD,GE,BC 的长度(精确到 0.1 cm),你有什么发现?

(4)根据(3)中发现的规律,若已知 $FD=1.5$ cm,则 $EG=$ _____ cm.

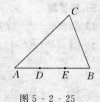

图 5-2-25

标 答与点拨

1. 平行　**2.** 两　相交和平行

3. $l_1\parallel l_3$　如果两条直线都与第三条直线平行,那么这两条直线也互相平行

4. $\parallel$　$AB\parallel CD$　AB 平行于 CD　**5.** 外　有且只有

6. (1)$BF\parallel DE$　内错角相等,两直线平行

(2)$AG\parallel DE$　内错角相等,两直线平行

(3)$DG\parallel AC$　同位角相等,两直线平行

(4)$GD\parallel AC$　同旁内角互补,两直线平行

7. D　**8.** A　**9.** C　**10.** C　**11.** A

12. $BD\parallel AC$,理由如下:因为 BE 平分 $\angle DBF$,所以 $\angle DBE=\angle 1=\angle C$,所以 $BD\parallel AC$(同位角相等,两直线平行).

13. 两名同学的回答都有道理,但不全面,两人的答案合起来才是本题的正确答案.

14. 内错角相等,两直线平行.$CE\parallel AB$.因为 $\angle DCE=\angle B$,所以 $CE\parallel AB$.同位角相等,两直线平行.

15. (1)

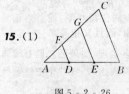

图 5-2-26

(2)量出 AF,FG,CG 后,不难发现 $AF=FG=GC$.

(3)量出 DF,EG,BC 的长度后,不难发现 $FD=\dfrac{1}{2}EG=\dfrac{1}{3}BC$.

(4)3

5.3　平行线的性质

教 材内容全解

一、平行线的性质

性质1：两条平行线被第三条直线所截,同位角相等.简称:两直线平行,同位角相等.

　　基本图形:如图5-3-1.

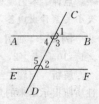

图5-3-1

　　推理格式:因为 $AB/\!/EF$（已知）,

　　　　　　　所以∠1＝∠2（两直线平行,同位角相等）.

性质2：两条平行线被第三条直线所截,内错角相等.简称:两直线平行,内错角相等.

　　基本图形:如图5-3-1.

　　推理格式:因为 $AB/\!/EF$（已知）,

　　　　　　　所以∠2＝∠4（两直线平行,内错角相等）.

性质3：两条直线被第三条直线所截,同旁内角互补.简称:两直线平行,同旁内角互补.

　　基本图形:如图5-3-1.

　　推理格式:因为 $AB/\!/EF$（已知）,

　　　　　　　所以∠2＋∠3＝180°（两直线平行,同旁内角互补）.

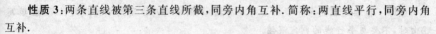

释疑解难

　　问:平行线的性质与判定方法有什么区别和联系?

　　答:平行线的性质和判定中的条件和结论恰好相反.在"两条直线被第三条直线所截"的前提下,从同位角相等,或者内错角相等,或者同旁内角互补推出两条直线平行,这是平行线的判定;而从两直线平行推出同位角相等,或者内错角相等,或者同旁内角互补,这是平行线的性质.

　　提醒　从角的关系得到的结论是两直线平行,用平行线判定定理;如果已知两直线平行,从平行线得到角相等或互补关系,用平行线性质定理.填写理由时,要防止把性质定理与判定定理混淆.

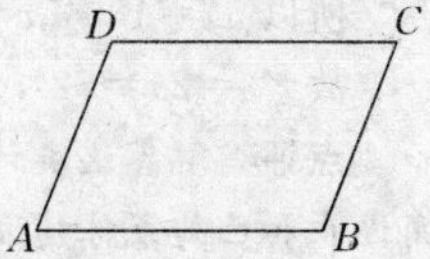

　　例1　已知如图5-3-2所示,$AB/\!/DC$,$AD/\!/BC$.问:∠A与∠C有怎样的大小关系? 为什么?

　　解析　因为已知两组直线分别平行,根据平行线性质定理,则角与角之间有一定的数量关系.

图5-3-2

解答 ∠A＝∠C.理由如下：

因为 AD∥BC(已知)，

所以∠A＋∠B＝180°(两直线平行,同旁内角互补).

又因为 AB∥DC(已知)，

所以∠C＋∠B＝180°(两直线平行,同旁内角互补).

所以∠A＝∠C(同角的补角相等).

点评 本例是开放结论的一道探索题,解答时,要先对问题中∠A与∠C有怎样的大小关系作出回答,再说明理由,这是解答这类题的基本步骤和方法.

例 2 如图 5 - 3 - 3 所示,已知直线 a∥b,直线 c∥d,∠1＝105°.求∠2,∠3 的度数.

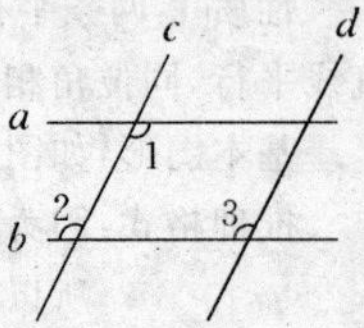

解析 问题中给出的条件是平行线,因此,要应用平行线的性质所揭示出来的角的数量关系求解.

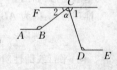

图 5 - 3 - 3

解答 因为 a∥b(已知)，

所以∠2＝∠1(两直线平行,内错角相等).

又因为∠1＝105°(已知)，

所以∠2＝105°(等量代换).

因为 c∥d(已知),所以∠3＝∠2(两直线平行,同位角相等),

所以∠3＝105°(等量代换).

点评 推理过程的每一步都要有理有据.本例中有两步用到平行线的性质,在填写理由时,不要与平行线的判定混淆.

例 3 如图 5 - 3 - 4 所示,已知 FC∥AB∥DE,∠α：∠D：∠B＝2：3：4.求∠α,∠D,∠B 的度数.

解析 由条件∠α：∠D：∠B＝2：3：4,可以分别设出∠α,∠D,∠B,再根据题目给出的条件建立方程求解.

解答 设∠α＝2x,∠D＝3x,∠B＝4x,

因为 FC∥AB∥DE，

所以∠2＋∠B＝180°,∠1＋∠D＝180°,

所以∠2＝180°－4x,∠1＝180°－3x.

因为∠1＋∠α＋∠2＝180°,

所以 180°－3x＋2x＋180°－4x＝180°,

所以 5x＝180°,x＝36°,

故∠α＝2x＝72°,∠D＝3x＝108°,∠B＝4x＝144°.

图 5 - 3 - 4

特别提示

用方程的思想方法来解答有关求图形中的角、线段的问题,这种数形结合的思想值得借鉴和体会.

点评 解答这类计算题,不仅要熟悉图形的性质,还要善于进行等量转化,把待求角逐步和已知条件建立起联系来,当待求结论要经过较复杂过程才能求得时,一定要思路清晰,叙述表达严密.

例 4 如图 5 - 3 - 5 所示,已知 $DE\ /\!/\ BC$,$\angle D:\angle DBC=$ $2:1$,$\angle 1=\angle 2$.求 $\angle DEB$ 的度数.

图 5 - 3 - 5

解析 图中 BD 和 BE 都可以作为平行线 DE 和 BC 的截线,由此可得 $\angle DEB=\angle 1$,$\angle D+\angle 1+\angle 2=180°$,由此结合条件可求得 $\angle DEB$.

解答 因为 $DE\ /\!/\ BC$(已知),

所以 $\angle D+\angle DBC=180°$(两直线平行,同旁内角互补).

又因为 $\angle D:\angle DBC=2:1$(已知),

所以 $\angle DBC=60°$.

又因为 $\angle DBC=\angle 1+\angle 2$,$\angle 1=\angle 2$(已知),

所以 $\angle 1=30°$.

又因为 $DE\ /\!/\ BC$(已知),

所以 $\angle 1=\angle DEB$(两直线平行,内错角相等),

所以 $\angle DEB=30°$.

> **特别提示**
>
> 像这类有关图形中角度的计算问题,不仅要看准基本图形,熟悉其性质,还要善于进行角度的等量转化.亲爱的读者,你能从本例中体会出这三点吗?

例 5 如图 5 - 3 - 6 所示,若 $AE\perp BC$ 于 E,$\angle 1=\angle 2$,那么 DC 与 BC 垂直吗?为什么?

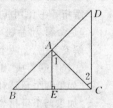

图 5 - 3 - 6

解析 由已知条件 $\angle 1=\angle 2$,得 $AE\ /\!/\ DC$,进而得到 $\angle DCB=\angle AEB$.又因为 $AE\perp BC$,得到 $\angle AEB=\angle DCB=90°$,最后得到结论.

解答 $DC\perp BC$.理由如下:

因为 $\angle 1=\angle 2$(已知),

所以 $AE\ /\!/\ DC$(内错角相等,两直线平行),

所以 $\angle DCB=\angle AEB$(两直线平行,同位角相等).

又因为 $AE\perp BC$(已知),

所以 $\angle AEB=90°$,

所以 $\angle DCB=\angle AEB=90°$,

所以 $DC\perp BC$.

> **特别提示**
>
> 如果两条平行直线中有一条与一条直线垂直,那么另一条也与这条直线垂直.
>
> 可参考教材第 17 页例题.

二、两条平行线间的距离

同时垂直于两条平行线,并且夹在这两条平行线间的线段的长度叫做这两条平行线的距离.

提醒 ①距离是指垂线段的长度,是正值.②两条平行线的位置确定后,它们的距离是定值,不随垂线段的位置变化而改变.③平行线间的距离处处相等.

三、命题的概念

判断一件事情的语句,叫做命题.

提醒 命题的定义包含两个方面的内容:①命题必须是一个完整的句子;②这个句

子必须对某件事作出判断. 例如"对顶角相等","相等的角是对顶角"等都是命题;"连接 P,Q 两点","过 P 作直线 l"等都是不命题.

四、命题结构及一般形态

(1)命题是由题设(已知事项)和结论(由已知事项推出的事项)组成的.

(2)命题通常写成"如果……那么……"的形式,这时,"如果"后接的部分是题设,"那么"后接的部分是结论.

提醒 有些命题的语言很简练,可以先将其改写成"如果……那么……"的形式,容易帮助我们分清题设和结论.

例 6 判断下列语句是不是命题,如果是命题,将其改写成"如果……那么……"的形式.

① 连接 AB.

② 过直线外一点作直线的垂线.

③ 对顶角相等.

④ 等量代换.

⑤ 三角形内角和为 $180°$.

解析 ①、②中句子中没有判断,故①、②不是命题.③、④、⑤中句子是判断句,故③、④、⑤是命题.将命题写成"如果……那么……"的形式的关键是分清命题的题设和结论.

解答 ①、②两个语句不是命题.

③、④、⑤写成"如果……那么……"的形式是:

"如果两个角是对顶角,那么这两个角相等."

"如果两个量相等,那么它们可以互相代换."

"如果一个图形是三角形,那么它的内角和为 $180°$."

点评 命题必须对某件事情作出"是什么"或"不是什么"的判断,疑问句就不是命题.值得注意的是错误的命题也是命题.命题添加"如果"、"那么"后,命题的意义不能改变,改写的句子要完整,语句要通顺,使命题的题设和结论更明朗,易于分辨.改写过程可适当增减词语,不可机械呆板,生搬硬套.

例 7 如图 5 - 3 - 7 所示,给出下列论断:①$AB /\!/ DC$;②$AD /\!/ BC$;③$\angle A = \angle C$.用以上其中两个作为题设,另一个作为结论,用"如果……那么……"的形式,写出一个你认为正确的命题是_____.

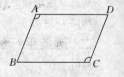

图 5 - 3 - 7

解析 不妨选择①与②作为条件,由平行线的性质"两直线平行,同旁内角互补"可得 $\angle B + \angle C = 180°$,$\angle A + \angle B = 180°$,进而得 $\angle A = \angle C$,故满足要求.由①与③也能得出②成立;由②与③也能推出①成立.

解答 如果四边形 $ABCD$ 中,$AB /\!/ DC$,$AD /\!/ BC$,那么 $\angle A = \angle C$.

特别提示

正确的命题就是如果题设成立时,那么结论一定成立的命题.

点评 本例为一道开放性问题,很多同学因不知分类讨论而无法寻求到解决问题的切入点.事实上,当我们面临数学问题而无法确定其情形时,就必须分类讨论.

潜 能开发广角

平行线的性质和判定是两个不同的命题,其题设(已知事项)和结论(由已知事项推出的事项)恰好相反,在应用或填写理由时要防止把性质和判定混淆.

例 8 如图 5-3-8 所示,已知 $DE /\!/ BC$,$\angle 1 = \angle 2$,试说明 CD 是 $\angle ECB$ 的平分线.

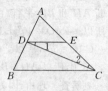

图 5-3-8

解析 由于两条直线平行可推出三类角的关系,本题中有 5 对这样的角,但与条件 $\angle 1 = \angle 2$ 及 CD 平分 $\angle ECB$ 关系恰当的是内错角 $\angle 1 = \angle DCB$.

解答 理由是:因为 $DE /\!/ BC$(已知),

所以 $\angle 1 = \angle DCB$(两直线平行,内错角相等).

因为 $\angle 1 = \angle 2$(已知),

所以 $\angle 2 = \angle DCB$(等量代换),

所以 CD 是 $\angle ECB$ 的平分线.

点评 本例为北京市海淀区中考题,得分率为 74%,错因:思维.在说理过程中,少数同学由 $DE /\!/ BC$ 列出所有相等或互补的角,而难以确定目标.

例 9 如图 5-3-9 所示,已知 C,P,D 在同一条直线上,$\angle BAP$ 与 $\angle APD$ 互补,$\angle 1 = \angle 2$.问:$\angle E$ 与 $\angle F$ 相等吗? 试说明理由.

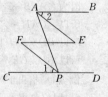

图 5-3-9

解析 图中线段较多,所注字母也较多,思路要清晰.通过分析与观察可以猜想 $\angle E = \angle F$.要说明 $\angle E = \angle F$,显然必须先说明 $AE /\!/ FP$,而要得到这个结论,只有一对内错角可以入手;再看已知两角互补能推出 $AB /\!/ CD$,这时就得到内错角 $\angle BAP = \angle APC$,再加上 $\angle 1 = \angle 2$,分析便可有充分理由得到 $\angle E = \angle F$ 这个结论.

解答 $\angle E = \angle F$. 理由是:

因为 $\angle BAP$ 与 $\angle APD$ 互补(已知),

所以 $AB /\!/ CD$(同旁内角互补,两直线平行),

所以 $\angle BAP = \angle APC$(两直线平行,内错角相等).

因为 $\angle 1 = \angle 2$(已知),

所以 $\angle EAP = \angle APF$,

所以 $AE /\!/ FP$(内错角相等,两直线平行),

所以∠E=∠F(两直线平行,内错角相等).

点评 本例为黄冈市考题,得分率为69%.错因:知识.少数同学没有认真掌握内错角的定义,将∠1和∠2当作内错角,将∠1和∠F,∠2和∠E当作相等的内错角.显然,这是凭直观随意增加条件而导致错误.也有极少数同学,判定、性质不分,将理由乱填一气.

例10 如图5-3-10所示,已知∠1=∠2,∠GFA=40°,∠HAQ=15°,∠ACB=70°,AQ平分∠FAC.试说明BD∥GE∥AH成立的理由.

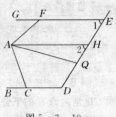

图5-3-10

解析 GE∥AH可以由∠1=∠2判断,问题是如何判断AH和BD平行.由GE∥AH可推出∠AFG=∠FAH,所以∠FAQ=40°+15°=55°,又由AQ平分∠FAC,所以∠CAQ=55°,所以∠CAH=55°+15°=70°,所以∠CAH=∠ACB,所以AH∥BD,所以由平行公理推论可得所求.

解答 理由:因为∠1=∠2(已知),

所以GE∥AH(同位角相等,两直线平行),

所以∠GFA=∠FAH(两直线平行,内错角相等),

因为∠GFA=40°(已知),

所以∠FAH=40°(等量代换),

又∠HAQ=15°,∠CAQ=∠QAF(已知),

所以∠CAQ=∠HAQ+∠FAH=15°+40°=55°,

所以∠CAH=∠CAQ+∠HAQ=55°+15°=70°,

因为∠ACB=70°(已知),

所以∠CAH=∠ACB(等量代换),

所以BD∥AH(内错角相等,两直线平行).

所以BD∥GE∥AH(平行公理推论).

解题方法

这是一道包含本节所有重点知识的题,有一定的难度.初学几何者容易出现错误.因此对平行线的判定、性质所应用的基本图形必须做到四点:

①看得准——要看准三条线,八个角;②分得清——判定、性质要分清;③想得全——指平行线的同旁内角;④用得活——将"三线八角"和几何图形的其他性质结合,灵活运用,即基本图形的灵活运用.

例11 指出下列命题的题设和结论:

(1)同位角相等,两直线平行.

(2)相等的角是对顶角.

解析 根据命题的定义及组成,本题的题设和结论不明显.通常应将它改成"如果……那么……"的形式,再予指出.改写过程中要注意语句的完整和通顺,一个命题的题设和结论原则上也应独立成句.

解答 (1)原命题可改写为:

"如果两条直线被第三条直线所截,同位角相等,那么这两条直线平行."

题设是:"两条直线被第三条直线所截,同位角相等."

结论是:"这两条直线平行."

(2)原命题可改写为:

"如果两个角相等，那么它们是对顶角."

题设是："两个角相等."

结论是："它们是对顶角."

点评 本例为武汉市考题，得分率为 68％，错因：知识．少数同学出现两个错误：①机械地将原句一分为二，不注意补上必要的条件和文字修正，甚至只将个别字、词作为题设或结论；②误将不正确的命题看做不能写出题设和结论，回答无解．须知不正确的命题也是命题，只是其题设成立时，不能保证结论总是正确的.

前沿考向

本节内容课标的要求是：会用一直线截两平行线所得的同位角相等，内错角相等，同旁内角互补等性质进行推理和计算．因此在题型设置时，本节多融于其他知识点中，共同出大题.

一、计算题

例 12 （2004 年山东烟台）如图 5 - 3 - 11 所示，一条公路修到湖边时，需拐弯绕湖而过，如果第一次拐的角 $\angle A = 120°$，第二次拐的角 $\angle B$ 是 $150°$，第三次拐的角是 $\angle C$，这时的道路恰好和第一次拐弯之前的道路平行，则 $\angle C$ 是　　　　　（　　）

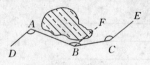

图 5 - 3 - 11

A. 120° B. 130° C. 140° D. 150°

解析 设法构建"三线八角"的基本图形.

解答 过点 B 作 $BF // AD$，

则有 $BF // CE$，$\angle ABF = \angle A = 120°$，则 $\angle FBC = 30°$.

因为 $\angle FBC = 30°$ 而 $BF // CE$，所以 $\angle FBC + \angle C = 180°$.

所以 $\angle C = 150°$.

点评 这是一道既考查了平行线的性质又考查了平行线的判定的计算题．要解答好这类计算题，首先要过识图关，正确的识图是解决这类问题的关键.

二、推理题

例 13 如图 5 - 3 - 12 所示，已知 $l_1 // l_2$，$\angle ABC = 130°$，$\angle COD = 40°$．问：直线 AB 与 l_1 垂直吗？试说明理由.

解析 猜想直线 l_1 与 AB 是垂直的．要说明 $AB \perp l_1$，只需求得 $\angle 1 = 90°$ 即可．已知 $\angle COD = 40°$，而 $\angle ABC = 130°$，能不能从 $\angle ABC$ 中剖分出一个角等于 $40°$ 呢？故而联想到过 B 点作一条与 l_2 平行的直线.

解答 直线 $AB \perp l_1$. 理由是:

过 B 作 $BE /\!/ l_2$(平行公理),

而 $l_1 /\!/ l_2$,

所以 $BE /\!/ l_1 /\!/ l_2$(两条直线都与第三条直线平行,那么这两条直线平行),

所以 $\angle EBO = \angle DOC = 40°$(两直线平行,同位角相等).

因为 $\angle ABC = 130°$,所以 $\angle ABE = 90°$,

所以 $AB \perp BE$.

又因为 $l_1 /\!/ BE$,所以 $AB \perp l_1$.

图 5 - 3 - 12

点评 在有关图形的计算和推理中,常见一类"折线"、"拐角"型问题(形如图 5 - 3 - 12 中的 B 点常称为拐点),要解决这类问题,必须掌握"平移"与"剖分"思想,经过拐点,运用平行线将一个角剖分成两个角,从而化"未知"为"可知",这种方法应熟练掌握,

如  型要特别引起关注.

例 14 如图 5 - 3 - 13 所示,已知 $AB /\!/ CD$.分别探究下面四个图形中 $\angle APC$ 和 $\angle PAB$,$\angle PCD$ 的关系,请你从所得四个关系中选出任意一个,说明你探究的结论的正确性.

结论:(1)_____;

(2)_____;

(3)_____;

(4)_____.

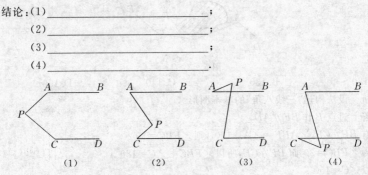

图 5 - 3 - 13

选择结论_____,说明理由:

解析 本题为结论探索型问题,图(1)和图(2)是我们熟悉的问题,在教材中见过,因此要解决图(3)和图(4)的问题,只要将在图(1)和图(2)中所作的辅助线的方法联想和运用到图(3)和图(4)中即可.

解答 (1) $\angle APC + \angle PAB + \angle PCD = 360°$

(2) $\angle APC = \angle PAB + \angle PCD$

(3) $\angle PCD = \angle APC + \angle PAB$

(4)∠*PAB*=∠*PCD*+∠*APC*

可根据图5-3-14中新添辅助线的情况分别说明：

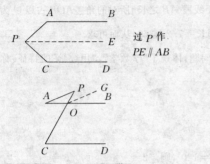

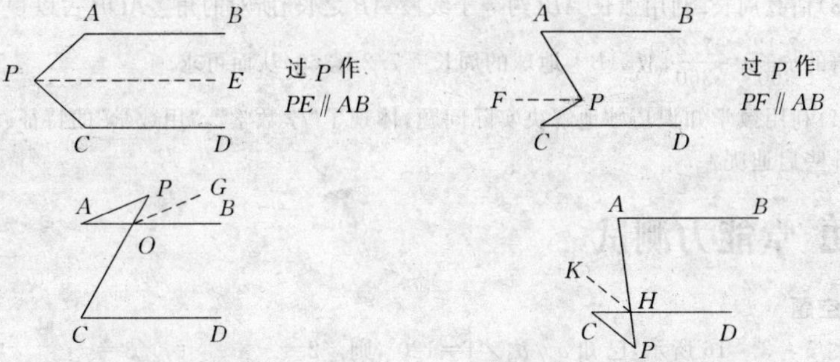

设 *AB* 与 *PC* 交于 *O*，过 *O* 作 *OG∥AP*　　设 *AP* 与 *CD* 交于 *H*，过 *H* 作 *HK∥PC*

图5-3-14

如选择结论(1)，说明理由如下：

过 *P* 作 *PE∥CD*，因为 *CD∥AB*，

所以 *AB∥PE∥CD*.

所以∠*BAP*+∠*APE*=180°，∠*PCD*+∠*CPE*=180°，

所以∠*BAP*+∠*APC*+∠*PCD*=360°.

问题探究

问题　你听说过"坐地日行八万里"吗？这句话告诉我们地球的周长大约是8万里，可人们是怎样知道这个数据的呢？

思考　有这样一段历史事实：

公元前200年，聪明的古埃及人仅仅用了一些数学知识，就测得地球一周的总长，他们用的数学知识你也知道，其中包括：两条平行线被第三条直线所截，内错角相等.

古埃及人发现，在当时的城市塞恩(图5-3-15所示中的*A*点)直立的杆子在某个时刻没有影子，而此时在500英里外的亚历山大(如图5-3-15所示中的*B*点)，直立的杆子的影子却偏离垂直方向7°12′(图5-3-15中*θ*角等于7°12′).根据这个数据，古埃及人算出了地球一周的长，你知道他们是如何计算的吗？

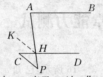

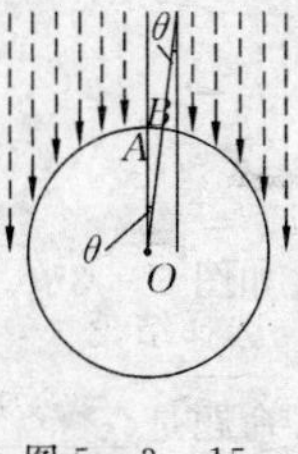

图5-3-15

发现　这是因为弧 *AB* 的长÷7°12′=地球周长÷360°的缘故，

即 500：7°12′=*x*：360°，

解得 *x*=25 000(英里).

由于 1 英里≈1.6 km，

所以地球周长=25 000×1.6=40 000 (km)=80 000 里.

反思　(1)弄清实际问题，并转化为数学问题.把两根直立的杆子看做两条直线，把地球看做一个圆，就可画出其图形.

（2）两根直立的杆子都对准圆心，A 处杆子与 B 处杆子的影子平行，所以∠AOB＝7°12′（两直线平行，内错角相等）.

（3）估算周长．利用弧长 AB（约等于线段 AB 之长）所对的角∠AOB 占以 O 为顶点的周角的$\frac{7°12′}{360°}=\frac{7.2}{360}$，故 AB：地球的周长＝7.2：360，从而可求.

（4）利用数学知识巧妙地解决实际问题，体现了"学数学"，"用数学"的特征．你从中受到哪些启迪呢？

随堂能力测试

一、填空题

1．如图 5 - 3 - 16 所示，已知 a∥b，∠1＝120°，则∠2＝_____，∠3＝_____.

2．如图 5 - 3 - 17 所示，已知 AB∥CD，BC∥DE．若∠B＝60°，则∠D＝_____.

3．如图 5 - 3 - 18 所示，AD∥BC，∠1＝∠2，∠B＝70°，则∠C＝_____.

图 5 - 3 - 16　　　　图 5 - 3 - 17　　　　图 5 - 3 - 18

4．如图 5 - 3 - 19 所示，∠1＝82°，∠2＝98°，∠3＝80°，则∠4＝_____.

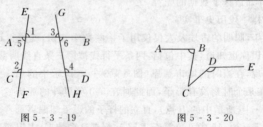

图 5 - 3 - 19　　　　图 5 - 3 - 20

5．如图 5 - 3 - 20 所示，已知 AB∥DE，∠ABC＝80°，∠CDE＝140°，则∠BCD＝_____.

6．命题是_____一件事情的句子．命题都是由_____和_____两部分组成.

7．命题"两直线平行，同位角相等"中，"两直线平行"是命题的_____部分，"同位角相等"是命题的_____部分.

8．命题"若 a≠b，则 a²≠b²"的题设是"_____"，结论是"_____".

二、选择题

9．如图 5 - 3 - 21 所示，BD 平分∠ABC，ED∥BC，则图中相等的角共有　　　　（　　）

A. 2 组　　　　B. 3 组　　　　C. 4 组　　　　D. 5 组

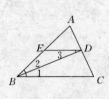

图 5 - 3 - 21

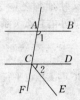

图 5 - 3 - 22

10. 如图 5 - 3 - 22 所示,$AB \parallel CD$,AF 分别交 AB 和 CD 于 A 和 C,CE 平分 $\angle DCF$,
$\angle 1 = 100°$,则 $\angle 2$ 为　　　　　　　　　　　　　　　　　　　(　　)

A. 40°　　　　B. 50°　　　　C. 60°　　　　D. 70°

11. 如图 5 - 3 - 23 所示,已知 $AB \parallel CD$,直线 EF 分别交 AB,CD 于点 E,F,EG 平分
$\angle BEF$,若 $\angle 1 = 50°$,则 $\angle 2$ 的度数为　　　　　　　　　　　　(　　)

A. 50°　　　　B. 60°　　　　C. 65°　　　　D. 70°

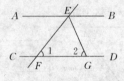

图 5 - 3 - 23

图 5 - 3 - 24

12. 如图 5 - 3 - 24 所示,已知 $AB \parallel CD$,则 $\angle \alpha$ 等于　　　　　　　　(　　)

A. 50°　　　　B. 80°　　　　C. 85°　　　　D. 95°

三、解答题

13. 如图 5 - 3 - 25 所示,已知从一只船上 B 点测得一灯塔 A
的方向是北偏东 25°,那么从灯塔看这只船应在什么方向?

图 5 - 3 - 25

14. 如图 5 - 3 - 26 所示,一束平行光线 AB 与 DE 射向一个水平镜面后被反射,此时∠1=∠2,∠3=∠4.

(1)∠1,∠3 的大小有什么关系?∠2 与∠4 呢?

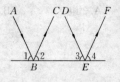

图 5 - 3 - 26

(2)反射光线 BC 与 EF 也平行吗?

15. 请你参与.

小明和机器人作游戏,游戏规则为:

(1)如图 5 - 3 - 27 所示,从所标出的任意一个角出发,利用平行线或对顶角的性质,传到下一个角,对应形式如:小明:∠1;机器人:等于∠2,理由是两直线平行,内错角相等;小明:等于∠6,理由……

(2)要求五次传遍标出的 6 个角,请你模拟一下这个游戏.

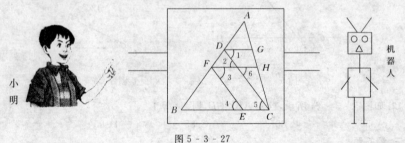

图 5 - 3 - 27

标 答与点拨

1. 60° 120° **2.** 120° **3.** 55° **4.** 100° **5.** 40° **6.** 判断 题设 结论

7. 题设 结论 **8.** $a \neq b$ $a^2 \neq b^2$

9. B **10.** B **11.** C **12.** C

13. 南偏西 25°.

14. (1)因为 AB∥DE,所以∠1=∠3,

而∠1=∠2,∠3=∠4,所以∠2=∠4.

(2)因为∠2=∠4,所以 BC∥EF.

15. 略.

5.4 平 移

教 材内容全解

一、平移变换(平移)

在平面内,将一个图形沿着某个方向移动一定的距离,图形的这种移动,叫做平移变换,简称平移.

提醒 理解"平移"的概念须关注以下三点:

(1)把一个图形整体沿着某一方向(不一定是水平方向)移动,会得到一个新的图形,新图形是原图形通过平移得到的,新图形与原图形的形状和大小完全相同.

(2)新图形中的每一点,都是由原图形中的某一点移动后得到的,这两个点是对应点.

(3)连接各组对应点的线段平行且相等.

例 1 如图 5-4-1 所示,△ABC 沿射线 XY 方向平移一定距离后成为△A′B′C′,找出图中存在的平行且相等的线段及相等的角.

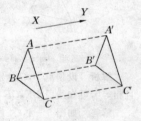

图 5-4-1

解析 本题根据对应点所连的线段平行且相等,可找出 $AA′\underline{\underline{\parallel}}BB′\underline{\underline{\parallel}}CC′$,$AB\underline{\underline{\parallel}}A′B′$,$BC\underline{\underline{\parallel}}B′C′$,$AC\underline{\underline{\parallel}}A′C′$.根据对应角相等找出∠A=∠A′,∠B=∠B′,∠C=∠C′.

解答 平行且相等的线段有 $AA′\underline{\underline{\parallel}}BB′\underline{\underline{\parallel}}CC′$,$AB\underline{\underline{\parallel}}A′B′$,$BC\underline{\underline{\parallel}}B′C′$,$AC\underline{\underline{\parallel}}A′C′$;

相等的角有∠A=∠A′,∠B=∠B′,∠C=∠C′.

点评 ①平移不改变图形的形状和大小,只改变图形的位置.②"将一个图形沿着某个方向移动一定的距离"意味着"图形上的每一个点都沿同一方向移动了相同的距离".基于这两点,平移有以下特征:经过平移,对应线段、对应角分别相等,对应点所连的线段平行且相等.

例 2 观察图 5-4-2 中的两个立方体,回答问题.

(1)右面的图形可以怎样得到? 说一说你的理由.

(2)左、右两个图形的位置、形状、大小是否发现了变化?

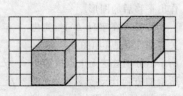

图 5-4-2

解析 首先是观察.这两个图形虽然是立体图形,但可以用平面图形的点来确定位置,也就是对应点确定位置.只要用自己的语言说出自己的作法,不要求统一的答案.既可以先说向上平移,也可以先说向右平移,只要正确即可.第(2)个问题强调位置变化了,但形状、大小都没有变化.

解答 (1)先向上平移2格,再向右平移4格.

(2)位置发生变化,形状、大小都没有变化.

二、简单的平移作图

(1)平移作图的依据是图形平移具有的以下特征:对应线段、对应角相等,对应点所连的线段平行且相等.

(2)平移作图的关键是确定关键点平移后的位置.

(3)平移作图要注意作图的方向性,以及平移图形对距离的要求.

1.已知原图和一对对应点,作出平移后的图形

例3 经过平移,△ABC的顶点A移到了点D(如图5-4-3所示),作出平移后的三角形.

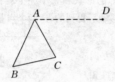

图5-4-3 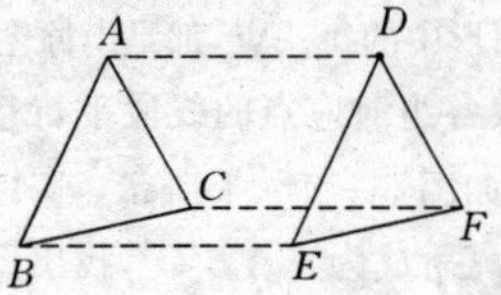　　　　　图5-4-4

解析 设顶点B,C分别平移到了点E,F,根据"经过平移,对应点所连的线段平行且相等",可知线段BE,CF与AD平行且相等.

解答 如图5-4-4所示,过B,C点分别作线段BE,CF,使得它们与线段AD平行且相等,连接DE,DF,EF,△DEF就是△ABC平移后的图形.

点评 确定一个图形平移后的位置,除了要知道原来的位置外,还需要知道平移的方向和平移的距离.本例中将点A移到点D实质上是既提示方向,又提示距离.

图5-4-5

2.已知原图和平移的距离、方向,作出平移后的图形

例4 如图5-4-5所示,将字母A按箭头所指的方向平移3 cm,作出平移后的图形.

解答 在字母A上,找出关键的5个点(如图5-4-6所示),分别过这5个点按箭头所指的方向作5条长3 cm的线段,将所作线段的另5个端点按原来的方式连接,即可得到字母A平移后的图形.

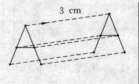

3 cm

图5-4-6

特别提示

①简单的平移作图首先要找出平移前后图形的一对对应点,然后构思并实施平移方案,得到"组合图形".②平移时要确保对应的方向一致.

3.已知原图和一对对应边,作出平移后的图形

例5 如图5－4－7所示,是张明同学绘制的随风飘扬的红旗的一部分,请你运用所学的平移知识,将这面红旗绘制完整.

解析 解答此题似乎无从下手,张明同学绘制的随风飘扬的红旗,所缺的部分既有直线,也有曲线.我们不妨联系实际展开想象,生活中的红旗是长方形,长方形的长上任意一点到对边的距离相等,因此可以在红旗的右下方确定几个特殊的点 E,F,G,C,过这几

图5－4－7

个点分别作与线段 AB 平行且相等的线段 EE_1,FF_1,GG_1,CD,然后顺次连接,就能得到一面完整的红旗.

解答 如图5－4－8所示,在红旗下方的曲线上确定特殊的点 E,F,G,C,过点 E,F,G,C 分别作与线段 AB 平行且相等的线段 EE_1,FF_1,GG_1,CD,然后用光滑的曲线顺次连接 E_1,F_1,G_1,D,H 得到一面完整的红旗.

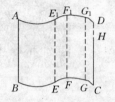

点评 运用平移的知识,也可以将不规则的图形补充完整,上述做法实质是把曲线 $EFGC$ 平移至 $E_1F_1G_1D$ 的位置.

图5－4－8

潜 能开发广角

揭示规律

运用平移的知识欣赏图案,设计图案的方法:
(1)欣赏:先确定基本图案,然后根据平移的特征来对图案进行分析和欣赏.
(2)设计:按要求确定基本图案,然后根据平移的特征进行图形的变换.

例6 分析图5－4－9中图案的形成过程.

图5－4－9

解析 分析图案的形成过程,要先确定基本图案.这个图案既可以把一只小狗看做基本图案,也可以把两只小狗(上、下两只)、三只小狗(上面的或下面的)看做基本图案.

解答 这个图案可看做由中间两只小狗通过向左、向右方向平移得到的.平移的距离等于左右相邻两只小狗之间的水平距离.

例7 如图5-4-10所示,图(1)、(2)、(3)是几幅荣誉证书的底面的花纹图案.图(1)是运用"花朵"图案,采用叠加法设计定型的;图(2)是大圆中有小圆和菱形组合而成,再通过平移得到整体图案;图(3)也是运用基本图案平移得到的.设计证书印花图案有下列优点:①能提高证书品位;②增加严肃性;③不易被人涂改或伪造.

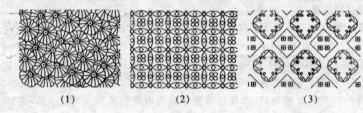

(1)   (2)   (3)

图5-4-10

下面给你一个圆和菱形图案,如图5-4-11所示,请你设计一幅证书底面花纹图案,试一试?

解析 把基本图形圆与菱形组合好,然后运用平移方法向四周扩散得出设计图案.借助上面的材料图(2),可以得出以下启示:先画一个圆,然后向右平移等距离,得到一串圆,再把这一串圆向上或向下平移得出二串圆.

图5-4-11

图5-4-12

解答 设计印花图案如图5-4-12所示.

前沿考向

在近几年的中考试题中,几何图形的操作与变换成为考查的重点之一.主要考查对图形的观察能力,对图形运动变化的分析能力,对图形操作的动手能力和逻辑思维能力.主要以选择、解答题为主.

例 8 （2004 年福建）如图 5 - 4 - 13 所示,已知点 A, B, C, D 在同一条直线上,$AB = CD$,$\angle D = \angle ECA$,$EC = FD$,试说明:$AE = BF$.

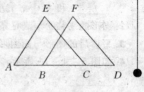

图 5 - 4 - 13

解析 根据点 A, B, C, D 在同一条直线上,且 $\angle D = \angle ECA$,$EC = FD$,可知 $\triangle AEC$ 向右平移 CD 长便可得到 $\triangle BFD$,所以对应线段 $AE = BF$.

解答 因为点 A, B, C, D 在同一条直线上,且 $AB = CD$,

所以 AC 向右平移 CD 长重合于 BD.

又 $\angle D = \angle ECA$,$EC = FD$,

所以 EC 向右平移 CD 长重合于 FD,

所以 $\triangle AEC$ 向右平移 CD 长重合于 $\triangle BFD$.

又 AE 和 BF 是对应线段,所以 $AE = BF$.

例 9 （2003 年杭州）在高速公路上,一辆长 4 m、速度为 110 km/h 的轿车准备超越一辆长 12 m、速度为 100 km/h 的卡车,则轿车从开始追及到超越卡车,需花费的时间约是 （ ）

A.1.6 s   B.4.32 s   C.5.76 s   D.345.6 s

解析 如图 5 - 4 - 14 所示,从图中可以看出轿车从开始追及到超越卡车这段时间内,轿车比卡车多行驶了这两个车长的和.设需花费的时间是 x s,且 $110 \text{ km/h} = \dfrac{110}{3.6} \text{ m/s}$,

$100 \text{ km/h} = \dfrac{100}{3.6}$ m/s,则有 $x\left(\dfrac{110}{3.6} - \dfrac{100}{3.6}\right) = 4 + 12$.

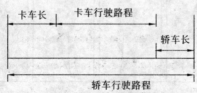

卡车长   卡车行驶路程

轿车长

轿车行驶路程

图 5 - 4 - 14

解得 $x = 5.76(\text{s})$.

解答 C

点评 例 8、例 9 都应用了图形平移的知识,特别是例 8 利用平移来说明两条线段相等,巧妙而独到,令人叫绝.

随堂能力测试

一、填空题

1.把一个图形整体沿某一方向平移,会得到一个新的图形.新图形与原图形相比

_____和_____完全相同.

2. 图形的平移必须满足条件:(1)_____;(2)_____.

3. 平移后的图形与原图形对应点的线段平行且_____.

4. 如图 5-4-15 所示,∠DEF 是∠ABC 经过平移得到的,∠ABC=33°,则∠DEF=_____.

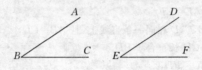

图 5-4-15

5. (1)火车在一条笔直的钢轨上行驶,我们能否把它看成沿钢轨方向平移?_____(答"是"或"不是").

(2)若火车正在拐弯处拐弯,我们能否把它看成火车沿钢轨方向平移?_____(答"是"或"不是").

6. 卷帘门上有相同高度的 A,B 两点,当 A 点向上移动 1 m,那么 B 点向_____移动了_____ m.

二、选择题

7. 在如图 5-4-16 所示的六幅图案中,②、③、④、⑤、⑥中的图案可以通过平移图案①得到的是 (   )

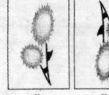

① ② ③ ④ ⑤ ⑥

图 5-4-16

A.②   B.③   C.③⑥   D.②③④⑤⑥

8. 下列说法中正确的个数有 (   )

① △ABC 在平移过程中,对应点所连的线段一定平行.

② △ABC 在平移过程中,对应点所连的线段一定相等.

③ △ABC 在平移过程中,对应角一定相等.

④ △ABC 在平移过程中,图形的形状、大小不会发生改变.

A.1 个   B.2 个   C.3 个   D.4 个

9.图 5 - 4 - 17 中四幅地板装饰图案设计中能运用平移得到的是 （　　）

A　　　　　B　　　　　C　　　　　D

图 5 - 4 - 17

10.一根蜡烛燃烧 10 min 后将它平移,得到两个不同时刻的图案是图 5 - 4 - 18 中的
（　　）

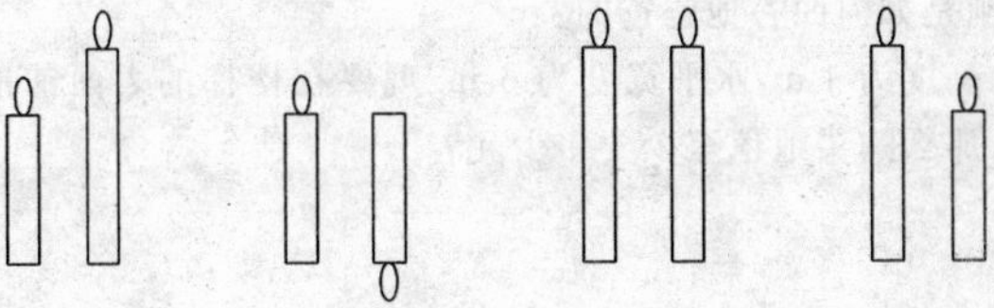

A　　　　　　B　　　　　　　C　　　　　　D

图 5 - 4 - 18

三、解答题

11.如图 5 - 4 - 19 所示,△ABE 沿射线 XY 的方向平移一
定距离后成为△CDF.找出图中存在的平行且相等的三
条线段.

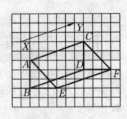

图 5 - 4 - 19

12.将如图 5 - 4 - 20 所示中的小船向左平移 6 格.

图 5 - 4 - 20

13. 根据下面的场景回答问题：

星期天早晨，小刚和爸爸正商量往楼梯上铺地毯的事，如图 5-4-21 所示.

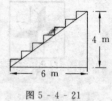

图 5-4-21

爸爸：小刚，你帮我算一下，从一层铺到二层需地毯几米.

小刚：我早已用尺量好了，每阶高为 15 cm，宽为 20 cm，……

爸爸：(打断小刚的话)不量每阶高度、宽度，你想一想有没有什么办法？

小刚：(思索片刻)有了，只需量出楼梯的总高度和总长度再相加，就行了.

爸爸：为什么呢？

问题：(1)小刚是如何回答他爸爸的？

(2)一楼梯的高度为 4 m，水平宽度为 6 m. 现要在楼梯的表面铺地毯，而地毯每米需 10 元，那么购买地毯至少要多少元？

标 答与点拨

1. 形状 大小

2. 平移的方向 平移的距离

3. 相等

4. 33°

5. (1)是 (2)不是

6. 上 1

7. B **8.** D **9.** C **10.** D

11. $AB \underline{\parallel} CD$，$BE \underline{\parallel} DF$，$AE \underline{\parallel} CF$.

12. 略.

13. (1)线段的平移嘛！你想，把每阶楼梯的高沿水平方向平移，和就是楼梯的总高度，把每阶楼梯的宽沿垂直方向平移正好构成楼梯的水平宽度.

(2)至少需要$(4+6)\times10=100$(元).

单元总结与测评

知 识结构图解

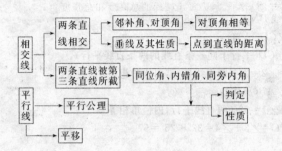

方 法技巧规律

思想方法

数学思想方法是认识、理解、掌握数学的意识,属于思维的范畴.它是在一定的数学知识和方法的基础上形成的,对理解、掌握、运用数学知识和方法,解决数学问题起到促进和深化的作用.

一、运用转化的思想方法——构造基本图形

在解题的过程中,我们往往不是对问题进行正面的直接攻破,而是把问题进行变形、转化,直到把它化为某个熟悉的或已经解决了的问题,这种解题方法就是转化的思想方法.

本章在角度关系的计算和推理过程中,在平行线的性质和判定过程中都充分地运用了转化机制,由题设结合学习的概念、公理一步一步地转化出结论.

例 1 如图 5 - 1 所示,$AB /\!/ CD$,P 为 AB 和 CD 之间的一点,已知 $\angle 1 = 32°$,$\angle 2 = 25°$,求 $\angle BPC$ 的度数.

解析 此图不是我们所学过的"三线八角"基本图形,须添加一些线(辅助线),把它化成我们所熟知的基本图形.

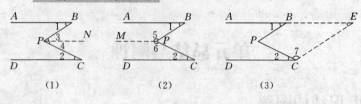

图 5 - 1

解答 解法一:

过 P 作射线 $PN /\!/ AB$[如图 5 - 1(1)].

因为 $AB /\!/ CD$(已知),

所以 $PN /\!/ CD$(平行于同一条直线的两条直线平行),

所以 $\angle 4 = \angle 2 = 25°$(两直线平行,内错角相等).

因为 $PN /\!/ AB$(所作),

所以 $\angle 3 = \angle 1 = 32°$(两直线平行,内错角相等),

所以 $\angle BPC = \angle 3 + \angle 4 = 32° + 25° = 57°$.

解法二:

过 P 作射线 $PM /\!/ AB$[如图 5 - 1(2)].

因为 $AB /\!/ CD$(已知),

所以 $PM /\!/ CD$(平行于同一条直线的两条直线平行),

所以 $\angle 6 = 180° - \angle 2 = 180° - 25° = 155°$(两直线平行,同旁内角互补).

因为 $AB /\!/ PM$(所作),

所以 $\angle 5 = 180° - \angle 1 = 180° - 32° = 148°$(两直线平行,同旁内角互补),

所以 $\angle BPC = 360° - \angle 5 - \angle 6 = 360° - 148° - 155° = 57°$(周角定义).

解法三:

过 C 作 $CE /\!/ BP$ 交 AB 的延长线于 E[如图 5 - 1(3)].

因为 $CE /\!/ BP$(所作),

所以 $\angle 1 = \angle E$(两直线平行,同位角相等),

所以 $\angle BPC = 180° - \angle 7$(两直线平行,同旁内角互补).

因为 $AB /\!/ CD$(已知),

所以 $\angle E + \angle 2 + \angle 7 = 180°$(两直线平行,同旁内角互补),

所以 $\angle 7 = 180° - \angle 1 - \angle 2 = 180° - 32° - 25° = 123°$(等量代换),

所以 $\angle BPC = 180° - \angle 7 = 180° - 123° = 57°$.

解法四:

可过 B 作 PC 的平行线(请读者自证,证法同解法三).

点评 构造基本图形就是添加适当的辅助线,构造出在解题时将要用到的概念或是命题(正确的)的基本图形.本例就是通过作辅助线来构造"三线八角"的基本图形.

例2 （2004 年山东试验区试题）如图 5 - 2 所示，
$AB /\!/ CD$，若 $\angle ABE = 130°$，$\angle CDE = 152°$，则 $\angle BED =$
_____．

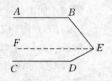

图 5 - 2

解析 题中已有 $AB /\!/ CD$ 的条件，但图中 BE 和 ED 都不是
它的截线，不具备"三线八角"的基本图形，得添加辅助线构造
"三线八角"的基本图形解题．

过 E 作 $EF /\!/ AB$．

因为 $AB /\!/ CD$（已知），

所以 $EF /\!/ CD$（平行于同一条直线的两条直线平行），

所以 $\angle ABE + \angle BEF = 180°$，$\angle FED + \angle EDC = 180°$，

两式相加，得 $\angle ABE + \angle BEF + \angle FED + \angle EDC = 360°$，

所以 $\angle BED = 360° - (130° + 152°) = 78°$．

解答 $78°$

二、运用转化的思想方法——挖掘基本图形

一般情况下，一个几何图形是由一个或多个基本图形组成的组合图形，如平行线与
平行线，平行线与角平分线，平行线与相交线，相交线与角平分线，垂线与平行线，多个
基本图形等都能组合出较为复杂的图形来．善于从这些组合图形中挖掘出基本图形，并
利用这些基本图形解答题目是学习空间与图形的基础．

例3 如图 5 - 3 所示，已知 $AB /\!/ CD$，G 为 AB 上任一点，GE
和 GF 分别交 CD 于 E 和 F，求 $\angle 1 + \angle 2 + \angle 3$ 的值．

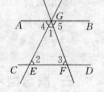

图 5 - 3

解析 可以先用量角器作一番探究，不难发现 $\angle 1 + \angle 2 + \angle 3$
可能为 $180°$．要说明它们的度数和为 $180°$，自然会想到构造和把握
"平角"和"三线八角"这两个基本图形．

解答一 因为 $AB /\!/ CD$（已知），

所以 $\angle 4 = \angle 2$，$\angle 3 = \angle 5$（两直线平行，内错角相等）．

因为 $\angle 4 + \angle 1 + \angle 5 = 180°$（平角定义），

所以 $\angle 1 + \angle 2 + \angle 3 = 180°$．

解答二 因为 $AB /\!/ CD$，

所以 $\angle 3 = \angle 5$（两直线平行，内错角相等），

$\angle 2 + \angle BGE = 180°$（两直线平行，同旁内角互补）．

又因为 $\angle BGE = \angle 1 + \angle 5$，所以 $\angle 1 + \angle 2 + \angle 3 = 180°$．

点评 本例所给出的图形中，有平行线、平角等基本图形，解答本例时，前者是利用
基本图形——"平角"的性质，后者是利用基本图形——"三线八角"中两直线平行，同旁
内角互补的性质来达到解题的目的．事实上，本例揭示了六年级时学习"三角形内角和
为 $180°$"的理由．

例4 如图5-4所示,在△ABC中,CD⊥AB于D,FG⊥AB于G,ED∥BC.问:∠1和∠2相等吗?请说明理由.

解答 ∠1=∠2.理由如下:

因为CD⊥AB,FG⊥AB,

所以∠CDB=∠FGB=90°(垂直定义),

所以CD∥FG(同位角相等,两直线平行),

所以∠2=∠3(两直线平行,内错角相等).

又因为DE∥BC(已知),

所以∠1=∠3(两直线平行,内错角相等),

所以∠1=∠2(等量代换).

点评 本例中有图5-5所示基本图形在解答问题时起着关键性的作用:

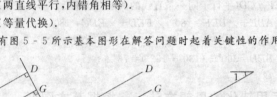

图5-5

前沿考向

本章命题多以考查概念、计算题型为主,将平行线性质及判定融于其他知识点中考查.故本章考题多以填空题、选择题、计算题等题型出现.

三、概念型考题

例5 解答下列各题:

(1)在同一平面内两条直线的位置关系有 (　　)

A.两种:平行或相交 　　　　B.两种:平行或垂直

C.三种:平行、垂直或相交 　　D.两种:垂直或相交

(2)命题"邻补角的平分线互相垂直"的题设是＿＿＿＿,结论是＿＿＿＿＿＿,写成"如果……那么……"的形式是＿＿＿＿＿＿.

(3)如图5-6所示,AC⊥BC,CD⊥AB于D,AC=6,BC=8,AB=10,则A,C两点间距离是＿＿＿＿,点B到AC的距离是＿＿＿＿,AC>CD的依据是＿＿＿＿＿＿.

(4)如果b∥c,且直线a⊥b,那么a与c的位置关系是＿＿＿＿.

解答 (1)A(垂直是两条直线相交的特殊情形,分类时不能重复)

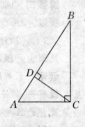

图5-6

(2)邻补角的平分线 互相垂直 如果两条射线是邻补角的平分线,那么它们互相垂直

(3)6 8 垂线段最短

(4)$c \perp a$(一条直线垂直于两条平行线中的一条,必垂直于另一条)

点评 解(1)时要记住教材上的语句:"在平面内,不重合的两条直线的位置关系有两种:相交、平行."垂直是相交的一部分,分类时不能重复或遗漏.(3)中要分清两个距离的定义:两点间的距离和点到直线的距离.(4)是平行线的性质的应用.

四、计算型考题

1.与垂直有关的计算题

例 6 如图 5 - 7 所示,$AO \perp BO$,$\angle 1 = \angle 2$,求 $\angle COD$ 的度数.

解析 要求 $\angle COD$ 的度数,题中又没有具体指明哪一个角的大小,所以本题的突破口一定集中在已知条件"$AO \perp BO$"上,解题时要从这个已知条件着手.

图 5 - 7

解答 因为 $AO \perp BO$(已知),

所以 $\angle AOB = 90°$(垂直的定义),

即 $\angle 2 + \angle BOC = 90°$.

又因为 $\angle 1 = \angle 2$(已知),

所以 $\angle 1 + \angle BOC = 90°$(等量代换),

即 $\angle DOC = 90°$.

点评 与垂直有关的计算题借助两线垂直推出交角等于 $90°$,实现了由线的位置关系向角的大小的转化,常结合如角平分线性质等知识求解.

例 7 如图 5 - 8 所示,已知 $OB \perp OA$,直线 CD 过点 O,且 $\angle AOC = 25°$,求 $\angle BOD$ 的度数.

解析 解答本题有两种方法,见以下解答.

解答 解法一:

因为 $OB \perp OA$(已知),

所以 $\angle BOA = 90°$(垂直的定义).

图 5 - 8

又因为 $\angle AOC = 25°$(已知),

所以 $\angle BOC = \angle BOA - \angle COA = 65°$.

又因为直线 CD 过点 O,$\angle COD$ 是平角,即 $\angle COD = 180°$,

所以 $\angle BOD = \angle COD - \angle BOC = 115°$.

解法二:

反向延长 OA,并在其上任取一点 E,

则 $\angle DOE = \angle AOC = 25°$(对顶角相等).

又因为直线 AE 过点 O,$\angle AOE$ 是平角,

即∠AOE=180°(平角的定义),

所以∠BOE=90°,

所以∠BOD=∠BOE+∠DOE=90°+25°=115°.

点评 从解法一和解法二的解题过程可以分辨出解法二的过程较简便,其原因是它在原图形上加了延长线(虚线部分),这个延长线构造出了直角,也把原要求的角分成了两个部分,剩下的任务就是求∠DOE的大小,而∠DOE与已知角∠AOC是对顶角,结论就容易得出.当然这个延长线不是随便作出来的,要根据题目的要求、图形的特点去作.大家试着学学这种解题的方法.

2.与平行有关的计算题

例8 (2004年湖北省宜昌市)如图5-9所示,把一个长方形纸片沿EF折叠后,点D,C分别落在D′,C′的位置,若∠EFB=65°,则∠AED′等于 ( )

A. 50° B. 55°

C. 60° D. 65°

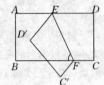

图5-9

解析 由折叠可知∠D′EF=∠FED.根据平行线的性质求出∠FED的度数,则可求出∠AED′的度数.

解答 由AD∥BC可得

∠DEF=∠EFB=65°.

由折叠知∠D′EF=∠FED,

则∠AED′=180°-∠D′EF-∠FED=180°-65°-65°=50°.

故选A.

点评 解答本题要充分挖掘隐含条件:①AD∥BC;②∠D′EF=∠FED.其中∠D′EF=∠FED是图形折叠的基本性质;图形折叠后对应角相等.

例9 (2004年四川郫县实验区)图5-10是一块从一个边长为50 cm的正方形材料中裁出的垫片,现测量FG=8 cm,求这个垫片的周长.

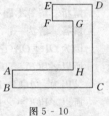

图5-10

解析 将线段AB,GH,EF平移到CD上,AH,FG,ED平移到BC上,利用线段平移后的长度不变求出它们的和.

解答 将线段AB,GH,EF平移到正方形的边CD上,AH,FG,ED平移到边BC上,则有AB+GH+EF=CD=50 cm,AH+FG+ED=BC+2FG=68 cm.

因此垫片的周长为:AB+AH+GH+FG+EF+ED+DC+BC=(AB+GH+EF)+(AH+FG+ED)+DC+BC=50+68+50+50=218(cm).

点评 本例是一道线段的平移问题,解决此类问题的基本方法是运用线段平移后长度不变的性质,将零散的线段聚在一起,运用整体思想求出线段的和.

五、开放型考题

例 10　如图 5-11 所示,已知 ∠1+∠2＝180°,∠3＝∠B,试判断∠AED 与∠C 的大小关系,并对结论进行证明.

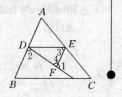

图 5-11

解析　本题已知条件中涉及的角比较分散,都不能构成"三线八角"的基本图形.但由图可知,∠1 与 4 是邻补角,有∠1+∠4＝180°的关系,变换后可得∠4＝∠2,进而知道 EF∥AB,∠3＝∠ADE.而∠ADE 与∠B 是同位角,想推证∠ADE＝∠B 也不难,这样 DE∥BC 了,∠AED 与∠C 是同位角,它们自然就相等了.

解答　∠AED＝∠C. 理由是:

设∠EFD＝∠4,则∠4+∠1＝180°(邻补角的性质).

因为∠1+∠2＝180°(已知),

所以∠4＝∠2(同角的补角相等),

所以 EF∥AB(内错角相等,两直线平行),

所以∠3＝∠ADE(两直线平行,内错角相等).

又因为∠3＝∠B(已知),

所以∠B＝∠ADE(等量代换),

所以 DE∥BC(同位角相等,两直线平行),

所以∠AED＝∠C(两直线平行,同位角相等).

点评

(1)本例反复运用平行线的性质与判定,不能混淆.过程较繁,书写不能杂乱.

(2)本题是一道探索结论的问题,解题时先要作出判断,再进行证明.

(3)正确分析已知条件,注意观察图形,合理应用相关知识并充分发挥联想,是发现待求结论的基础.如本题要探求同位角∠AED 与∠C 的关系,就要联想到平行线;已知∠1+∠2＝180°,但又没有直接联系,就要联想到转化为找有联系的角互补,再推出直线平行.而观察图形,看出∠1 与∠4 是邻补角,问题就易于解决了.

例 11　解答下列各题.

(1)(2004 年荆门市)如图 5-12 所示,直线 a,b 都与直线 c 相交,给出下列条件:①∠1＝∠2;②∠3＝∠6;③∠4+∠7＝180°;④∠5+∠8＝180°.其中能判断 a∥b 的是　　　　(　　)

A.①③　　　　　　B.②④

C.①③④　　　　　D.①②③④

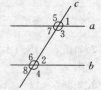

图 5-12

(2)(2004 年日照市)如图 5-13 所示,DH∥EG∥BC,且 DC∥EF,则图中与∠1 相等的角(不包括∠1)的个数是　　　　(　　)

A.2 个　　　　B.4 个　　　　C.5 个　　　　D.6 个

(3)(2004 年安徽省)已知线段 AB 的长为 10 cm,点 A,B 到直线 l 的距离分别为

6 cm和4 cm,符合条件 l 的条数为 （　　）

A.1条　　　　　B.2条　　　　　C.3条　　　　　D.4条

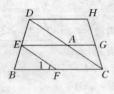

图 5 - 13

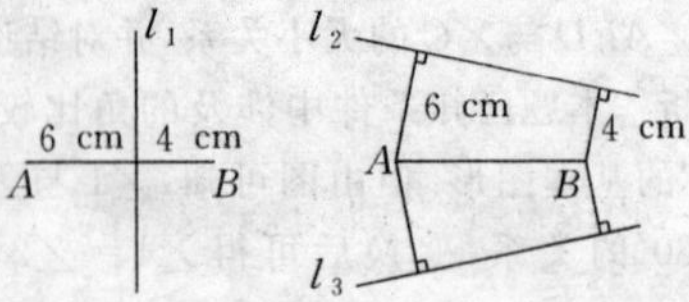

图 5 - 14

解答　(1)D　(2)C　(3)C　(对于(3)题的三种情况如图5-14所示)

点评　开放型考题指条件或结论不明确,有多种答案的问题.由于这类题跟结论唯一的问题有区别,所以解题时要注意,不能求得一个解后就完成了,要全面考虑每一种可能情况.特别是结论明确,反探已知条件的问题更让同学们感到不习惯.这时,可把明确的结论当作已知条件,结合问题中的已知部分进行推证,由此推证出的结果肯定是探求的条件之一,再仔细分析,可找出其他也能使明确结论成立的已知条件.如(1)题中,当 $a\parallel b$ 时,可推出 $\angle 1 = \angle 2$ 和 $\angle 7 + \angle 6 = 180°$,又 $\angle 6 = \angle 4$,所以 $\angle 7 + \angle 4 = 180°$,同理可推导另两个条件也成立,由此可推选D.

综合能力测评

一、填空题

1.如图 5 - 15 所示,$OA\perp OB$,$\angle 1 : \angle 2 = 3 : 2$,则 $\angle 2 =$ _____.

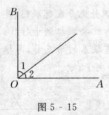

图 5 - 15

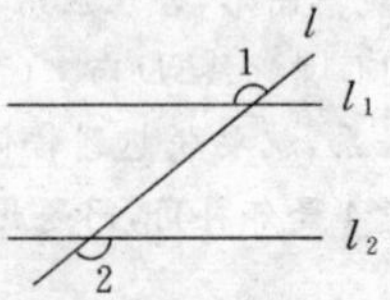

图 5 - 16

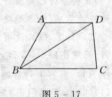

图 5 - 17

2.如图 5 - 16 所示,直线 $l_1\parallel l_2$ 且与直线 l 相交,若 $\angle 1 = (3x+70)°$,$\angle 2 = (5x+22)°$,则 $x =$ _____.

3.如图 5 - 17 所示,已知 $AD\parallel BC$,BD 平分 $\angle ABC$,$\angle A : \angle ABC = 2 : 1$,则 $\angle ADB$ 的度数为 _____.

4.命题"平行于同一直线的两条直线平行"的题设是 _____,结论是 _____.

5.一个人从 A 点出发向北偏东 $60°$ 方向走到 B 点,再从 B 点出发向南偏西 $15°$ 方向走到 C 点,则 $\angle ABC$ 的度数等于 _____.

6.如图 5 - 18 所示,线段 CD 是线段 AB 经过向右平移 _____ 格,再向下平移

_____格后得到的线段.线段 BC 向左平移_____格,再向下平移_____格后得到线段 AD.

二、选择题

7. 如图 5 - 19 所示,$\triangle ABC$ 中,$DE \parallel BC$,$\angle A = 50°$,$\angle C = 60°$,则 $\angle ADE$ 等于 （ ）

 A. 60°   B. 50°   C. 70°   D. 110°

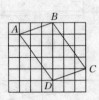
    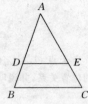

  图 5 - 18   图 5 - 19 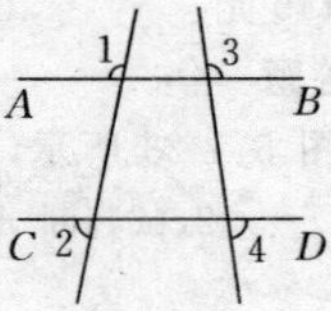   图 5 - 20

8. 如图 5 - 20 所示,能判定直线 $AB \parallel CD$ 的条件是   （ ）

 A. $\angle 1 = \angle 2$ B. $\angle 3 = \angle 4$

 C. $\angle 1 + \angle 3 = 180°$ D. $\angle 3 + \angle 4 = 180°$

9. 下列语句中是命题的个数有   （ ）

 ① 如果两个角都等于 70°,那么这两个角是对顶角.

 ② 同一平面内的两条直线,不相交就平行.

 ③ 经过一点有且仅有一条直线与已知直线平行.

 ④ 延长线段 AB 至 C,使 B 是 AC 的中点.

 ⑤ 平分一条线段.

 ⑥ 直角都相等.

 A. 3 个   B. 4 个   C. 2 个   D. 1 个

10. 如图 5 - 21 所示的网格中各有不同图案,不能通过平移得到的是 （ ）

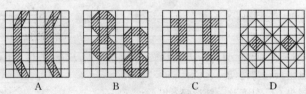

  A   B   C   D

      图 5 - 21

11. 下列几种运动中属于平移的数目有   （ ）

 ① 水平运输带上的砖在运动.

 ② 啤酒生产线上的啤酒瓶通过压盖机前后的运动.

 ③ 升降机上下作机械运动.

④ 足球场上足球的运动.

    A.1 种   B.2 种   C.3 种   D.4 种

12. 如图 5 - 22 所示,一楼梯的高度为 6 m,水平宽度为 8 m.
现要在楼梯的表面铺地毯,而地毯每米需 10 元钱,那么
购买地毯至少要   ( )

    A.120 元   B.130 元

    C.140 元   D.150 元

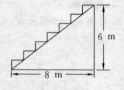

图 5 - 22

三、解答题

13. 如图 5 - 23 所示,AB 和 CD 交于点 O,且 $\angle C = \angle 1$,
$\angle D = \angle 2$,试判断 AC 和 BD 的位置关系,并说明理由.

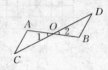

图 5 - 23

14. 如图 5 - 24 所示,$\angle 1$ 和 $\angle 2$ 有公共顶点 O,$\angle 1$ 的两边与 $\angle 2$ 的两边分别垂直,
$\angle 1 : \angle 2 = 7 : 5$.求 $\angle 1$ 和 $\angle 2$ 的度数.

图 5 - 24

15. 如图 5 - 25 所示,$AD \parallel BC$,AC 平分 $\angle BAD$ 交 BC 于 C,
$\angle B = 50°$.求 $\angle ACB$ 的度数.

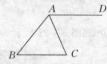

图 5 - 25

16. 如图 5 - 26 所示,已知 AD 与 AB,CD 交于 A,D 两点,EC,BF 与 AB,CD 交于 E,
C,B,F,且 $\angle 1 = \angle 2$,$\angle B = \angle C$.

  (1)你能得出 $CE \parallel BF$ 这一结论吗?

  (2)你能得出 $\angle B = \angle 3$ 和 $\angle A = \angle D$ 这一结论吗? 若能,写
      出你得出结论的过程.

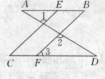

图 5 - 26

17. 数学乐园.

游戏规则：

(1)每次将图 5 - 27 中①和②中三角形水平或竖直平移一个格；

(2)先拼成图③者为胜.

你认为小明与小刚谁获胜的可能性最大？

图 5 - 27

18. 如图 5 - 28 所示，有一司机想到水池塘提水，给抛锚的汽车水箱加水，但从老乡家借的水桶破了小洞，有点漏水，问：司机在什么位置提水，才能漏水更少？画出司机行走路线.

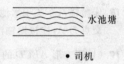

图 5 - 28

18. 如图 5 - 29 所示，大正方形 $ABCD$ 内有一小正方形 $DEFG$，对角线 DF 长为 6 cm，已知小正方形 $DEFG$ 向东北方向平移 3 cm 就得正方形 $D'E'BG'$，求：

(1)大正方形 $ABCD$ 的面积.

(2)小正方形 $DEFG$ 移动到正方形 $D'E'BG'$ 这个过程中扫过的面积.

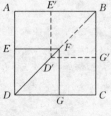

图 5 - 29

（标）

标 答与点拨

1. $36°$　**2.** $24°$　**3.** $30°$　**4.** 平行于同一条直线的两条直线　平行　**5.** $45°$

6. 3　4　3　1

7. C　**8.** D　**9.** B　**10.** C　**11.** B　**12.** C

13. AC 与 BD 平行.其理由是:因为 $∠1=∠C$, $∠2=∠D$, $∠1=∠2$,所以 $∠C=∠D$,所以 $AC/\!/BD$.

14. 设 $∠1=7x$, $∠2=5x$,则有 $7x+5x+90°+90°=360°$,所以 $x=15°$.故 $∠1=105°$, $∠2=75°$.

15. 因为 $AD/\!/BC$,所以 $∠DAB=180°-∠B=130°$,
所以 $∠DAC=65°$,所以 $∠C=65°$.

16. (1) $CE/\!/BF$.
(2)能得到 $∠B=∠3$, $∠A=∠D$.其理由是:
因为 $CE/\!/BF$,所以 $∠3=∠C$.
又因为 $∠B=∠C$,所以 $∠3=∠B$,
所以 $AB/\!/CD$,所以 $∠A=∠D$.

17. 略.

18. 作抛锚汽车关于水池塘下边沿的对称点,对称点与司机的连线与水池塘的下边沿交点为 A,连接抛锚汽车与 A 点及司机的折线即为司机行走路线.

19. (1)正方形 $ABCD$ 的面积为 $\dfrac{81}{2}$ cm².
(2)扫过的面积为 $\dfrac{81}{2}-\dfrac{9}{2}=36$ (cm²).

第六章

JIAOCAI DONGTAI QUANJIE

平面直角坐标系

6.1 平面直角坐标系

教材内容全解

一、有序数对

在我们生活的世界里,确定平面内的点的位置的方法很多,不管哪种方法,一个数据不能确定平面上的点的位置,要确定平面上的点的位置至少需要两个独立的数据.用两个独立的数据来表示平面上的点的位置时,为了避免混乱情况产生,先约定这两个数据的位置顺序,这便是人们常说的"利用有序数对表示平面上的点的位置".如影剧院对观众席的所有座位按"几排几号"编号,即排号在前,位号在后,这样人们在观看节目找座位时就会对号入座,不会产生混乱.

例1 填空题.

在电影票上,将"7排6号"简记作(7,6),则

(1)6排7号可表示为_____;

(2)(8,6)表示的意义是_____.

解析 由"7排6号"表示为(7,6)知:前数表示排号,后数表示位号,用小括号括起来,中间用","隔开.

解答 (1)(6,7) (2)8排6号

点评 ①在本例中(7,6),(6,7)表示的意义不同.②用两个独立的数据去表示平面内的点的位置时,一定要注意"顺序".

例2 如图6-1-1所示,是某班学生的座位表,约定"列数在前,排数在后".

(1)根据小明、小刚、小华三名同学的对话,请在座位表中分别用 A,B,C 表示出他们的位置.

(2)图中的 D,E 分别位于第几排第几列?用有序数对如何表示?

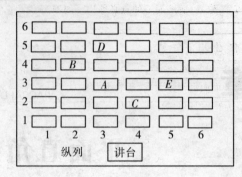

图 6 - 1 - 1

解析 用两个独立的数据表示点的位置时,应注意问题中约定的顺序,即"列数在前,排数在后",故确定小明、小刚、小华的座位时,应先找到"列",再找到"排",列、排的交叉处就是所要找的位置.

解答 (1)见图 6 - 1 - 1.

(2)D 位于第 5 排第 3 列,用有序数对表示为 $(3,5)$;E 位于第 3 排第 5 列,用有序数对表示为 $(5,3)$.

二、数轴上的点的坐标

数轴上的点可以用一个数来表示,这个数叫做这个点的坐标.

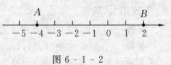

图 6 - 1 - 2

例如,如图 6 - 1 - 2 所示,点 A 在数轴上的坐标为 -4,点 B 在数轴上的坐标为 $+2$;反过来,知道数轴上一个点的坐标,这个点在数轴上的位置也就确定了.

提醒 数轴是一条直线,数轴上的点与平面上的点是两个不同的概念.数轴上的点用一个数就能确定它的位置,而平面上的点必须用一对有序数对才能确定它的位置,体会这点很重要.

三、平面直角坐标系

在平面内画两条互相垂直,原点重合的数轴,组成平面直角坐标系.水平的数轴称为 x 轴或横轴,习惯上取向右为正方向;竖直的数轴称为 y 轴或纵轴,取向上方向为正方向.两坐标的交点为平面直角坐标系的原点.如图 6-1-3 所示.

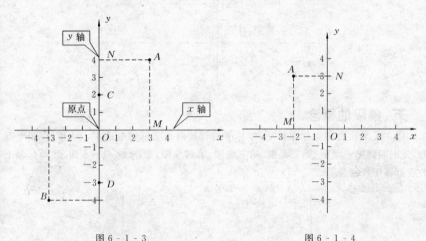

图 6-1-3   图 6-1-4

四、点的坐标的概念

有了平面直角坐标系,平面内的点就可以用一对有序数对来表示.例如,如图 6-1-4所示,点 A 是平面直角坐标系中的一点.由 A 点向 x 轴作垂线,垂足 M 在 x 轴上的坐标是 -2;由点 A 向 y 轴作垂线,垂足 N 在 y 轴上的坐标是 3.我们说点 A 的横坐标是 -2,纵坐标为 3,合起来点 A 的坐标记作 $(-2,3)$,横坐标写在纵坐标的前面,$(-2,3)$ 是一对有序数对.

提醒 平面内的点的坐标是有序数对,当 $a \neq b$ 时,(a,b) 和 (b,a) 是两个不同点的坐标,其顺序是横坐标在前,纵坐标在后,中间用“,”分开,横纵坐标的位置不能颠倒,例如 $(-2,3)$ 与 $(3,-2)$ 表示两个不同的点.

例 3 写出如图 6-1-5所示中 A,B,C,D 点的坐标.

解析 由点 A 向 x 轴作垂线,得 A 点的横坐标是 2,再由点 A 向 y 轴作垂线,得 A 点的纵坐标是 3,合起来点 A 的坐标就是 $(2,3)$.同理,可求得点 B,C 和 D 的坐标.

解答 $A(2,3),B(3,2),C(-2,1),D(-1,-2)$.

点评 由图 6-1-5所示,A,B 是平面直角坐标系内不同的两点,相应的坐标 $(2,3)$ 与 $(3,2)$ 是两对不同的有序数对.因此,再三强调,坐标不仅是数对,还是有序数对.

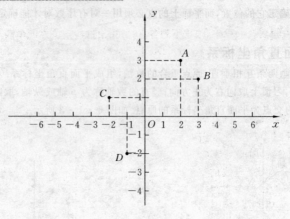

图 6 - 1 - 5

五、象限的概念

　　建立了平面直角坐标系以后,坐标平面就被两条坐标轴分成Ⅰ,Ⅱ,Ⅲ,Ⅳ四个部分,分别叫做第一象限、第二象限、第三象限、第四象限,如图 6 - 1 - 6 所示.坐标轴上的点不属于任何象限.

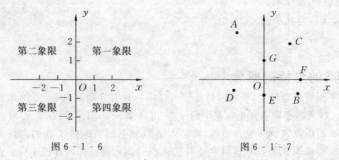

图 6 - 1 - 6　　　　　　　　　　　　图 6 - 1 - 7

　　提醒　建立了平面直角坐标系的平面是坐标平面,坐标平面是由两条坐标轴和四个象限构成的,也就是说坐标平面内的点可以划分为六个区域:x 轴、y 轴、第一象限、第二象限、第三象限、第四象限.在这六个区域中,除了 x 轴与 y 轴有一个公共点(原点)外,其余各区域之间均没有公共点.

　　例如,如图 6 - 1 - 7 所示,在坐标平面内,点 A 在第二象限,点 B 在第四象限,点 C 在第一象限,点 D 在第三象限,点 E 和点 G 在 y 轴上,点 F 在 x 轴上,点 O 既在 x 轴上又在 y 轴上.

六、依据点的坐标描点

　　假设点 P 的坐标是 (a,b),在直角坐标系中描出这个点的方法是:先在 x 轴上找到坐标是 a 的点 A,在 y 轴上找到坐标为 b 的点 B,再分别由点 A 和点 B 作 x 轴和 y 轴的垂线,两垂线的交点就是所要描出的点 P.

例 4 在直角坐标系中,描出下列各点,并指出这些点所在的象限.

$A(4,3),B(-2,3),C(-4,-1),D(2,-2)$.

解析 因为点 A 的坐标是 $(4,3)$,所以先在 x 轴上找到坐标是 4 的点 M,在 y 轴上找到坐标是 3 的点 N,然后由点 M 作 x 轴的垂线(y 轴的平行线),由点 N 作 y 轴的垂线(x 轴的平行线),这两条垂线的交点,就是点 A.为了避免直角坐标系内字母混乱,坐标轴上的垂足 M 和 N 只作标记,不写字母.同理可描出 B,C,D 三点,如图 6-1-8 所示.

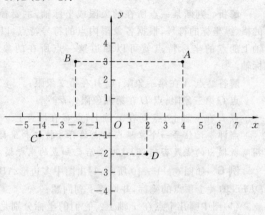

图 6-1-8

解答 点 A,B,C,D 在坐标平面内的位置如图 6-1-8 所示.点 A 在第一象限,点 B 在第二象限,点 C 在第三象限,点 D 在第四象限.

点评 数轴上的点 M 与实数 m 是一一对应的,同样,坐标平面内的点和有序数对也是一一对应的,就是说:在坐标平面内每一个点,都可以找到唯一一对有序数对与它对应;反过来,对于任意一对有序数对,都可以找到唯一一个点与它对应.因而,在书写点的坐标时,通常是先写点的名称,再接着写坐标.如点 $P(2,3)$ 就表示点 P 的坐标是 $(2,3)$,坐标是 $(2,3)$ 的点是 P 点.

七、特殊位置的点的坐标特征

(1) x 轴将坐标平面分为两部分,x 轴上方的点的纵坐标为正数,x 轴下方的点的纵坐标为负数;y 轴把坐标平面分为两部分,y 轴左侧的点的横坐标为负数,y 轴右侧的点的横坐标为正数.

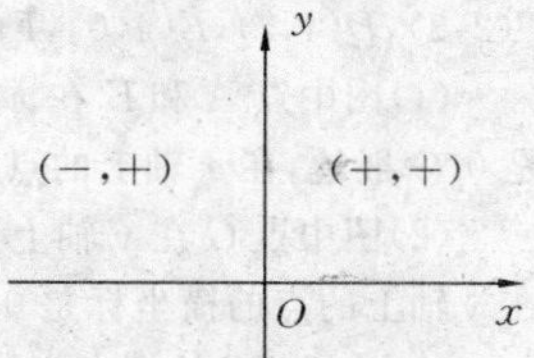

(2) 规定坐标原点的坐标为 $(0,0)$.

(3) x 轴上的点可记为 $(x,0)$,y 轴上的点可记为 $(0,y)$.

(4) 如图 6-1-9 所示,坐标平面内的点的坐标有如下特征:

点 $P(x,y)$ 在第一象限 $\Leftrightarrow x>0,y>0$;

点 $P(x,y)$ 在第二象限 $\Leftrightarrow x<0,y>0$;

点 $P(x,y)$ 在第三象限 $\Leftrightarrow x<0,y<0$;

点 $P(x,y)$ 在第四象限 $\Leftrightarrow x>0,y<0$.

图 6-1-9

例 5 指出下列各点所在的象限或坐标轴.

$A(4,5)$；$\qquad$ $B(-2,3)$；$\qquad$ $C(-4,-1)$；$\qquad$ $D(2.5,-2)$；

$E(0,-4)$；$\qquad$ $F(3,0)$ $\qquad$ $G(0,0)$.

解析 判断某一点所在的象限或坐标轴,主要看这一点的横、纵坐标的符号,根据各象限内点的符号特点,以及坐标轴上的点的坐标特点就可以知道这一点所在的象限或坐标轴.

解答 点 A 在第一象限;点 B 在第二象限;

点 C 第三象限;点 D 在第四象限;

点 E 在 y 轴上;点 F 在 x 轴上;点 G 在原点上.

点评 记住每一个象限内的点的符号特征和坐标轴上的点的坐标特征,可以大致判断所描出的点是否错误,这对今后已知点的坐标描点大有帮助.

> **特别提示**
> 坐标轴上的点不在任何一个象限内.这里的点 $G(0,0)$ 既可以说在 x 轴上,又可以说在 y 轴上.

例 6 如图 6 - 1 - 10 所示,写出图中多边形 ABC-$DEFG$ 的各个顶点的坐标,并回答下列问题:

(1)图中哪几个点在 x 轴上?它们的坐标分别是什么?观察一下,在 x 轴上的点的坐标有什么特点.

(2)图中哪个点在 y 轴上?它的坐标是什么?观察一下,在 y 轴上的点的坐标又有什么特点.

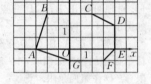

图 6 - 1 - 10

(3)线段 BC 和 GF 都与 x 轴平行,观察一下,这两条线段的两个端点的坐标有什么特点.一般地,你能得到什么结论?

(4)线段 DE 与 y 轴平行,观察一下,DE 的两个端点的坐标有什么特点.一般地,你能得到什么结论?

解答 如图 6 - 1 - 10 所示,多边形各顶点的坐标分别为 $A(-3,0)$,$B(-2,3)$,$C(2,3)$,$D(4,2)$,$E(4,0)$,$F(3,-1)$,$G(0,-1)$.

(1)图中点 A 和 E 在 x 轴上,它们的坐标分别为 $(-3,0)$ 和 $(4,0)$,它们的纵坐标都是 0.一般地,在 x 轴上的点的纵坐标是 0.

(2)图中点 G 在 y 轴上,它的坐标为 $(0,-1)$.一般地,在 y 轴上的点的横坐标是 0.

(3)线段 BC 的端点坐标分别为 $(-2,3)$ 和 $(2,3)$,其特点是纵坐标相等,同样地,线段 GF 的端点坐标为 $(0,-1)$ 和 $(3,-1)$,它们的纵坐标也相同.一般地,与 x 轴平行的线段的两个端点的纵坐标相同.

(4)线段 DE 的端点坐标分别为 $(4,2)$ 和 $(4,0)$,它们的横坐标相同.一般地,与 y 轴平行的线段的两个端点的横坐标相同.

> **特别提示**
> 记住一些特殊点的坐标特征,是学习这节内容的基础之一.通过本例可总结出如下规律:①位于平行于 x 轴的直线 l_1 上的各点的纵坐标相等,横坐标不同;②位于平行于 y 轴的直线 l_2 上的各点的横坐标相同,纵坐标不同.

点评 通过观察图形中某些特殊点的位置,再从中发现它们的坐标规律,这种"数形结合"的方法要灵活掌握.

潜能开发广角

揭示规律

点 $P(m,n)$ 到 x 轴的距离为 $|n|$，到 y 轴的距离为 $|m|$，运用平面内点的坐标的意义可以求出在平面直角坐标系中某些图形的面积.

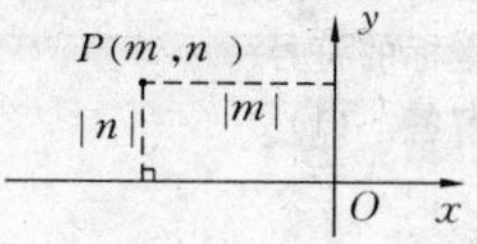

图 6 - 1 - 11

例 7 已知 $A(-4,3)$，$B(0,0)$，$C(-2,-1)$，求 $\triangle ABC$ 的面积.

解析 如果采用常规方法去求三角形的面积，不易求出其底和高. 这时，我们可以根据坐标的几何意义，将问题转化成几个图形的组合问题.

解答 过 A，C 两点作 y 轴的垂线 AM 和 CN，垂足分别为 M 和 N，如图 6 - 1 - 12 所示，则由坐标的意义可知：$AM=4$，$CN=2$，$MN=4$，$BM=3$，$BN=1$.

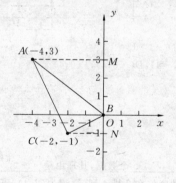

图 6 - 1 - 12

解题技巧

①点的坐标能体现点到 x 轴和 y 轴的距离，当坐标表示成距离时，一定要加绝对值符号. ②点的坐标有时需要转化为某些线段的长度，才能发挥它的功效. 例 7 中，过 A，C 分别作 $AM \perp y$ 轴，$CN \perp y$ 轴，就是从这一点上去考虑的.

$$S_{\triangle ABC}=S_{梯形ACNM}-S_{\triangle ABM}-S_{\triangle BCN}=\frac{1}{2}(4+2)\times 4-\frac{1}{2}\times 3\times 4-\frac{1}{2}\times 1\times 2=$$

$$12-6-1=5（单位面积）.$$

答：$\triangle ABC$ 的面积为 5 个单位面积.

点评 解答数学问题，一要准确，二要全面. 要能够全面准确地作出解答，要求具有严密的思维，使作出的解答没有纰漏.

例 8 如图 6 - 1 - 13 所示，某校初一年级的同学从学校 O 点出发，要到某地 P 处进行探险活动. 他们先向西走 8 km 到 A 处，又向南走 4 km 到 B 处，又折向东走 2 km 到 C 处，再折向北走 8 km 到 D 处，最后往东走 6 km 才到探险处 P. 若以 O 为原点，过 O 点的正东方向为 x 轴的正方向，以 1 km 为 1 长度单位建立直角坐标系，

(1)在直角坐标系内标出探险路线图.

(2)分别写出 A,B,C,D,P 各个点的坐标.

(3)求学校 O 与探险处 P 的距离.

解析 由点到坐标轴的距离写出该点的坐标时,一定要注意点所在的象限确定该点的坐标的符号.

解答 (1)

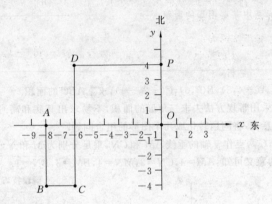

图 6 - 1 - 13

(2)$A(-8,0),B(-8,-4),C(-6,-4),D(-6,4),P(0,4)$

(3)$OP=4$ km.

随堂能力测试

一、填空题

1.在电影院内,确定一个座位一般需要_____个数据,其理由是_____.

2.七年级(2)班座位有 7 排 8 列,张艳的座位在 2 排 4 列,简记为(2,4).班级座次表上写着王刚(5,8),那么王刚同学的座位在_____.

3.如图 6 - 1 - 14 所示,圆的直径为 4 cm,如点 C 的位置在点 O 的东南 2 cm,那么点 B 的位置在点 O 的_____处.

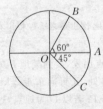

图 6 - 1 - 14

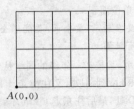

图 6 - 1 - 15

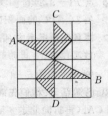

图 6 - 1 - 16

4. 如图 6 - 1 - 15 所示的方格纸中,若用 $(0,0)$ 表示 A 点的位置,试在方格纸中标出 $B(2,4)$,$C(3,0)$,$D(5,4)$,$E(6,0)$,并顺次连接起来,所得图形是英文字母中的 _____.

5. 如图 6 - 1 - 16 所示,若 $D(2,0)$,则 A,B,C 点可表示为 _____.

6. 小月家的楼房是每层两个单元,地址在南京路四段 3 号楼 25 号,可记为南京路四段 3 - 25 号.小月与楼上王阿姨家共用的自来水管道坏了,小月帮助王阿姨登记维修单时,应该登记王阿姨家的门牌是 _____.

7. 点 $A(2,7)$ 到 x 轴的距离为 _____,到 y 轴的距离为 _____.

8. 在直角坐标系中,点 A 的位置为 $(-3,2)$,点 B 的位置为 $(3,2)$,连接 A,B 两点所成的线段与 _____ 平行.

9. 若点 $N(a+5,a-2)$ 在 y 轴上,则点 N 的坐标为 _____.

10. 已知点 P 在第二象限,它的横坐标与纵坐标的和为 1.点 P 的坐标可以是 _____（只要写出一个符合条件的坐标即可）.

11. 若直角坐标系中线段 MN 所在的直线是 x 轴正方向与 y 轴正方向所成的角的平分线,且 $M(4,a)$,$N(b,-2)$,则 $a=$ _____,$b=$ _____.

12. 已知 $A(3,2)$,AB ∥ x 轴,则 B 点的坐标为 _____.

13. 如图 6 - 1 - 17 所示,多边形 $ABCDEF$ 各个顶点的坐标依次为
A _____,B _____,C _____,
D _____,E _____,F _____.

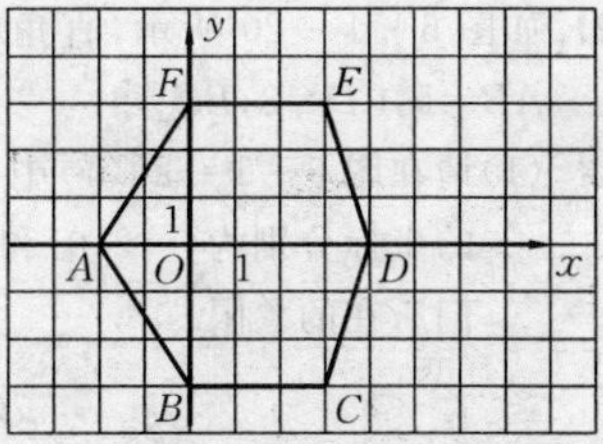

图 6 - 1 - 17

二、选择题

14. 若点 $P(a,b)$ 在第四象限内,则 a,b 的取值范围是 （ ）
A. $a>0,b<0$ B. $a>0,b>0$ C. $a<0,b>0$ D. $a<0,b<0$

15. 如果点 $A(x,y)$ 在第三象限,则点 $B(-x,y-1)$ 在 （ ）
A. 第一象限   B. 第二象限
C. 第三象限   D. 第四象限

16. 点 $P(-3,4)$ 到 y 轴的距离是 （ ）
A. 3   B. 4   C. -3 D. 5

17. 在直角坐标系中,依次描出下列各点,并将各组内的点依次连接起来:①$(2,1)$,$(2,0)$,$(3,0)$,$(3,4)$;②$(3,6)$,$(0,4)$,$(6,4)$,$(3,6)$.你发现所得的图形是 （ ）
A. 两个三角形   B. 房子   C. 雨伞   D. 电灯

18. 已知点 $P(x,y)$ 在第二象限,且 $|x+1|=2$,$|y-2|=3$,则点 P 的坐标为 （ ）
A. $(-3,5)$ B. $(1,-1)$
C. $(-3,-1)$ D. $(1,5)$

19. 如图 6-1-18 所示,人头图形左边的嘴角的坐标是 ( )

    A. $(1,-1)$ B. $(-3,-1)$ C. $(-1,1)$ D. $(-1,-3)$

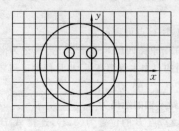 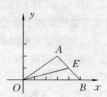

图 6-1-18   图 6-1-19

20. 如图 6-1-19 所示,已知 $A(3,2)$,$B(5,0)$,$E(4,1)$,则 $\triangle AOE$ 的面积为 ( )

    A. 2   B. 2.5   C. 3   D. 3.5

三、解答题

21. 如图 6-1-20 所示,直角梯形 $ABCD$ 中,$\angle B=90°$,$CD \parallel AB$,$AB=5$,$CD=3$,$BC=4$.

    (1) 请在图 6-1-20(1) 中建立适当的平面直角坐标系,使 B,C 的坐标分别为 $(-2,0)$ 和 $(2,0)$,写出点 A,D 的坐标,并指出它们所在的象限.

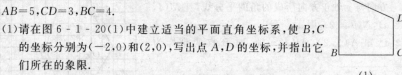

(1)

    (2) 若要使 B,C 两点的坐标分别为 $(-4,-3)$ 和 $(0,-3)$,又应该如何建立平面直角坐标系呢?请在图 6-1-20(2) 中画出你建立的平面直角坐标系,并写出 A,D 的坐标.

(2)

图 6-1-20

22. 在直角坐标系中描出下列各组点,并将各组内的点用线段依次连接起来.

    ① $(0,0)$,$(1,3)$,$(2,0)$,$(3,3)$,$(4,0)$;

    ② $(0,3)$,$(1,0)$,$(2,3)$,$(3,0)$,$(4,3)$.

    观察所得的图形,你觉得它像什么?

23. 如图 6 - 1 - 21 所示,在直角坐标系中,已知 $A(3,2)$,$B(0,0)$,$C(4,0)$.在直角坐标系内找一点 D,使 A,B,C,D 四点构成一个平行四边形.

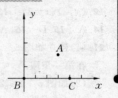

图 6 - 1 - 21

24. 如图 6 - 1 - 22 所示,在直角坐标系中,四边形 $ABCD$ 各个顶点的坐标分别是 $A(0,0)$,$B(3,6)$,$C(14,8)$,$D(16,0)$,确定这个四边形的面积.你是怎么做的?与同伴进行交流.

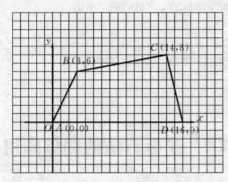

图 6 - 1 - 22

标 答与点拨

1. 2　一个数据不能确定平面上点的位置　**2.** 5 排 8 列　**3.** 东偏北 $60°$ 方向距 O 点 $2\ cm$

4. M　**5.** $A(0,3)$,$B(4,1)$,$C(2,4)$　**6.** 南京路四段 3 - 27 号　**7.** 7　2　**8.** x 轴

9. $(0,-7)$　**10.** $\left(-\dfrac{1}{2},\dfrac{3}{2}\right)$　**11.** 4　-2

12. $(x,2)(x\neq3)$　13. $(-2,0)$　$(0,-3)$　$(3,-3)$　$(4,0)$　$(3,3)$　$(0,3)$

14. A　15. D　16. A　17. C　18. A　19. B　20. B

21. (1)建立如图6-1-23(1)所示的平面直角坐标系,$A(-2,5)$在第二象限,$D(2,3)$在第一象限.

(2)如图6-1-23(2),$A(-4,2),D(0,0)$.

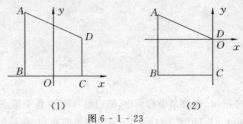

(1)　　　　　　　　(2)

图6-1-23

22. 略.

23. 构成平行四边形有:▱$ABCD_1$,▱AD_2BC,▱ABD_3C.

故 $D_1(7,2),D_2(-1,2),D_3(1,-2)$.

24. 如图6-1-24所示,分别过点 B,C 作平行于坐标轴的直线,将四边形分割成四部分,从而四边形的面积

$$S=\frac{1}{2}\times3\times6+\frac{1}{2}\times11\times2+\frac{1}{2}\times8\times2+11\times6=94.$$

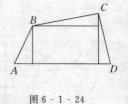

图6-1-24

6.2　坐标方法的简单应用

教 材内容全解

一、利用直角坐标系绘制区域内一些地点分布情况平面图

绘制过程及方法如下:

(1)建立坐标系,选择一个适当的参照点为原点,确定 x 轴和 y 轴的正方向;

(2)根据具体问题确定适当的比例尺,在坐标轴上标出单位长度;

(3)在坐标平面内画出这些点,写出各点的坐标和各个地点的名称.

提醒　在以上三个步骤中,步骤(1)十分关键,选择一个适当的参照点为原点尤为重要.原点的选取,x 轴和 y 轴的确定,直接影响着计算的繁简程度.所以建立直角坐标系时,千万不要盲目行事,要以能简捷地确定平面内点的坐标为原则.

例1　如图6-2-1所示,是某市市区几个旅游景点的示意图(图中每个小正方形的边长为1个单位长度).请你以某个景点为原点,画出直角坐标系,并用坐标向游人介绍光岳楼、金凤广场、动物园的位置.

小明:以光岳楼为原点,金凤广场(-2,-1.5),动物园(7,3).

小亮:以动物园为原点,金凤广场(-9,-4.5),光岳楼(-7,-3).

你同意小明、小亮的介绍吗?你还有别的方法吗?

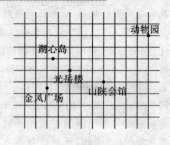

图 6-2-1

解析 由于点的坐标可以通过点到坐标轴的距离来体现,因此,选择适当的直角坐标系时,应充分考虑易求出这些点到 x 轴和 y 轴的距离为佳.所以,选择水平线为 x 轴、竖直线为 y 轴较好.

解答 (1)显然,小明、小亮的介绍是对的.

(2)还可以用山陕会馆为坐标原点,则此时光岳楼的坐标为(-3,1),金凤广场的坐标为(-5,0.5),动物园的坐标为(4,4).

点评 ①应充分考虑建立直角坐标系后,易求出点到两个坐标的距离.②建立直角坐标系的方法有多种,原点的选取,x 轴和 y 轴的确定,将直接影响到点的坐标,因此,小明、小亮的介绍虽然结果不一样,但都是对的.

例2 如图 6-2-2 所示,在一次"寻宝"游戏中,寻宝人已经找到了坐标为(3,2)和(3,-2)的两个标志点,并且知道藏宝地点的坐标为(4,4),除此外不知道其他信息.如何确定直角坐标系来找到"宝藏"?与同伴进行交流.

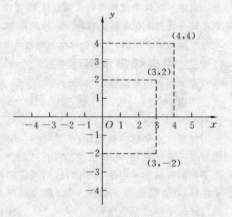

图 6-2-2

解析 例1是在建立了适当的直角坐标系后,确定点的坐标的,而本例正好相反.因此,本例可以采用先在已知坐标系中描点再来探究的"倒回"的方法.

解答 (1)连接两个标志点,找出所得线段的中点,并过中点作这条线段的垂线,并以此作为 x 轴.

(2)将两个标志点之间的连线段分成四等份,以其中的一份为一个单位长度,以两个标志点的中点为起点,向左找到距起点 3 个单位长度的点,过这个点作 x 轴的垂线并以此作为 y 轴,建立直角坐标系,再在新建立的直角坐标系中找到坐标为(4,4)点,即是藏宝地点.

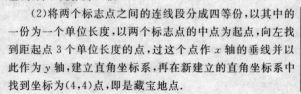

特别提示

若(3,2),(3,-2)这两个点不是平行于 y 轴的直线上的两点,问题就要复杂得多,不过思考的方法类似.

点评 "正难则反"是一个重要的解题技巧和方法.本例的思维技巧就在于此,初看这道题,若从正面去思考确实无法下手,因此,本例通过假定坐标系已知,通过先描点寻找问题的解题规律,从而达到解题的目的.

例3 李强同学家在学校以东 100 m 再往北 150 m 处,张明同学家在学校以西 200 m 再往南 50 m 处,王玲同学家在学校以南 150 m 处.如图 6-2-3 所示,在坐标中画出这三名同学的家的位置,并用坐标表示出来.

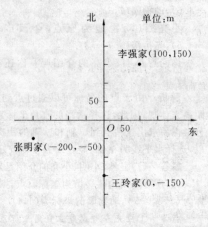

图 6-2-3

解析 由于问题中所给条件都是以学校为参照点,因此,选择学校所在的位置为原点,分别以正东、正北方向为 x 轴和 y 轴的正方向建立平面直角坐标系,然后,依题目所给条件,就能确定其位置.

解答 以学校为参照点,以正东和正北方向为 x 轴和 y 轴的正方向.依题意有:点 $(100,150)$ 就是李强家,点 $(-200,-50)$ 就是张明家,点 $(0,-150)$ 就是王玲家.

点评 选取学校所在的位置为原点,并以正东和正北方向为 x 轴和 y 轴正方向的优点是极易找出这些点到 x 轴和 y 轴的距离,从而易于确定其坐标.试想一想,若选择东北方向为 x 轴的正方向,东南方向为 y 轴的正方向,问题就会复杂得多,有时不易求出.

二、用坐标表示平移

在平面直角坐标系中,将点 (x,y) 向右(或向左)平移 a 个单位长度,可以得到对应点 $(x+a,y)$[或 $(x-a,y)$];将点 (x,y) 向上(或向下)平移 b 个单位长度,可以得到对应点 $(x,y+b)$(或 $(x,y-b)$).

提醒 由平移的概念知:平移是把一个图形整体沿着某一方向移动.平移讲求"方向性",大家知道,图形平移的方向不一定是水平的,这里所讲的用坐标表示平移,其方向是沿 x 轴或 y 轴(即左右或上下),其他方向的平移这里不作要求.

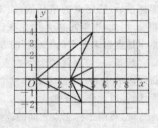

图 6-2-4

例4 如图 6-2-4 所示中的鱼是将坐标为 $(0,0)$,$(5,4)$,$(3,0)$,$(5,1)$,$(5,-1)$,$(3,0)$,$(4,-2)$,$(0,0)$ 的点用线段依次连接而成的.若将图中的点 $(0,0)$,$(5,4)$,$(3,0)$,$(5,1)$,$(5,-1)$,$(3,0)$,$(4,-2)$,$(0,0)$ 作如下变化:纵坐标保持不变,横坐标分别加 3.再将所得的点用线段依次连接起来,所得图案与原来的图案相比有什么变化?

解析 本例中的点的坐标按要求有所变化,应先找出变化后的点的坐标,然后再描点,最后根据图案的比较得出变化的规律.

解答 纵坐标保持不变,横坐标加 3,所得各点的坐标依次是$(3,0),(8,4),(6,0),(8,1),(8,-1),(6,0),(7,-2),(3,0)$.

将各点用线段依次连接起来,所得图案如图 6-2-5 所示,与原图案相比,鱼的形状、大小不变,整条鱼向右平移了 3 个单位长度.

点评 事实上,若将横坐标保持不变,纵坐标加 3,所得图案与原图案相比,鱼的形状、大小不变,整条鱼向上平移了 3 个单位.

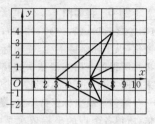

图 6-2-5

例5 如图 6-2-6 所示中的四边形是将坐标$(0,0),(1,2),(-1,3),(-2,1),(0,0)$的点用线段依次连接而成.将这四个点的坐标作如下变化:横坐标分别加 3,纵坐标分别减 2.再将所得的点用线段依次连接起来,所得的图案与原来的图案相比有什么变化?

解答 横坐标分别加 3,纵坐标分别减 2,所得各点的坐标依次为$(3,-2),(4,0),(2,1),(1,-1),(3,-2)$.

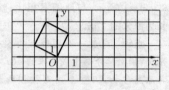

图 6-2-6

将各点用线段依次连接起来,所得图案如图 6-2-7 所示,与原图案相比,这个图案大小和形状与原图案都一样,只是向右平移 3 个单位长度,再向下平移 2 个单位长度.

点评 在平面直角坐标系内,如果把一个图形各个点的横坐标都加(或减去)一个正数 a,相应的新图形就是把原图形向右(或向左)平移 a 个单位长度;如果把它各个点的纵坐标都加(或减去)一个正数 a,相应的新图形就是把原图形向上(或向下)平移 a 个单位长度.

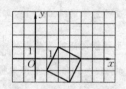

图 6-2-7

潜 能开发广角

延伸探究

图 6-2-8(1)是一幅轿车的照片,有时根据需要将图(1)变换成图(2)和图(3)的形式.同学们,你知道图(1)是如何变化成图(2)和图(3)的吗?这个变化中有数学知识吗?

(1)

(2)

(3)

图 6-2-8

例6 将如图 6 - 2 - 9 所示中的点(0,0),(5,4),(3,0),(5,1),(5,−1),(3,0),(4,−2),(0,0)作如下变化:纵坐标保持不变,横坐标分别变成原来的2倍.再将所得的点用线段依次连接起来,所得的图案与原来的图案相比有什么变化?

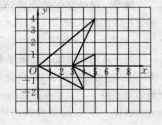

图 6 - 2 - 9

解答 纵坐标保持不变,横坐标分别变成原来的2倍,所得各个点的坐标依次是(0,0),(10,4),(6,0),(10,1),(10,−1),(6,0),(8,−2),(0,0).

将各点用线段依次连接起来,所得图案如图 6 - 2 - 10 所示.与原图案相比,整条鱼被横向拉长为原来的2倍.

点评 ①把一个图形上的各点的纵坐标保持不变,横坐标分别变成原来的 $a(a>1)$ 倍,所得图形与原图形相比,整个图形被横向拉长为原来的 a 倍.依次可推出:如果纵坐标保持不变,横坐标分别变为原来的 $\dfrac{1}{a}(a>1)$,那么与原图形相比,整个图

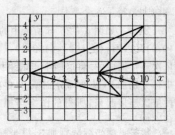

图 6 - 2 - 10

形被横向压缩为原来的 $\dfrac{1}{a}$.②把一个图形上的各点的横坐标保持不变,纵坐标变为原来的 $a(a>1)$ 倍,整个图案将被纵向拉长为原来的 a 倍;同理,如果横坐标保持不变,纵坐标分别变为原来的 $\dfrac{1}{a}(a>1)$,那么与原图形相比,整个图形被纵向压缩为原来的 $\dfrac{1}{a}$.

例7 将如图 6 - 2 - 9 所示中的点(0,0),(5,4),(3,0),(5,1),(5,−1),(3,0),(4,−2),(0,0)作如下变化:

(1)横坐标保持不变,纵坐标分别乘−1.所得的图案与原来的图案相比有什么变化?

(2)横、纵坐标分别变成原来的2倍.所得的图案与原来的图案相比有什么变化?

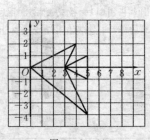

图 6 - 2 - 11

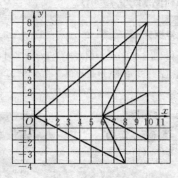

图 6 - 2 - 12

解答 (1)横坐标保持不变,纵坐标分别乘一1,所得各个点的坐标依次是(0,0),(5,-4),(3,0),(5,-1),(5,1),(3,0),(4,2),(0,0).

如图 6-2-11 所示,所得的图案与原图案关于横轴成轴对称.

(2)横、纵坐标分别变成原来的2倍,所得各个点的坐标依次是(0,0),(10,8),(6,0),(10,2),(10,-2),(6,0),(8,-4),(0,0).

如图 6-2-12 所示,所得的图案与原图案相比,形状不变,大小变成了原来的4倍.

点评 将一个图形上的各点的横坐标、纵坐标都变化a倍(a>0),所得的图形的大小变化了a^2倍.

随堂能力测试

一、填空题

1.将点 $M(1,2)$ 向左平移 2 个单位后,其坐标变为_____.

2.将点 $N(-1,-2)$ 向上平移 3 个单位后,其坐标变为_____.

3.将点 $Q(-1,2)$ 向右平移 3 个单位,再向下平移 4 个单位后,其坐标为_____.

4.在平面直角坐标系内,如果把一个图形各个点的横坐标都加上(或减去)一个正数 a,相应的新图形就是把原图形向_____(或向_____)平移_____个单位长度;如果把它各个点的纵坐标都加上(或减去)一个正数 a,相应的新图形就是把原图形向_____(或向_____)平移_____个单位长度.

5.将点 $A(4,3)$ 向_____平移_____个单位长度后,其坐标为$(-1,3)$.

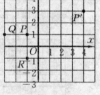

6.如图 6-2-13 所示,三架飞机 P,Q,R 保持编队飞行,10 min 后,飞机 P 飞到 P' 位置.此时,飞机 R,Q 飞到的位置的坐标分别是_____,_____.

图 6-2-13

二、解答题

7.如图 6-2-14 所示,将△ABC 向右平移 3 个单位,可以得到△$A'B'C'$,画出平移后的图形,并指出其各个顶点的坐标.

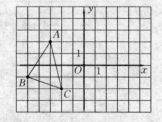

图 6-2-14

8. 如图 6 - 2 - 15 所示,是某个小岛的平面示意图,请你建立适当的直角坐标系,写出哨所 1、哨所 2、小广场、雷达码头、营房的位置.类似地,请你画出你自己学校的平面示意图.

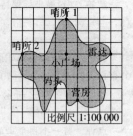

图 6 - 2 - 15

9. 根据以下条件画一幅地图,标出中山公园的南门、游乐园、望春亭、牡丹园的位置.

游乐园:进南门,向北走 100 m,再向东走 100 m.

望春亭:进南门,向北走 200 m,再向西走 300 m.

牡丹园:进南门,向北走 600 m,再向东走 200 m.

10. 如图 6 - 2 - 16 所示的每幅图案中,有两个图形,其中一个是另一个经过某种简单的变换得到的.在每幅图案中各选三对对应点,寻找每对对应点之间的坐标关系.

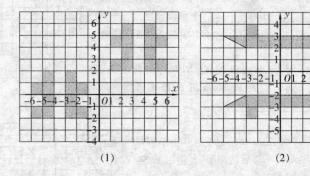

(1)　　　　　　　　(2)

图 6 - 2 - 16

11. 在直角坐标系中,描出点 $(9,1)$,$(11,6)$,$(16,8)$,$(11,10)$,$(9,15)$,$(7,10)$,$(2,8)$,

(7,6),(9,1),并将各点用线段依次连接起来.

(1)观察这组点组成的图形,你觉得它像什么?

(2)上面各点将横坐标分别减2,纵坐标分别减1,按同样的方法将所得各点连接起来,与原图形相比,所得图形有什么变化?

标 答与点拨

1.(−1,2)　2.(−1,1)　3.(2,−2)　4.右(左)　a　上(下)　a　5.左　5

6.(4,1)　(2,3)　7.略.

8.以小广场为坐标原点,以向东的方向为 x 轴的正方向,向北的方向为 y 轴的正方向,则有:哨所1(0,3)、哨所2(−4,0)、雷达(4,0)、码头(−1,−3)、营房(1,−4).

9.略.

10.图案(1):(5,6)与(−2,2),(6,2)与(−1,−2),(1,2)与(−6,−2).其中,后者与前者相比,横坐标小7,纵坐标小4.

图案(2):(6,3)与(6,−3),(3,2)与(3,−2),(−3,2)与(−3,−2).其中,横坐标相同,纵坐标互为相反数.

11.(1)四角星.

(2)整个图案被向左平移了2个单位,向下平移了1个单位.

单元总结与测评

知 识结构图解

方法技巧规律

本章自始至终都是运用数形结合的思想方法研究问题.平面直角坐标系的建立,使平面上的点与有序数对之间构成一一对应关系,是实现数与形结合的重要工具.数形结合,直观形象,为分析问题和解决问题创造了有利条件.数形结合的思想方法是开发智力,培养能力的重要途径,是历年中考的热点之一.

一、点的坐标的求法——描点法

例1 如图6-1所示,写出其中标有字母的各点的坐标,并指出它们的横坐标和纵坐标.

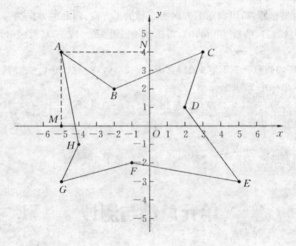

图6-1

解析 根据点的坐标的意义,以找点 A 的坐标为例加以说明.过 A 点分别向 x 轴和 y 轴作垂线,垂足 M 在 x 轴上的坐标是-5,垂足 N 在 y 轴上的坐标是4.此时,点 A 的坐标为$(-5,4)$.依此便可求出其他点的坐标.

解答 $A(-5,4)$, $B(-2,2)$, $C(3,4)$, $D(2,1)$, $E(5,-3)$, $F(-1,-2)$, $G(-5,-3)$, $H(-4,-1)$.每点坐标中,前数是横坐标,后数是纵坐标.

点评 在坐标平面内的每一点,都可以找到唯一一对有序数对与它对应.反过来,对于任意一对有序数对,都可以在坐标平面内找到唯一一个点与它对应.因此,在书写点的坐标时,通常是先写点的名称,再接写坐标.如点 $A(-5,4)$ 就表示点 A 的坐标是$(-5,4)$,坐标为$(-5,4)$的点是 A 点.

二、点的坐标的应用——求规则图形的面积

例2 如图 6-2所示,△AOB 中,A,B 两点的坐标分别为(2,4)和(6,2),求 △AOB 的面积.(提示:△AOB 的面积可以看做一个四边形的面积减去一个小三角形的面积)

解析 设法利用点的坐标的意义,将所求三角形的面积转化为几个图形的面积的组合和分解.

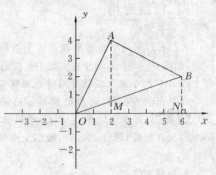

解答 过点 B 作 $BN \perp x$ 轴于 N,由点 B 的坐标可知 $BN=2, ON=6$.

过点 A 作 $AM \perp x$ 轴于 M,由点 A 的坐标可得 $OM=2, AM=4$.

所以,四边形 OABN 的面积 = △OAM 的面积 + 梯形 ABNM 的面积 = $\frac{1}{2} \times 2 \times 4 + \frac{1}{2}(2+4) \times 4 = 4 + 12 = 16$.

图 6-2

而△OBN 的面积 $= \frac{1}{2} \times 6 \times 2 = 6$,

所以△OAB 的面积 = 四边形 OABN 的面积 - △OBN 的面积 = 16 - 6 = 10.

点评 点的坐标能体现它到 x 轴和 y 轴的距离.如:点 $P(x, y)$ 到 x 轴的距离为 $|y|$,到 y 轴的距离为 $|x|$.利用点的坐标将点的坐标转化为点到 x 轴的距离、y 轴的距离这种应用十分广泛.应在理解的基础上灵活应用它.

三、图形的平移与点的坐标的变化

例3 如图 6-3所示,△$A_1 B_1 C_1$ 是由△ABC 平移后得到的,△ABC 中任意一点 $P(x_0, y_0)$ 经平移后对应点为 P_1 (x_0+5, y_0+3).求 A_1, B_1, C_1 的坐标.

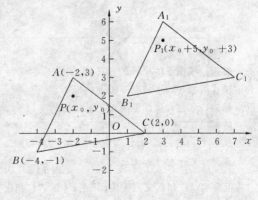

解析 由图形的平移知:对一个图形进行平移,这个图形上所有点的坐标都要发生相应的变化,而且变化的规律都是一样的.由此,可以通过 P 和 P_1 的坐标变化,得出其他点的坐标变化的规律.

图 6-3

解答 由 $P(x_0, y_0)$ 经平移后到 $P_1(x_0+5, y_0+3)$,知:平移

后的对应点的横坐标都加 5,纵坐标都加 3.所以 $A_1(3,6)$,$B_1(1,2)$,$C_1(7,3)$.

点评 对一个图形进行平移,这个图形上所有点的坐标都要发生相同的变化;反过来,图形上的点的坐标的增加或减小,可以得到图形的平移.因此,图形的平移与点的坐标的变化有着密切的联系,掌握这种变化规律,对今后的学习大有帮助.

四、创新应用

1.船只定位

人们有时用两个角度来确定海上航行的船只的位置.如图 6-4 所示,对于在大海中航行的船只 A,海岸上的 B,C 两个观测点只要同时观测到船只相对于每个观测点的方位角,即可准确确定这艘船只的位置.这是因为,对于固定的点 B,C,船只 A 既在射线 BA 上,又在射线 CA 上,两条射线的交点就是这艘船的位置.

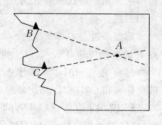

图 6-4

2.区域定位

人们有时将平面分成方块,将行、列进行编号,用点所在的行、列来表示某个地点的位置.如图 6-5 所示,是广州市地图简图的一部分,如何向同伴介绍"广州起义烈士陵园"所在的区域?"广州火车站"呢?

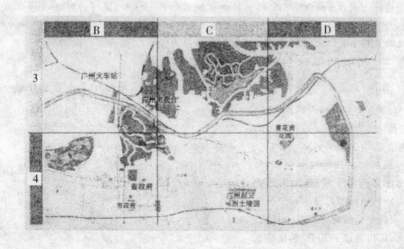

图 6-5

很显然,"广州起义烈士陵园"在 C4 区,"广州火车站"在 B3 区.这种确定位置的方法属于区域定位.

综合探究案例

合作探究

案例 如图 6 - 6 所示是某次海战中敌我双方舰艇对峙示意图. 对我方潜艇来说, 你能确定敌方战舰 A, B, C 的位置吗?

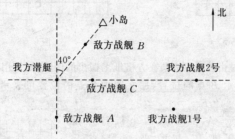

图 6 - 6

小明: 观察示意图知, 对我方潜艇来说, 北偏东 $40°$ 的方向上有两个目标: 敌舰 B 和小岛. 看来, 要确定敌方战舰 B 的位置, 仅用北偏东 $40°$ 的方向是不够的, 还需要知道敌方战舰 B 距我方潜艇的距离.

小颖: 观察示意图, 距我方潜艇图上距离 1 cm 处的敌舰有两艘: 敌舰 C 和敌舰 A. 要想确定敌舰 A 和敌舰 C 的位置, 仅用距舰图上距离 1 cm 处还不够, 还需要知道敌舰的方位角, 用两个数据来表示敌舰 A 和 C 的位置.

小彬: 由小明、小颖的分析可以得到, 要确定每艘敌舰的位置, 各需要两个数据: 距离和方位角. 如: 对我方潜艇来说, 敌舰 A 在正南方向, 图上距离 1 cm 处; 敌舰 B 在北偏东 $40°$, 图上距离为 1.2 cm 处; 敌舰 C 在正东方向, 图上距离为 1 cm 处.

师评: 事实上, 确定平面内点的位置的方法有很多, 除用直角坐标系外, 本案例反映的定位方式是"极坐标"定位, 当然还有"区域定位"等方法. 不管用什么方法确定平面上点的位置, 基本都需要两个数据, 一个数据不能确定平面内点的位置.

综合能力测评

一、填空题

1. 在直角坐标系中, 点 A 在 x 轴上, 位于原点左侧, 距离原点 3 个长度单位, 则点 A 的坐标为_____.

2. 写出图 6 - 7 中下列各点的坐标:
   A_____, B_____, C_____, D_____, $(2, 4)$ 表示点_____, $(1, 0)$ 表示点_____.

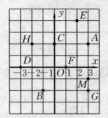

图 6 - 7

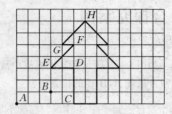

图 6 - 8

3. 如图 6 - 8 所示,是由若干根火柴在方格纸上摆出的图案,如果用 $(0,0)$ 表示 A 点的位置,用 $(3,1)$ 表示 B 点的位置,那么图中各点的位置可表示为 C _____, D _____, E _____, F _____, G _____, H _____.

4. 如图 6 - 9 所示, A 和 G 点的坐标特点是 _____; C 和 B 点的坐标特点是 _____; DE 在位置上的特征是 _____.

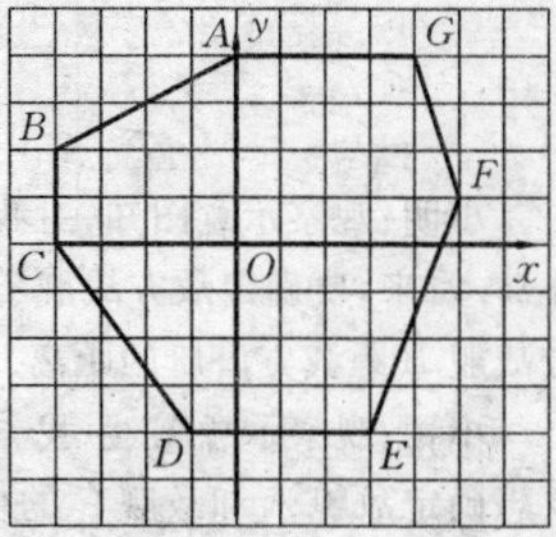

图 6 - 9

5. 已知点 $A(-3a,5)$, $B(6,2b)$,且 $AB \parallel x$ 轴,则 a _____, b _____.

6. 已知 $a>0$, $b<2$,则点 $(a+1,b-2)$ 在第 _____ 象限.

7. 已知四边形 $OBCD$ 的四个顶点的坐标为 $O(0,0)$, $B(8,0)$, $C(6,4)$, $D(2,4)$. 将四边形 $OBCD$ 向上平移 2 个单位长度后,对应点的坐标依次是 _____, _____, _____, _____.

8. 已知矩形 $ABCD$ 中, $AB=4$, $BC=6$,且 $AB \parallel x$ 轴. 若点 A 的坐标为 $(-1,2)$,则点 C 的坐标为 _____.

二、选择题

9. 若点 $A(a,b)$ 在第一象限,那么点 $B(-a,-b)$ 在 ( )

    A. 第一象限   B. 第二象限

    C. 第三象限   D. 第四象限

10. 点 $Q(a,b)$ 到 x 轴的距离为 3,到 y 轴的距离为 2,则有 ( )

    A. $a=2, b=3$ B. $a=\pm 2, b=\pm 3$

    C. $a=3, b=2$ D. $a=\pm 3, b=\pm 2$

11. 已知点 $Q(x,y)$ 的坐标满足 $xy<0$,则点 Q 在 ( )

    A. 第一象限   B. 第二象限

    C. 第三象限   D. 第二、四象限

12. 已知点 $P(x,|x|)$,则点 P 一定 ( )

A. 在第一象限   B. 在第一或第四象限

C. 在 x 轴的上方   D. 不在 x 轴的下方

13. 点 B 与点 C 的横坐标相同，纵坐标不同，则直线 BC 与 x 轴的关系是   （   ）

     A. 相交   B. 垂直

     C. 平行   D. 以上都不准确

14. 七年级(1)班同学到中山公园去春游. 张明、王丽、李华三名同学和其他同学走散了. 同学们已经到了中心广场，而他们仍在牡丹园赏花. 他们对着景区示意图(图 6 - 10)在电话中向老师告诉了他们的位置.

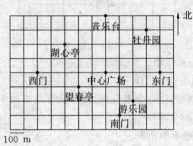

图 6 - 10

张明："我这里的坐标是(300,300)."

王丽："我这里的坐标是(200,300)."

李华："我在你们东北方向约 420 m 处."

你认为他们回答正确的是   （   ）

     A. 张明   B. 王丽

     C. 李华   D. 三人回答都对

三、解答题

15. 在直角坐标系中，写出图 6 - 11 中，从 A 出发，按箭头所指方向先后经过的各点的坐标.

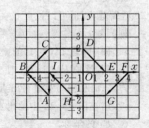

图 6 - 11

16. 在直角坐标系中,将图 6 - 12 所示,中的图案沿 x 轴方向向右平移 6 个单位长度,作出平移后的图案.

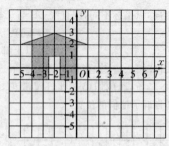

图 6 - 12

17. 在平面直角三角形坐标系中,
    (1)确定下列各点:$A(-3,4)$,$B(-6,-2)$,$C(6,-2)$.
    (2)若以 A,B,C 为顶点,作一个平行四边形,试写出第四个顶点的位置坐标.你的答案唯一吗?
    (3)求出这个平行四边形的面积.

18. 如图 6 - 13 所示,已知直线 AB 和它外一点 C,过点 C 作 $CM \perp AB$,垂足为 M,延长 CM 至 D,使 $MD = MC$,我们不难发现,直线 AB 是线段 CD 的垂直平分线,这时我们说点 C 和点 D 关于直线 AB 对称,也可以说点 C 关于直线 AB 的对称点是点 D.请回答下列问题:

图 6 - 13

(1)如图 6 - 14,点 P 的坐标为 $(3,2)$,过 P 作 $PM \perp x$ 轴,垂足为 M,延长 PM 到 P_1,使 $MP_1 = MP$,此时点 P_1 和点 P 关于 x 轴对称?请写出点 P_1 的坐标.

(2)请在图 6 - 14 中画出点 P 关于 y 轴的对称点 P_2,并写出 P_2 的坐标.

(3)在图 6 - 14 中,连接 PO,并延长 PO 至 P_3,使 $OP_3 = OP$,你能猜想出点 P_3 的坐标吗?由于点 O 是 PP_3 的中点,我们说点 P 和点 P_3 关于原点 O 对称.

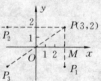

图 6 - 14

(4)在上面的问题中,点 P_2 与 P_3 关于 x 轴对称吗?点 P_3 与点 P_1 关于 y 轴对称吗?

(5)若点 P 的坐标为(a,b),请写出点 P 关于 x 轴、y 轴和原点对称的点的坐标.你能归纳出关于 x 轴、y 轴和原点对称的两个点的横、纵坐标所具有的特征吗?试一试.

标答与点拨

1. $(-3,0)$ 2. $(3,2)$ $(-1,-2)$ $(0,2)$ $(-3,0)$ E F

3. $(5,0)$ $(5,3)$ $(3,3)$ $(5,5)$ $(4,5)$ $(6,7)$

4. 纵坐标相同 横坐标相同 平行于 x 轴

5. a 为不等于-2的实数 $b=\dfrac{5}{2}$ 6. 四

7. $(0,2)$ $(8,2)$ $(6,6)$ $(2,6)$

8. $(3,-4)$或$(3,8)$

9. C 10. B 11. D 12. D 13. B 14. D

15. $B(-5,0),C(-3,2),D(0,2),E(2,0),F(4,0),G(2,-2),H(-1,-2),I(-3,0),$
$A(-3,-2)$

16. 略.

17. 答案不唯一:$D_1(9,4),D_2(-18,4),D_3(3,-8)$.
平行四边形 $ABCD$ 的面积是 $2S_{\triangle ABC}=72$.

18. (1)对称,$P_1(3,-2)$.(2)$P_2(-3,2)$.(3)$P_3(-3,-2)$.
(4)点 P_2 与 P_3 关于 x 轴对称,点 P_3 与点 P_1 关于 y 轴对称.
(5)$P(a,b)$关于 x 轴、y 轴和原点对称点的坐标分别为$(a,-b)$,$(-a,b)$和$(-a,-b)$.关于 x 轴对称的两个点的横坐标相同,纵坐标互为相反数;关于 y 轴对称的两个点的纵坐标相同,横坐标互为相反数;关于原点对称的两个点的纵、横坐标都互为相反数.

第七章

三 角 形

7.1 与三角形有关的线段

教 材内容全解

一、三角形的概念及表示法

三角形的概念:由不在同一直线上的三条线段首尾顺次相接所组成的图形叫做三角形.组成三角形的线段叫做三角形的边,相邻两边的公共端点叫做三角形的顶点,相邻两边所组成的角叫做三角形的内角,简称三角形的角.

例如,如图 7-1-1 所示,线段 AB,BC,CA 是三角形的边,点 A,B,C 是三角形的顶点,$\angle A,\angle B,\angle C$ 是三角形的角.三角形可以用符号"△"表示,顶点为 A,B,C 的三角形记作"$\triangle ABC$",读作"三角形 ABC".

图 7-1-1

提醒 (1)三角形的特征:①三条线段;②不在同一条直线上;③首尾顺次相接.

(2)三角形有六个元素:三条边和三个角.

(3)$\triangle ABC$ 的三边有时也用 a,b,c 表示,顶点 A(或$\angle A$)所对的边 BC 用 a 表示,顶点 B(或$\angle B$)所对的边 AC 用 b 表示,顶点 C(或$\angle C$)所对的边 AB 用 c 表示.

例1 如图 7-1-2 所示,依次用火柴棒拼三角形.

   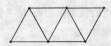

图 7-1-2

(1)填写下表:

三角形个数	1	2	3	4	5
火柴棒的根数					

(2)照这样的规律拼下去，拼 n 个这样的三角形需要火柴棒的根数是 _____.

解析 先填好表格，然后根据表格中反映出来的规律解答第(2)问.

解答 (1)3,5,7,9,11 (2)$2n+1$

例2 找出如图 7-1-3 所示中所有的三角形.

图 7-1-3

> **解题规律**
> 在数三角形的个数时要按一定的规律、一定方向去找，否则会遗漏；在找时，不能走"回头路"，否则会重复.

解答 图中的三角形共有 5 个，它们分别是△ABC，△ABE，△EBC，△BCD，△ECD.

二、三角形的三边关系

三角形两边之和大于第三边.

提醒 ①三角形的三边关系的结论是利用"连接两点的线中，线段最短"得出的，这里的"两边"指的是三角形的任意两边.②三角形的三边关系还揭示了由三条线段能围成三角形的必要条件.

例3 以下列长度的三条线段为边，哪些可以构成一个三角形，哪些不能构成一个三角形？

(1)6 cm,8 cm,10 cm;   (2)3 cm,8 cm,11 cm;

(3)3 cm,4 cm,10 cm;   (4)三条线段之比为 4:6:7.

解析 要构成一个三角形，必须满足任意两边之和大于第三边.在运用时习惯于检查较短的两边之和是否大于第三边.

解答 (1)因为 6 cm+8 cm>10 cm，

所以 6 cm,8 cm,10 cm 能构成三角形.

(2)因为 3 cm+8 cm=11 cm，

所以 3 cm,8 cm,11 cm 不能构成三角形.

(3)因为 3 cm+4 cm<10 cm，

所以 3 cm,4 cm,10 cm 不能构成三角形.

(4)因为三条线段之比为 4:6:7，

所以设三条线段分别为 $4x,6x,7x$.

因为 $4x+6x>7x$，所以三条线段之比为 4:6:7 时，能构成三角形.

点评 判断以三条线段为边能否构成三角形的简易方法是：①判断出较长的一边；

②看较短的两边之和是否大于较长的一边,大于则能构成三角形,不大于则不能构成三角形.

三、三角形的高

从三角形的一个顶点向它的对边画垂线,顶点和垂足之间的线段叫做三角形的高.

如图 7 - 1 - 4 所示,AD 是 $\triangle ABC$ 的高,也可以叙述如下:

① AD 是 $\triangle ABC$ 的 BC 边上的高.

② $AD \perp BC$,垂足为 D.

③ D 在 BC 上,且 $\angle BDA = \angle CAD = 90°$.

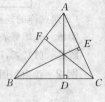

图 7 - 1 - 4

提醒 ①画三角形的高时,只需向对边或对边的延长线作垂线,连接顶点与垂足的线段就是该边上的高.如图 7 - 1 - 5 所示,AD,BE,CF 分别是边 BC,AC,AB 上的高.②三角形的高是线段.③三角形的高线(高所在的直线)交于一点.④锐角三角形的高都在内部;直角三角形仅一条高在三角形的内部,另两边上的高为三角形的两条直角边;钝角三角形仅一条高在三角形的内部,另两条高在三角形的外部.

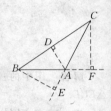

图 7 - 1 - 5

四、三角形的中线

在三角形中,连接一个顶点和它的对边中点的线段叫做三角形的中线.

提醒 (1)一个三角形有三条中线,并且都在三角形的内部,且相交于一点.

(2)三角形的中线是一条线段.

(3)三角形的中线有如下的推理(图 7 - 1 - 6):

① 如果 AD 是 $\triangle ABC$ 边 BC 上的中线,那么 $BD = CD = \frac{1}{2} BC$;

图 7 - 1 - 6

② 如果 $BD = CD$,那么 AD 是 $\triangle ABC$ 边 BC 上的中线.

五、三角形的角平分线

三角形的一个角的平分线与这个角的对边相交,这个角的顶点和交点之间的线段,叫做三角形的角平分线.

提醒 (1)一个三角形有三条角平分线,并且都在三角形的内部,相交于一点.

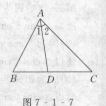

图 7 - 1 - 7

(2)三角形的角平分线是一条线段,而角的平分线是一条射线.

(3)角平分线有如下的推理(图 7 - 1 - 7):

① 因为 AD 是 $\triangle ABC$ 的角平分线,所以 $\angle 1 = \angle 2 = \frac{1}{2} \angle BAC$;

② 因为∠1＝∠2,所以 AD 是∠BAC 的角平分线.

例4 如图7-1-8所示,用式子把下列条件表示出来:

(1)AD 是△ABC 的高;

(2)BE 是△ABC 的角平分线;

(3)CF 是△ABC 的中线.

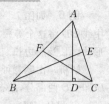

图7-1-8

解答 (1)AD 是△ABC 的高,可以表示为 AD⊥BC,或∠ADB＝90°,或∠ADC＝90°,或∠ADB＝∠ADC.

(2)BE 是△ABC 的角平分线,可表示为∠ABE＝∠EBC,或∠ABE＝$\frac{1}{2}$∠ABC,∠EBC＝$\frac{1}{2}$∠ABC.

(3)CF 是△ABC 的中线,可表示为 AF＝BF 或 AF＝$\frac{1}{2}$AB,BF＝$\frac{1}{2}$AB.

点评 为了方便,三角形的三种主要线段可以根据具体情况用不同式子表示.

例5 如图7-1-9所示,△ABC 中,BC 边上的高画得对吗?

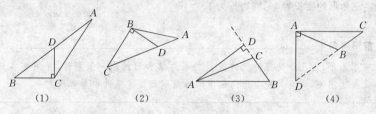

(1)　　　　　(2)　　　　　(3)　　　　　(4)

图7-1-9

解答 根据三角形的高的概念,BC 边上的高应是 BC 边所对的顶点 A 向 BC 作垂线,顶点 A 与垂足间的线段,所以(1)、(2)、(4)都错了,只有(3)是对的.

潜 能开发广角

揭示规律

三角形的分类:

(1)三角形按边的相等关系分类如下:

三角形 $\begin{cases} \text{不等边三角形} \\ \text{等腰三角形} \begin{cases} \text{底边和腰不相等的等腰三角形} \\ \text{等边三角形} \end{cases} \end{cases}$

(2)三角形按角的大小分类如下:三角形 $\begin{cases} \text{直角三角形} \\ \text{斜三角形} \begin{cases} \text{锐角三角形} \\ \text{钝角三角形} \end{cases} \end{cases}$

例6 如图7-1-10所示,等腰△ABC中,AB=AC,一腰上的中线BD将这个等腰三角形的周长分成15和6两部分,求这个三角形的腰长及底边长.

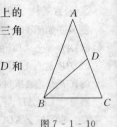

图7-1-10

解析 由题意可知,中线BD将△ABC的周长分成AB+AD和BC+CD两部分,故有两种可能:

(1)AB+AD=15且BC+CD=6;

(2)AB+AD=6且BC+CD=15.

再由AB=AC=2AD=2CD及三角形三边关系知(1)成立,(2)不成立.

解答 设AB=AC=$2x$,则AD=CD=x.

(1)当AB+AD=15,BC+CD=6时,有$2x+x=15$,所以$x=5,2x=10,BC=6-5=1$.

(2)当BC+CD=15,AB+AD=6时,有$2x+x=6$.所以$x=2,2x=4$,所以BC=13.

因为$4+4<13$,故不能组成三角形.

答:三角形的腰长为10,底边长为1.

> **方法技巧**
>
> 涉及等腰三角形的边的问题时,常要分情况给予讨论,要看这条边是等腰三角形的腰还是底,然后看它们是否满足三角形的三边关系,不满足的要舍去.

前沿考向

观察图形,由几个特殊情况的数量关系总结和归纳出一般规律,并用文字语言或公式表达出来,如有关三角形问题中的计数问题是常见的中考考题之一.

一、几何计数问题

例7 如图7-1-11所示,图①是一个三角形,分别连接三边中点得图②,再分别连接图②中的小三角形三边中点得图③,按此方法继续下去,请你根据每个图中三角形个数的规律,完成下列问题:

①   ②   ③

图7-1-11

(1)将下表填写完整:

图形编号	①	②	③	④	⑤	…
三角形个数	1	5	9			…

(2)在第 n 个图形中有 _____ 个三角形.(用含 n 的式子表示)

解析 依据数形结合的思想,由图形和三角形个数可知变化后的三角形个数比前一个图形多 4 个,而第(2)问中第 n 个图形中三角形的个数,必须从表格中图形的编号数与对应的三角形的个数之间的关系中找出:$1+4(n-1)=4n-3$.

解答 (1)13 17

(2)$4n-3$

例 8 如图 7-1-12 所示,图中共有 ____ 个三角形.

解析 ① 以 BC 为边的三角形有 $\triangle ABC$,$\triangle BEC$,$\triangle BFC$,$\triangle BDC$,共 4 个;

② 以 AC 为边的三角形有 $\triangle AEC$,$\triangle ABC$ 两个,但 $\triangle ABC$ 已计入①,所以只算 1 个;

③ 以 AB 为边的三角形有 $\triangle ABD$,$\triangle ABC$ 两个,但 $\triangle ABC$ 已计入①,所以也只能算 1 个;

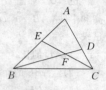

图 7-1-12

④ 以 CD 为边且与以前不重复的三角形是 $\triangle DFC$,共 1 个;

⑤ 以 AD 为边的三角形有 $\triangle ABD$,已计;

⑥ 以 AE 为边的三角形有 $\triangle AEC$,已计;

⑦ 以 BE 为边且与以前不重复的三角形有 $\triangle BEF$,共 1 个.

所以图中共有三角形 $4+1+1+1+1=8$ 个.

解答 8

点评 根据三角形的概念,不重复、无遗漏地找出所有的三角形的关键在于按照某种顺序去找,千万不可打乱仗.

例 9 学生小王在纸上画了四个点,如果把这四个点彼此连接,连成一个图形,则这个图形中会有几个三角形出现?

解答 分以下四种情况:

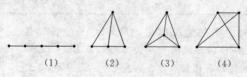

(1) (2) (3) (4)

图 7-1-13

(1)四个点在一条直线上,这时不能形成三角形,如图 7-1-13(1)所示.

(2)三个点在一条直线上,第四个点在这条直线外,此时有 3 个三角形,如图 7-1-13(2)所示.

(3)三个点可连成一个三角形,第四个点在这个三角形的内部,此时有 4 个三角形,如图 7 - 1 - 13(3)所示.

(4)三个点可连成一个三角形,第四个点在这个三角形的外部,且没有三个点在一条直线上,此时有 8 个三角形,如图 7 - 1 - 13(4)所示.

点评 ①本题需要分各种情况来讨论,这是一种重要的数学思想方法,叫"分类讨论"思想,以后会经常采用.②在解第(4)题中,有一句"且没有三个点在一条直线上",这句话可以不写吗?

二、几何计算问题

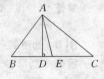

例 10 如图 7 - 1 - 14 所示,已知 AD,AE 分别是 $\triangle ABC$ 的高和中线,$AB = 6$ cm,$AC = 8$ cm,$BC = 10$ cm,$\angle CAB = 90°$.试求:

图 7 - 1 - 14

(1)AD 的长;

(2)$\triangle ABE$ 的面积;

(3)$\triangle ACE$ 和 $\triangle ABE$ 的周长之差.

解析 直角三角形的面积等于两条直角边的积的一半,又等于斜边与斜边上的高的积的一半;$BE = CE = \dfrac{1}{2}BC$,所以 $\triangle ABE$ 的面积是 $\triangle ABC$ 的面积的一半;$\triangle ACE$ 的周长与 $\triangle ABE$ 的周长之差为 $AC + EC + AE - (AB + BE + AE) = AC - AB$.

解答 (1)$S_{\triangle ABC} = \dfrac{1}{2}AB \cdot AC = \dfrac{1}{2} \times 8 \times 6 = 24$ (cm^2).

所以 $S_{\triangle ABC} = \dfrac{1}{2}AD \cdot BC = 24$,即 $AD = 4.8$ (cm).

(2)$S_{\triangle ABE} = \dfrac{1}{2}BE \cdot AD = \dfrac{1}{2} \times \left(\dfrac{1}{2}BC\right) \cdot AD = \dfrac{1}{4}BC \cdot AD = 12$ (cm^2).

(3)设 $\triangle AEC$ 和 $\triangle ABE$ 的周长分别记为 $L_{\triangle AEC}$ 和 $L_{\triangle ABE}$,

则 $L_{\triangle AEC} - L_{\triangle ABE} = AC + CE + AE - (AB + BE + AE) = AC - AB =$
$\qquad 8 - 6 = 2$ (cm).

延伸技巧

如图 7 - 1 - 15 所示,在 $\triangle ABC$ 中,AD 是 BC 边的中线,你知道 $\triangle ABD$ 和 $\triangle ACD$ 的面积的大小关系吗? 若 $BD : DC =$ $1 : 3$,$\triangle ABD$ 和 $\triangle ACD$ 的面积有什么关系呢? 通过分析,我们不难发现 $\triangle ABD$ 和 $\triangle ACD$ 是等高的,所以 $\dfrac{S_{\triangle ABD}}{S_{\triangle ACD}} = \dfrac{BD}{DC}$. 这就是说:两个三角形高相等时,面积的比等于底边的比.

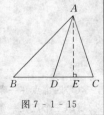

图 7 - 1 - 15

例 11 如图 7 - 1 - 16 所示,是一块三角形的菜地.

(1)要把这块菜地分成面积相等的四块,问:怎样分?

（2）现要求把这块菜地分成面积为 2∶3∶4 的三块,且图中的 A 处是这三块菜地的公共水源,问:怎样分?

解析 （1）由三角形的面积公式可得:三角形的中线把三角形的面积两等分.故利用三角形的中线可以把一个三角形的面积四等分.

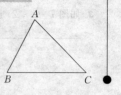

图 7 - 1 - 16

（2）根据"两个三角形等高,面积之比等于底边比",便可以把这块菜地的面积分为 2∶3∶4 的三部分.

解答 （1）有多种方法,下面两种供参考,如图 7 - 1 - 17 所示.

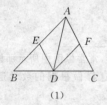 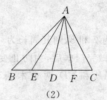

（1）   （2）

图 7 - 1 - 17

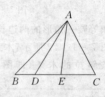

图 7 - 1 - 18

（2）量出 BC 的长度,把 BC 九等分.从左向右设第二个分点为 D,第五个分点为 E.连接 AD,AE,则 AD,AE 把 △ABC 分成面积比为 2∶3∶4 的三块,如图 7 - 1 - 18 所示.

随堂能力测试

一、填空题

1.如图 7 - 1 - 19 所示,图中所有三角形的个数为_____个.在 △ABE 中,AE 所对的角是_____,∠ABC 所对的边是_____. AD 在 △ADE 中,是_____的对边,在 △ADC 中,是_____的对边.

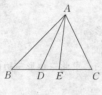

图 7 - 1 - 19

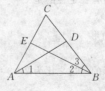

图 7 - 1 - 20

2.如图 7 - 1 - 20 所示,∠1 = $\frac{1}{2}$∠BAC,∠2 = ∠3,则 ∠BAC 的平分线为_____,∠ABC 的平分线为_____.

3. 如图 7-1-21 所示，D,E 是边 AC 的三等分点，图中有_____个三角形. BD 是△ _____中_____边上的中线；BE 是△_____中_____边上的中线.

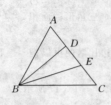

图 7-1-21 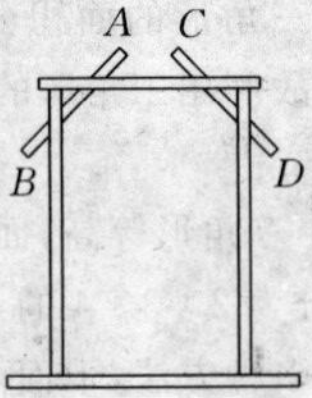　　　　　　图 7-1-22

4. 已知等腰三角形的两边长分别为 7 和 8，则其周长为_____.

5. 如图 7-1-22 所示，木工师傅做完门框后，为防止变形，常常像图中所示那样钉上两条斜拉的木条（即图中的 AB 和 CD 两个木条）. 这样做根据的数学道理是

_____.

二、选择题

6. 如图 7-1-23 所示，图中三角形的个数是　　　　（　　）

A. 4 个　　　　B. 5 个　　　　C. 6 个　　　　D. 8 个

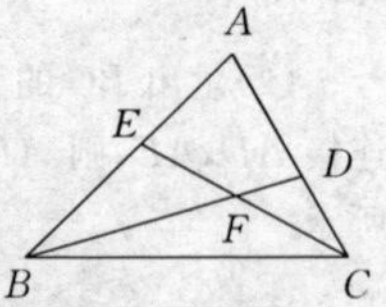

7. 以下列长度的三条线段，能组成三角形的是　　　（　　）

A. 3 cm，5 cm，8 cm　　　　B. 8 cm，8 cm，18 cm

C. 0.1 cm，0.1 cm，0.1 cm　　　D. 3 cm，4 cm，8 cm

8. 如果线段 a,b,c 能组成三角形，那么，它们的长度比可能是

（　　）

A. 1：2：4　　B. 1：3：4　　C. 3：4：7　　D. 2：3：4

图 7-1-23

9. 如果三角形的两边长分别为 7 和 2，且它的周长为偶数，那么第三边的长为　（　　）

A. 5　　　　B. 6　　　　C. 7　　　　D. 8

10. 下列图形中有稳定性的是　　　　　　　　　　　　　　（　　）

A. 正方形　　　　　　　　B. 长方形

C. 直角三角形　　　　　　D. 平行四边形

三、解答题

11. 一个三角形的三边之比为 2：3：4，周长为 36 cm，求此三角形三边的长.

12. 已知△ABC 的周长为 48 cm,最大边与最小边之差为 14 cm,另一边与最小边之和为 25 cm,求△ABC 各边之长.

13. (1)已知等腰三角形的一边等于 8 cm,另一边等于 6 cm,求此三角形的周长.

(2)已知等腰三角形的一边等于 5 cm,另一边等于 2 cm,求此三角形的周长.

14. 在△ABC 中,AB=AC,AC 上的中线 BD 把三角形的周长分为 24 cm 和 30 cm 的两个部分,求三角形的三边长.

15. 为了解决四个村庄用电问题,政府投资在已建电厂(E)与四个村庄(A,B,C,D)之间架设输电线路,现已知这四个村庄及电厂之间的距离如图7-1-24所示(单位: km),则能把电输送到这四个村庄的输电线路的最短总长度是多少千米?

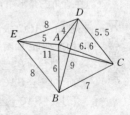

图 7 - 1 - 24

标答与点拨

1. 6 ∠B AE ∠AED ∠C **2.** AD BE **3.** 6 ABE AE BCD CD

4. 22或23 **5.** 三角形的稳定性 **6.** D **7.** C **8.** D **9.** C **10.** C

11. $36×\dfrac{2}{9}=8,36×\dfrac{3}{9}=12,36×\dfrac{4}{9}=16.$

12. 设三边长为$a,b,c(a>b>c)$,即有$a=14+c,b=25-c$,而$a+b+c=48$,

所以 $14+c+25-c+c=48$,

所以 $c=9,a=23,b=16.$

13. (1)$8+8+6=22$或$8+6+6=20$. (2)$5+5+2=12$.

14. 三边长为$16,16,22$或$20,20,14$.

15. $5+6+6.6+4=21.6(km)$.

7.2 与三角形有关的角

教 材内容全解

一、三角形内角和等于$180°$

提醒 三角形内角和等于$180°$,揭示了三角形三个内角之间的关系.由这个命题可以解决以下问题:

(1)在三角形中已知两角可求第三角,或已知各角之间关系求各角;

(2)在直角三角形中,已知一个锐角,可以求另一个锐角.

开放课堂

问:已知△ABC,求证∠A+∠B+∠C=180°.该用怎样的思路和方法来证明呢?

甲:构造平角.如图7-2-1所示,可过点A作直线MN∥BC,

有∠1=∠B,∠2=∠C,

而∠1+∠BAC+∠2=∠MAN=180°,

所以∠BAC+∠B+∠C=180°.

也可过BC上任一点D作DF∥AC交AB于F,作

DE∥AB交AC于E,

则∠5=∠C,∠6=∠B,∠BAC=∠4=∠3,

所以∠BAC+∠B+∠C=∠3+∠6+∠5=180°.

乙:构造同旁内角.过任一顶点作射线平行于对边,如图

7-2-2所示,过C点作射线CD∥AB,

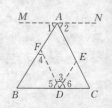

图 7-2-1

则 $\angle 1 = \angle A$，$\angle B + \angle BCA + \angle 1 = 180°$，

所以 $\angle B + \angle A + \angle BCA = 180°$。

师：甲、乙两名同学的证明方法是通过作辅助线，把三角形的三个内角或二个内角拼凑在一起，从而构造平角或同旁内角，证法都很好。

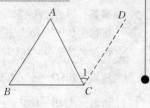

图 7 - 2 - 2

例1 请阅读图 7 - 2 - 3 的情境，回答问题。

$\triangle ABC$ 中，$\angle A$ 与 $\angle B$ 的和刚好是 $\angle C$ 的 2 倍。

$\angle B$ 比 $\angle A$ 要大 $30°$，你能求出 $\angle B$ 吗？说出理由。

图 7 - 2 - 3

解析 阅读该问题情境不难发现，问题中给出条件是等量关系，故可以设法利用方程求解。

解答 因为 $\angle A + \angle B + \angle C = 180°$，

所以 $\angle A + \angle B = 180° - \angle C$。

而 $\angle A + \angle B = 2\angle C$，

所以 $2\angle C = 180° - \angle C$，

即 $\angle C = 60°$。

所以 $\angle A + \angle B = 120°$。

又 $\angle B = \angle A + 30°$，

所以 $\angle A + \angle A + 30° = 120°$，故 $\angle A = 45°$。

所以 $\angle B = 75°$。

> **方法规律**
>
> 　三角形内角和等于 $180°$ 是三角形本身固有的性质，它作为一个隐含的条件，在有关角的计算中经常用到。

例2 如图 7 - 2 - 4 所示，AF，AD 分别是 $\triangle ABC$ 的高和角平分线，且 $\angle B = 36°$，$\angle C = 76°$。求 $\angle DAF$ 的度数。

解析 可以按下面的思路逆向思维：

求 $\angle DAF$ $\xrightarrow[\text{先求}]{\text{在} \triangle ADF \text{中}}$ $\angle ADF$ $\xrightarrow[\text{}]{\text{邻补角}}$

$\angle ADB$ $\xrightarrow[\text{先求}]{\text{在} \triangle ABD \text{中}}$ $\angle BAD$ → $\angle BAC$。

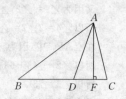

图 7 - 2 - 4

解答　因为∠B＝36°，∠C＝76°，

所以∠BAC＝180°－∠B－∠C＝180°－36°－76°＝68°.

因为AD平分∠BAC，

所以∠BAD＝$\frac{1}{2}$∠BAC＝34°.

所以∠ADB＝180°－∠B－∠BAD＝

180°－36°－34°＝110°，

所以∠ADF＝180°－110°＝70°，

所以∠DAF＝90°－70°＝20°.

> **特别提示**
>
> 　由此题可以得出一个重要结论：从三角形一个顶点作高线和角平分线，它们所夹的角等于三角形另两个角的差的一半.

点评　"三角形的内角和等于180°"揭示了三个角之间的关系，同时为求角的问题提供了一个应用的平台，灵活运用它，有技巧性地应用它，对培养创新意识大有帮助.

二、三角形的外角

　　如图7－2－5所示，把△ABC的一边BC延长，得到∠ACD.像这样，三角形的一边与另一边的延长线组成的角，叫做三角形的外角.

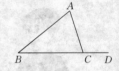

图7－2－5

　　提醒　①三角形的外角的顶点是三角形的某一个顶点，一条边是三角形的一条边，另一条边是相邻那条边的延长线.②外角的个数：一个三角形共有六个外角.研究问题时常在一个顶点处只取一个外角.

三、三角形的外角的性质

　　(1)三角形的一个外角等于与它不相邻的两个内角和.

　　(2)三角形的一个外角大于与它不相邻的任何一个内角.

　　如图7－2－5所示，∠ACD＝∠A＋∠B，∠ACD＞∠B，∠ACD＞∠A.

　　例3　如图7－2－6所示，已知在△ABC中，D是BC边上一点，∠1＝∠2，∠3＝∠4，∠BAC＝63°，求∠DAC的度数.

　　解答　因为∠4是△ABD的外角(已知)，

所以∠4＝∠1＋∠2(三角形的一个外角等于与它不相邻的两个内角和).

图7－2－6

又因为∠1＝∠2，∠3＝∠4(已知)，

所以∠4＝2∠2＝∠3.

在△ABC中，因为∠BAC＝63°，

所以∠2＋∠3＋63°＝180°(三角形内角和等于180°)，

所以∠3＝78°.

在△DAC中，因为∠4＝∠3＝78°，

所以∠DAC＝180°－78°－78°＝24°.

答：$\angle DAC$ 为 $24°$.

点评 在有关三角形角度的计算中，"外角等于与它不相邻的两个内角和"经常起到桥梁的作用.

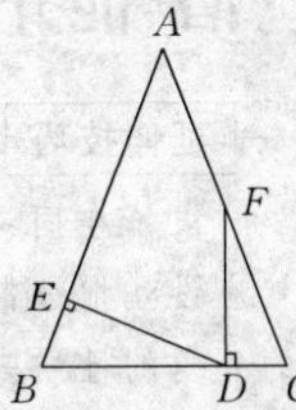

例 4 如图 7 - 2 - 7 所示，在 $\triangle ABC$ 中，$\angle B=\angle C$，$FD\perp BC$，$DE\perp AB$，$\angle AFD=158°$，则 $\angle EDF$ 的度数等于_____.

解析 由 $\angle B=\angle C$，

可得 $\angle EDC=\angle AFD=90°+\angle B$，

而 $\angle AFD=158°$，

故 $\angle EDF=\angle EDC-\angle FDC=$
$\qquad 158°-90°=68°.$

图 7 - 2 - 7

解答 $68°$

点评 怎样建立已知与所求角之间的关系是解题的主要思维障碍.仔细观察图形，以外角做桥梁：$\angle EDC$ 是 $\triangle BED$ 的一个外角，$\angle AFD$ 是 $\triangle DFC$ 的一个外角.由已知和外角的性质可以得到 $\angle EDC=\angle AFD$，从而 $\angle EDF$ 可求.

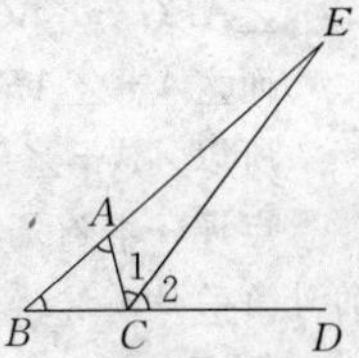

例 5 如图 7 - 2 - 8 所示，已知 CE 为 $\triangle ABC$ 外角 $\angle ACD$ 的平分线，CE 交 BA 的延长线于点 E，试判断 $\angle BAC$ 与 $\angle B$ 的大小关系.

解析 这里所指的大小关系，实质是比较 $\angle BAC$ 与 $\angle B$ 的大小，观察分析可想象 $\angle BAC>\angle B$.一般情形下，说明角的大小关系要用到"三角形的一个外角大于与它不相邻的任何一个内角"，从而想到看一看大角 $\angle BAC$ 是不是某个三角形的外角.由题意和图形知 $\angle BAC$ 是 $\triangle ACE$ 的外角，有 $\angle BAC>\angle 1$，而 $\angle 1=\angle 2$，故需证 $\angle 2>\angle B$，而 $\angle 2$ 是 $\triangle BCE$ 的一个外角，$\angle B$ 是 $\triangle BCE$ 的一个和 $\angle 2$ 不相邻的内角，所以有 $\angle 2>\angle B$，故 $\angle BAC>\angle B$.

图 7 - 2 - 8

解答 $\angle BAC>\angle B$.理由如下：

因为 CE 平分 $\angle ACD$(已知)，

所以 $\angle 1=\angle 2$(角平分线的定义).

又因为 $\angle BAC>\angle 1$(三角形的一个外角大于与它不相邻的任何一个内角)，

所以 $\angle BAC>\angle 2$.

因为 $\angle 2>\angle B$(三角形的一个外角大于与它不相邻的任何一个内角)，

所以 $\angle BAC>\angle B$.

点评 说明角的不等关系，经常用"三角形的一个外角大于与它不相邻的任何一个内角"来说明.说理时首先看要说明的大角是哪个三角形的外角，然后再找小角是哪个三角形的内角，通过中间搭桥即可.

潜 能开发广角

延伸技巧

求不在同一个三角形内的几个角的度数和时,如果几个角在不同的三角形内,就应设法把分散的角集中到某一个三角形内,再用三角形的内角和为180°及三角形的外角的性质来计算.

例6 如图7-2-9所示,求$\angle A+\angle B+\angle C+\angle D+\angle E$的度数.

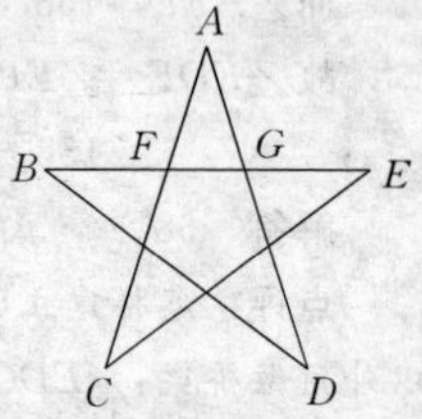

解析 运用三角形内角和为180°及三角形的外角的性质,设法把分散的角集中到同一个三角形中去.

解答 因为$\angle AFG=\angle C+\angle E$,$\angle AGF=\angle B+\angle D$,

所以$\angle A+\angle B+\angle C+\angle D+\angle E=$

$(\angle C+\angle E)+(\angle B+\angle D)+\angle A=$

$\angle AFG+\angle AGF+\angle A$,

而$\angle A+\angle AFG+\angle AGF=180°$,

所以$\angle A+\angle B+\angle C+\angle D+\angle E=180°$.

图7-2-9

点评 本例是把分散的$\angle B$,$\angle C$,$\angle D$,$\angle E$都集中到$\triangle AGF$中,其依据是三角形的外角的性质.

例7 如图7-2-10(1)所示,有一个五角星形$ABCDE$图案,你能说明$\angle A+\angle B+\angle C+\angle D+\angle E=180°$吗?如果$A$点向下移动到$BE$上(如图7-1-10(2)所示)或$BE$的另一侧(如图7-1-10(3)所示),上述结论是否依然成立?请说明理由.

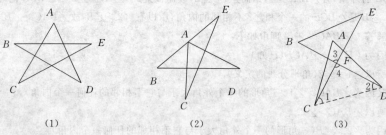

(1)　　　　　　(2)　　　　　　(3)

图7-2-10

解析 像例6那样,把$\angle A$,$\angle B$,$\angle C$,$\angle D$,$\angle E$转化到同一个三角形之中.

解答 结论仍然成立.

以图7-2-10(3)为例,说明如下:

连接CD,在$\triangle BEF$中,$\angle B+\angle BEC+\angle 3=180°$,

在 △CDF 中,∠1+∠2+∠4=180°,

所以 ∠B+∠BEC+∠3=∠1+∠2+∠4,

所以 ∠B+∠BEC=∠1+∠2.

在 △ACD 中,∠A+∠ACD+∠ADC=180°,

即 ∠A+∠ACF+∠1+∠ADF+∠2=180°,

所以 ∠A+∠ACF+∠ADF+∠B+∠BEC=180°.

点评 (1)在解决新的问题时,往往将其转化为旧的问题或较为熟悉的
问题再加以解决.(2)本例中出现的"对顶三角形",有如下结论:∠1+∠2=
∠3+∠4.

> **探究学习**

　　结合图形,充分应用已知条件,依据三角形内角和定理及推论,探索角与角之间
的大小关系.

例 8 如图 7 - 2 - 11 所示,BE 与 CD 相交于点 A,CF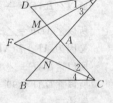
为 ∠BCD 的平分线,EF 为 ∠BED 的平分线.

(1)试探求 ∠F 与 ∠B,∠D 间有何种等量关系.

(2)EF 与 FC 能垂直吗?说明理由.

(3)若 ∠B:∠D:∠F=2:x:3,求 x 的值.

图 7 - 2 - 11

解析 因为 EF,CF 分别为 ∠BED,∠BCD 的平分线,所

以 $\angle 1 = \angle 3 = \frac{1}{2} \angle BED$,$\angle 4 = \angle 2 = \frac{1}{2} \angle BCD$. 再利用

∠EMC 为 △DEM 和 △FMC 的一个外角,以及 ∠ENC 为 △EFN 和 △BNC 的一个外
角就可求解.

解答 (1)因为 EF 平分 ∠BED,CF 平分 ∠BCD,

所以 $\angle 1 = \frac{1}{2} \angle BED$,$\angle 2 = \frac{1}{2} \angle BCD$.

而 $\angle EMC = \angle D + \frac{1}{2} \angle BED$,$\angle EMC = \angle F + \frac{1}{2}$

$\angle BCD$,

所以 $\angle D + \frac{1}{2} \angle BED = \angle F + \frac{1}{2} \angle BCD$,①

同理可得 $\angle B + \frac{1}{2} \angle BCD = \angle F + \frac{1}{2} \angle BED$. ②

①+②,得 ∠D+∠B=2∠F.

(2)能.若 EF 与 FC 垂直,即 ∠F=90°,

则 ∠B+∠D=180°.

> **探究点拨**
> 　　要探索 ∠D,∠F,
> ∠B 三个角之间的关系,
> 因这三个角较分散,所以
> 必须找一个"中间量"代
> 换.这个中间量是两个三
> 角形公共的一个外角或
> 两个三角形中有两个内
> 角为对顶角.

也就是说,如果∠D与∠B互补,则EF⊥FC.

(3)因为∠B:∠D:∠F＝2:x:3,

所以设∠B＝2m,∠D＝xm,∠F＝3m.

由(1)得 xm+2m＝2×3m.所以 x＝4.

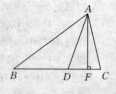

图7-2-12

例9 如图7-2-12所示,AF,AD分别是△ABC的高和角平分线,且∠B＝36°,∠C＝76°.求∠DAF的度数.

解析 由图形观察知∠DAF是△DAF的内角,也是∠DAC与∠FAC的差,再结合三角形内角和定理及推论,把∠DAF转化到已知的△ABC中来求解即可.

解答 解法一:

因为∠B＝36°,∠C＝76°,

所以∠BAC＝180°－∠B－∠C＝180°－36°－76°＝68°.

因为AD平分∠BAC,

所以∠BAD＝$\frac{1}{2}$∠BAC＝34°.

所以∠ADF＝∠B+∠BAD＝70°.

又因为AF⊥BC,所以∠AFD＝90°.

所以∠DAF+∠ADF＝90°,

所以∠DAF＝90°－70°＝20°.

解法二:

因为∠B＝36°,∠C＝76°,

所以∠BCA＝180°－∠B－∠C＝180°－36°－76°＝68°.

因为AD平分∠BAC,

所以∠BAD＝∠CAD＝$\frac{1}{2}$∠BAC＝34°.

又因为AF⊥BC,所以∠AFC＝90°.

所以∠C+∠FAC＝90°.

又因为∠C＝76°,所以∠FAC＝90°－76°＝14°,

所以∠DAF＝∠DAC－∠FAC＝34°－14°＝20°.

> **方法规律**
>
> 从本例可以看出,几何元素有时有多重身份,解题时要善于从不同角度去观察,发现题目中隐藏着的关系.如∠ADF既是△ABD的外角,又是△ADC的内角;∠DAF既是△ADF的内角,又是∠DAC与∠FAC之差,也是∠BAF与∠BAD之差.这些关系均为解题提供了必要的条件.
>
> 想一想,你能用本例学到的思维方法证明∠FAD＝$\frac{1}{2}$(∠C－∠B)吗?(∠C>∠B)

创新应用

三角形内角和为180°及外角的性质的应用是中考的热点,这类问题通过建立求角度的模型来解决实际问题,其中最为突出的应用是——求航海中的方向角.

例 10 如图 7-2-13 所示,C 岛在 A 岛的北偏东 $50°$ 方向,B 岛在 A 岛的北偏东 $80°$ 方向,C 岛在 B 岛的北偏西 $40°$ 方向.从 C 岛看 A,B 两岛的视角 $\angle ACB$ 是多少度?

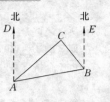

图 7-2-13

解析 A,B,C 三岛的连线构成 $\triangle ABC$,所求的 $\angle ACB$ 是 $\triangle ABC$ 的一个内角.如能求出 $\angle CAB$ 和 $\angle ABC$,就能求出 $\angle ACB$.

解答 $\angle CAB = \angle BAD - \angle CAD = 80° - 50° = 30°$.

由于 $AD \parallel BE$,

可得 $\angle BAD + \angle ABE = 180°$,

所以 $\angle ABE = 180° - \angle BAD = 180° - 80° = 100°$,

$\angle ABC = \angle ABE - \angle EBC = 100° - 40° = 60°$.

在 $\triangle ABC$ 中,

$\angle ACB = 180° - \angle ABC - \angle CAB =$
$\qquad 180° - 60° - 30° = 90°$.

答:从 C 岛看 A,B 两岛的视角 $\angle ACB$ 是 $90°$.

方法规律
　　本例还可以通过联想,利用两条平行直线之间的折线问题来解决.如:过 C 点作 $CF \parallel AD$,则有 $CF \parallel AD \parallel BE$,利用角的剖分方法可得 $\angle ACB = \angle DAC + \angle CBE$.

点评 方向角应注意起始方向和终止方向,涉及角的应用问题还有"仰角"和"俯角",理解这两个角的基础是水平视线.另外,通过本例还应体会到视角的含义.

例 11 如图 7-2-14 所示,从 A 处观测 C 处时仰角 $\angle CAD = 30°$,从 B 处观测 C 处时仰角 $\angle CBD = 45°$,从 C 处观测 A,B 两处时视角 $\angle ACB$ 是多少?

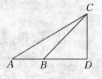

图 7-2-14

解析 本例中对仰角、视角都进行了具体的交待,因而使问题得以简化,构造的数学模型已经形成,可以直接应用外角的性质求解.

解答 因为 $\angle CBD = \angle A + \angle ACB$,

所以 $\angle ACB = \angle CBD - \angle A = 45° - 30° = 15°$.

例 12 一个零件的形状如图 7-2-15 所示,按规定 $\angle A$ 应等于 $90°$,$\angle B$,$\angle D$ 应分别是 $20°$ 和 $30°$.李叔叔量得 $\angle BCD = 142°$,就断定这个零件不合格,你能说出其中的道理吗?

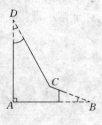

图 7-2-15

解析 可以先计算出合格时 $\angle BCD$ 的度数.由于 $\angle DCB$ 与 $\angle D$,$\angle A$,$\angle B$ 不在同一个三角形内,因而无法找到它们之间的数量关系,因此,需要作必要的辅助线.

解答 解法一(图 7-2-16):

作射线 AC.

因为 $\angle 1 = \angle 3 + \angle D$,$\angle 2 = \angle 4 + \angle B$,

所以 $\angle 1 + \angle 2 = \angle 3 + \angle D + \angle 4 + \angle B =$

$\angle 3 + \angle 4 + \angle B + \angle D = \angle DAB + \angle D + \angle B.$

所以 $\angle 1 + \angle 2 = 90° + 20° + 30° = 140°$,

即 $\angle DCB = 140°$.

由于合格零件中 $\angle DCB$ 为 $140°$,故可以判定这个零件不合格.

解法二(图 7 - 2 - 17):

延长 DC 交 AB 于 E.

因为 $\angle 1 = \angle D + \angle A$,

而 $\angle D = 30°$,$\angle A = 90°$,

所以 $\angle 1 = 30° + 90° = 120°$.

又因为 $\angle DCB = \angle 1 + \angle B$,

而 $\angle B = 20°$.

所以 $\angle DCB = 120° + 20° = 140°$.

由于合格零件的 $\angle DCB = 140°$,

故可以判定这个零件不合格.

点评 试想一想,若量得 $\angle DCB = 140°$,能否断定这个零件一定是合格的呢?显然,这是不一定的.因为若 $\angle D = 40°$,$\angle B = 10°$,有 $\angle DCB = 140°$. 很显然,此时的零件不合格.

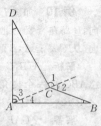

图 7 - 2 - 16

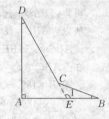

图 7 - 2 - 17

随 堂能力测试

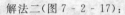

一、填空题

1. 在 $\triangle ABC$ 中,$\angle A = 60°$,$\angle B = 30°$,则 $\angle C =$ _____.

2. $\triangle ABC$ 中,$\angle C = 80°$,$\angle A - \angle B = 20°$,则 $\angle B =$ _____.

3. 三角形的三个内角之比为 $1 : 3 : 5$,那么这个三角形的最大内角的度数为 _____.

4. 在 $\triangle ABC$ 中,$\angle A = \angle B = 4\angle C$,则 $\angle C =$ _____.

5. 如图 7 - 2 - 18 所示,$\angle 1 + \angle 2 + \angle 3 + \angle 4 =$ _____.

图 7 - 2 - 18

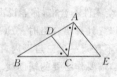

图 7 - 2 - 19

6. 如图 7 - 2 - 19 所示,CD 平分 $\angle ACB$,$AE \parallel DC$ 交 BC 的延长线于 E,若 $\angle ACE = 80°$,则 $\angle CAE =$ _____.

7. 根据图 7 - 2 - 20 所示的图形直接写出 $\angle \alpha$ 的度数.

(1) ∠α=_____;   (2) ∠α=_____;   (3) ∠α=_____;
(4) ∠α=_____;   (5) ∠α=_____;   (6) ∠α=_____.

(1)

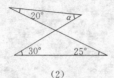
(2)

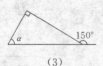
(3)

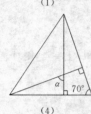
(4)

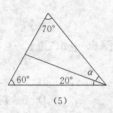
(5)

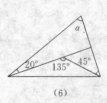
(6)

图 7 - 2 - 20

二、选择题

8. 如图 7 - 2 - 21 所示,已知 ∠A=32°,∠B=45°,∠C=38°,则 ∠DFE 等于 (   )

　　A. 120°　　　　　　B. 115°　　　　　　C. 110°　　　　　　D. 105°

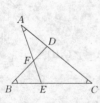

图 7 - 2 - 21

图 7 - 2 - 22

9. 直角三角形两锐角的角平分线所交成的角的度数为 (   )

　　A. 45°　　　　　　B. 135°　　　　　　C. 45°或 135°　　　　D. 以上答案都不对

10. 如图 7 - 2 - 22 所示,已知 D 是 AB 上一点,E 是 AC 上一点,BE,CD 相交于 F,
∠A=50°,∠ACD=40°,∠ABE=28°,则 ∠CFE 的度数是 (   )

　　A. 62°　　　　　　B. 68°　　　　　　C. 78°　　　　　　D. 90°

11. 以下命题中正确的是 (   )

　　A. 三角形的三个内角与三个外角的和为 540°

　　B. 三角形的外角大于它的内角

　　C. 三角形的外角都比锐角大

　　D. 三角形中的内角没有小于 60°的

12. 如图 7 - 2 - 23 所示,AB∥CD,∠A=38°,∠C=80°,则 ∠M 的度数是 (   )

A. 52°　　　　　　B. 42°　　　　　　C. 10°　　　　　　D. 40°

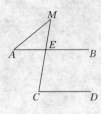

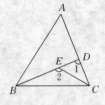

图 7 - 2 - 23　　　　　　　　　　图 7 - 2 - 24

13. 如图 7 - 2 - 24 所示，D 是 △ABC 中 AC 边上一点，E 是 BD 上一点，则对 $\angle A$，$\angle 1$，$\angle 2$ 之间关系描述正确的是　　　　　　　　　　　　（　　）

A. $\angle A < \angle 1 > \angle 2$　　　　　　　　B. $\angle 2 > \angle 1 > \angle A$

C. $\angle 1 > \angle 2 > \angle A$　　　　　　　　D. 无法判断

三、解答题

14. 如图 7 - 2 - 25 所示，△ABC 中，$\angle ABC$ 和 $\angle ACB$ 的平分线交于点 O，若 $\angle A = 60°$，求 $\angle BOC$ 的度数.

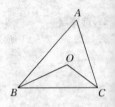

图 7 - 2 - 25

15. 如图 7 - 2 - 26 所示，$\angle ABC = \angle C = 90°$，$\angle A = \angle CBD = 25°$. 试求 $\angle 1$ 与 $\angle 2$ 的度数.

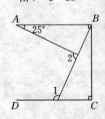

16. 如图 7 - 2 - 27 所示，已知 △ABC 中，E 是 AC 延长线上一点，D 是 BC 上一点. 下面的命题正确吗？若正确，请说明理由.

(1) $\angle 1 = \angle E + \angle A + \angle B$.

图 7 - 2 - 26

(2) $\angle 1 > \angle A$.

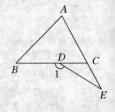

图 7 - 2 - 27

17. 如图 7-2-28 所示，把 △ABC 纸片沿 DE 折叠，当点 A 落在四边形 BCDE 内部时，则 ∠A 与 ∠1+∠2 之间有一种数量关系始终保持不变. 请试着找一找这个规律，并说明你发现的规律是正确的.

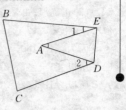

图 7-2-28

18. 如图 7-2-29 所示，△ABC 中，∠ABC 的角平分线与 ∠ACB 的外角平分线交于 A_1；△A_1BC 中，∠A_1BC 的角平分线与 ∠A_1CB 的外角平分线交于 A_2；依此类推，△A_{n-1}BC 中，∠A_{n-1}BC 的角平分线与 ∠A_{n-1}CB 的外角平分线交于 A_n.

有人说，∠A 无论是多少，∠A_1 总是 ∠A 的一半，你认为这种说法对吗？说明理由.

当∠A=96°时，能求出 ∠A_5 吗？能求算出结果，不能求，说明理由.

图 7-2-29

标 答与点拨

1. 90° 2. 40° 3. 100° 4. 20° 5. 300° 6. 50°

7. (1)100° (2)35° (3)60° (4)70° (5)30° (6)70°

8. B 9. C 10. A 11. A 12. B 13. B

14. ∠BOC=120°.

15. ∠1=115°，∠2=90°.

16. (1)正确. 理由是：∠1=∠E+∠DCE，而 ∠DCE=∠A+∠B，所以 ∠1=∠E+∠A+∠B.

(2)正确.理由是:∠1>∠DCE,∠DCE>∠A,所以∠1>∠A.

17. ∠1+∠2=2∠A.理由是:

因为∠1=180°−2∠AED,∠2=180°−2∠ADE,

所以∠1+∠2=360°−2(∠AED+∠ADE),

所以∠1+∠2=360°−2(180°−∠A),即∠1+∠2=2∠A.

18. (1)$\angle A_1=\dfrac{1}{2}\angle A$. (2)$\angle A_n=\left(\dfrac{1}{2}\right)^n\angle A$,当$\angle A=96°$时,$\angle A_5=3°$.

7.3 多边形及其内角和

教 材内容全解

一、多边形的概念

1.多边形的定义

在平面内,由一些线段首尾顺次相接组成的图形叫做多边形.

提醒 ①多边形按组成它的线段的条数分成三角形、四边形、五边形、……三角形是最简单的多边形.如果一个多边形由n条线段组成,那么这个多边形就叫做n边形. ②多边形用表示它的各顶点的字母来表示,表示多边形必须按顺序书写,可按顺时针或逆时针的顺序,如:五边形$ABCDE$.

2.多边形的相关角

(1)内角:多边形相邻两边组成的角叫做它的内角.如图7-3-1所示,∠A,∠B,∠C,∠D,∠E 是五边形$ABCDE$的五个内角.

(2)外角:多边形的边与它的邻边的延长线组成的角叫做多边形的外角.如图7-3-2所示,∠1是五边形$ABCDE$的一个外角.

图7-3-1

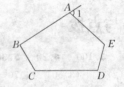

图7-3-2

3.多边形的对角线

连接多边形不相邻的两个顶点的线段,叫做多边形的对角线.如图7-3-3所示,AC和BD是四边形$ABCD$的两条对角线.

提醒 ①事实上,过 n 边形的一个顶点可以作 $(n-3)$ 条对角线,n 边形中共有 $\frac{n(n-3)}{2}$ 条对角线.②连接多边形的对角线也是一种常用的作辅助线的方法,它是将多边形的问题转化为三角形的问题的桥梁,因此,常过 n 边形的一个顶点作对角线,把 n 边形分成 $(n-2)$ 个三角形.

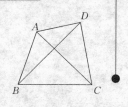

图 7-3-3

例 1 四边形的一条对角线将四边形分成几个三角形?从五边形的一个顶点出发,可以画出几条对角线?它们将五边形分成几个三角形?从 n 边形的一个顶点出发,可以画出几条对角线?它们将 n 边形分成几个三角形?

解析 应用不完全归纳法,从特例引路,进行归纳和小结,如图 7-3-4 所示.

图 7-3-4

多边形的边数	四边形	五边形	六边形	⋯	n 边形
从一个顶点作对角线的条数	1	2	3	⋯	$n-3$
从一个顶点作对角线得三角形的个数	2	3	4	⋯	$n-2$

解答 四边形的一条对角线分四边形为两个三角形.从五边形的一个顶点出发,可以画 2 条对角线,它们将五边形分成 3 个三角形.从 n 边形的一个顶点出发可以画 $(n-3)$ 条对角线,它们把 n 边形分成 $(n-2)$ 个三角形.

点评 本例是通过研究全体对象中的一部分而得出一般的结论的,这种研究问题的方法称为不完全归纳法.这里要明确地指出,不完全归纳法因为没有对事物的全部加以分析,只是对其中若干特殊情形归纳,因而归纳出的结论有可能是不正确的.因此,做完这类题目,将结论进行多角度的反思显得特别重要.

二、凸多边形和正多边形的概念

1.凸多边形

画出多边形的任何一条边所在的直线,如果整个多边形都在这条直线的同一侧,那么这个多边形就是凸多边形.

以四边形为例说明如下:如图 7-3-5 所示的四边形 $ABCD$ 是凸四边形,而如图 7-3-6 所示的四边形 $ABCD$ 就不是凸四边形,因为画出边 CD(或边 BC)所在的直线,整个四边形不都在这条直线的同一侧.

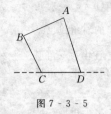

图 7 - 3 - 5

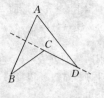

图 7 - 3 - 6

2.正多边形

各个角都相等,各条边都相等的多边形叫做正多边形.如图 7 - 3 - 7 所示,是正多边形的一些例子.

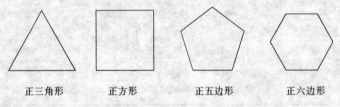

正三角形   正方形   正五边形   正六边形

图 7 - 3 - 7

提醒 (1)边数 $n>3$ 的多边形,必须同时满足"各边相等","各角相等"两个条件,才能判定它是正多边形,缺一不可.

(2)只有边数 $n=3$ 的多边形,即三角形特殊,它满足其中任何一个条件都可以判定是正三角形.因为在三角形中,"各边相等"和"各角相等"这两个条件可以互相推出.三角形的这个特殊性质,是由三角形的稳定性决定的.

(3)除三角形外,一般地,在多边形中,"各边相等","各角相等"两个条件是各自独立的,并不能互相推出,这是由多边形(除三角形外)的不稳定性决定的.

三、多边形的内角和

1.多边形的内角和公式

n 边形内角和等于 $(n-2)\cdot180°$.

2.多边形内角和公式的推导方法

把一个多边形分成几个三角形,将多边形的问题转化为三角形的问题来解决是多边形内角和公式推导的基本思想.其方法有:

方法一:过 n 边形一个顶点连对角线,可以得 $(n-3)$ 条对角线,并且将 n 边形分成 $(n-2)$ 个三角形,这 $(n-2)$ 个三角形的内角和恰好是多边形的内角和,等于 $(n-2)\cdot180°$.

方法二:在 n 边形内任取一点,并把这点与各顶点连接起来,共构成 n 个三角形,这 n 个三角形的内角和为 $n\cdot180°$,再减去一个周角,即得到多边形的内角和为 $(n-2)\cdot$

$180°$.

方法三:在 n 边形一边上取一点与各顶点相连,得 $(n-1)$ 个三角形,n 边形内角和等于这 $(n-1)$ 个三角形内角和减去所取点处的一个平角,即 $(n-1) \cdot 180° - 180° = (n-2) \cdot 180°$.

提醒 ①多边形的内角和公式推导方法体现了将多边形问题转化为三角形问题来解决的基本思想,这种转化的思想方法是解决多边形问题的核心.②多边形的内角和公式揭示了内角和与边数之间的关系,即知边数可求内角和,反过来,知内角和可求边数.

例 2 一个正 n 边形的每一个内角都为 $120°$,求这个正 n 边形的边数.

解析 求 n 就要设法建立关于 n 的方程,内角和公式为建立关于 n 的方程构筑了一个相等关系的平台.

解答 因为正 n 边形的每一个内角都相等,故内角和为 $120° \cdot n$.

依题意,有 $(n-2) \cdot 180° = 120° \cdot n$,

去括号,整理,得 $n = 6$.

答:这个正 n 边形为正六边形.

点评 ①当 n 边形为正多边形时,内角和等于边数与一个内角度数的积.②利用多边形的内角和公式反求边数,相当于解一元一次方程.

例 3 两个多边形,边数之比为 $3:4$,内角和之比为 $1:2$,求这两个多边形的边数.

解答 设这两个多边形的边数为 $3n, 4n$.

由多边形内角和公式,可得

$$\frac{(3n-2) \cdot 180°}{(4n-2) \cdot 180°} = \frac{1}{2}.$$

由比例性质,得 $2(3n-2) = 4n-2$.

解得 $n = 1$.

答:这两个多边形是三角形和四边形.

> **方法规律**
> ①求多边形的边数一般可从内角和去考虑;求内角和,则从边数入手.②数学上的比例数(如本题的 $3:4$),我们一般设它的每份为 x.

四、多边形的外角和

1. 多边形的外角和

在一个多边形的每个顶点处各取一个外角,这些外角的和叫做多边形的外角和.

如图 7 - 3 - 8 所示,以六边形 $ABCDEF$ 为例,$\angle 1 + \angle 2 + \angle 3 + \angle 4 + \angle 5 + \angle 6$ 的结果,即为六边形 $ABCDEF$ 的外角和.

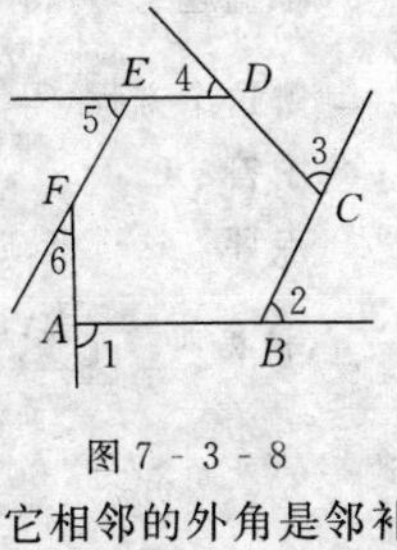

2. 多边形的外角和的度数

多边形的外角和为 $360°$.

提醒 (1) n 边形的外角和恒等于 $360°$,它与边数的多少无关.

(2)多边形的外角和的推导方法:由于多边形的每个内角同与它相邻的外角是邻补

图 7 - 3 - 8

角,所以 n 边形内角和加外角和等于 $180° \cdot n$,外角和等于 $n \cdot 180° - (n-2) \cdot 180° = 360°$.

(3)多边形的外角和为什么等于 $360°$,还可以这样理解:如图 $7-3-9$ 所示,从多边形的一个顶点 A 出发,沿多边形的各边走各顶点,再回到点 A,然后转向出发点时的方向.在行程中所转的各个角的和,就是多边形的外角和.由于走了一周,所转的各个角的和等于一个周角,所以多边形的外角和等于 $360°$.

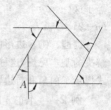

图 $7-3-9$

(4)多边形的外角和为 $360°$ 的作用是:①已知各相等外角度数求多边形边数;②已知多边形边数求各相等外角的度数.

例 4 已知一个多边形的内角和是外角和的 2 倍,求此多边形的边数.

解析 先设此多边形的边数为 n,根据多边形的内角和公式,以及外角和构建关于边数的方程,即可求出边数.

解答 设这个多边形的边数为 n.
依题意 $(n-2) \cdot 180° = 360° \cdot 2$,
解方程,得 $n = 6$.
答:此多边形的边数为 6.

> **解题方法**
> 解答此题时,应注意运用多边形的内角和公式及外角和为 $360°$.

同类变式 每一个内角都相等的多边形,它的一个外角等于一个内角的 $\dfrac{2}{3}$,则这个多边形是 （　　）

A. 三角形　　　B. 四边形　　　C. 五边形　　　D. 六边形

解析 由于每一个内角都相等,则每一个外角也相等,然后根据外角与内角之间的关系,可以设法建立关于边数的方程求解.

设这个多边形的边数为 n,则每一个内角也可以表示为 $\dfrac{(n-2) \cdot 180°}{n}$,每一个外角可以表示为 $\dfrac{360°}{n}$.

> **特别提示**
> 这里提示了外角等于内角的 $\dfrac{2}{3}$,据此能列出什么样的算式呢?这种计算要充分考虑题中的隐含关系.

根据题意,可得 $\dfrac{(n-2) \cdot 180°}{n} \cdot \dfrac{2}{3} = \dfrac{360°}{n}$.

解这个方程,得 $n = 5$.

解答 C

点评 这道题还可以这样来解答:设多边形的外角的度数为 x,则内角的度数为 $\dfrac{3}{2}x$,根据同一个顶点的内角、外角互补,可列方程 $x + \dfrac{3}{2}x = 180°$,解得 $x = 72°$;因为边形的外角和为 $360°$,所以多边形的边数为 $\dfrac{360°}{72°} = 5$.这种间接设"元"的方法比直接设"元"好.

开放课题

问： 如果一个多边形的边数增加 1，那么这个多边形的内角和增加多少度？若将 n 边形的边数增加 1 倍，则它的内角和增加多少度？

师： 设原多边形的边数为 n，则新多边形的边数为 $(n+1)$。根据多边形的内角和公式，n 边形的内角和为 $(n-2)\cdot180°$，$(n+1)$ 边形的内角和为 $(n+1-2)\cdot180°$，那么 $(n+1)$ 边形的内角增加了 $(n+1-2)\cdot180°-(n-2)\cdot180°=180°$。原 n 边形的内角和为 $(n-2)\cdot180°$，新 $2n$ 边形的内角和为 $(2n-2)\cdot180°$，那么 $2n$ 边形增加了 $(2n-2)\cdot180°-(n-2)\cdot180°=n\cdot180°$。所以当边数增加 1 时，这个多边形的内角和增加 $180°$；边数 n 增加 1 倍，则它的内角和增加 $n\cdot180°$。

问： 如图 7 - 3 - 10 所示，已知五边形 $ABCDE$ 中，$AE\parallel CD$，$\angle A=100°$，$\angle B=130°$，求 $\angle C$ 的度数．

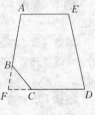

图 7 - 3 - 10

甲： 由多边形内角和定理可知，五边形 $ABCDE$ 的内角和为 $(5-2)\times180=540°$．

又因为 $AE\parallel CD$，所以 $\angle E+\angle D=180°$，

所以 $\angle C=540°-(\angle A+\angle B+\angle E+\angle D)=540°-$
$(100°+130°+180°)=130°$．

乙： 延长 AB 和 DC 交于点 F，

因为 $AE\parallel DF$，所以 $\angle A+\angle F=180°$．所以 $\angle F=180°-\angle A=180°-100°=80°$．

又因为 $\angle BCD=\angle F+\angle FBC$，

所以 $\angle BCD=80°+(180°-\angle ABC)=80°+(180°-130°)=130°$．

师： 甲、乙两名同学用不同的方法都求得 $\angle BCD=130°$，答案都是正确的．把多边形化成三角形或四边形来研究是数学中常用的方法，它可以把复杂问题化为简单问题，化未知为已知．

前沿考向

要求会利用多边形的内角和公式、外角和为 $360°$ 进行有关的计算．由于本节内容属于基础内容、必考内容，因此本节题型多以填空题、选择题形式出现．

例5 看图 7 - 3 - 11 答题：

图 7 - 3 - 11

问题:(1)小华是在求几边形的内角和?

(2)少加的那个内角为多少度?

解析 由多边形的内角和公式$(n-2)\cdot 180°$知,多边形的内角和是180的倍数,而$1\ 125°\div 180$的余数为$45°$,这说明小华少加了一个$135°$的角.

解答 (1)因为$1\ 125°\div 180°=6\frac{1}{4}$,故他求的是七边形的内角和.

(2)因为$1\ 125°\div 180°$的余数为$45°$,故小华少加的那个内角为$135°$.

点评 多边形的内角和是$180°$,如果本例将少加一个内角变为多加一个内角,那么小华是在求六边形的内角和,多加的一个内角为$45°$.同学们,你明白其中的道理吗?

例6 如图7-3-12所示,则$\angle A+\angle B+\angle C+\angle D+$ $\angle E+\angle F=$_____.

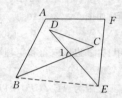

解析 设法将$\angle A,\angle B,\angle C,\angle D,\angle E,\angle F$利用三角形的外角性质移到三角形或四边形中,然后利用多边形的内角和公式求解.

连接BE,构造出四边形.

图7-3-12

因为$\angle 1=\angle C+\angle D$,$\angle 1=\angle CBE+\angle DEB$,

所以$\angle C+\angle D=\angle CBE+\angle DEB$.

所以$\angle A+\angle ABC+\angle CBE+\angle DEB+\angle DEF+\angle F=$ $\angle A+\angle ABE+\angle BEF+\angle F$.

因为四边形$ABEF$的内角和为$360°$,

所以$\angle A+\angle ABC+\angle CBE+\angle DEB+\angle DEF+\angle F=360°$.

即$\angle A+\angle B+\angle C+\angle D+\angle E+\angle F=360°$.

解答 $360°$

点评 多边形的问题常通过连接两点或对角线转化成三角形或四边形的问题来解决.

问题研讨

将多边形的问题通过添加辅助线转化成三角形的问题或四边形的问题来解决,是转化思想在本章中的重要应用之一,同时也为培养同学们的创新能力提供了一个极好的平台.你还能用其他类似的方法解决例6中的问题吗?

小明:如图7-3-13所示,若延长BC交EF于N,也能得出$\angle A+\angle B+\angle C+\angle D+\angle E+\angle F=360°$这个结论.

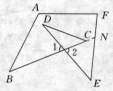

因为在四边形$ABNF$中,

$\angle A+\angle B+\angle BNF+\angle F=360°$,

而$\angle BNF=\angle E+\angle 2$,

图7-3-13

又∠2＝∠D＋∠DCB，

所以∠A＋∠B＋∠C＋∠D＋∠E＋∠F＝360°.

事实上，延长ED也能达到同样的效果.

小彬：如图7-3-14所示，若向两方延长CD分别交AB，EF于G，H，这样引线也能得出∠A＋∠B＋∠C＋∠D＋∠E＋∠F＝360°.

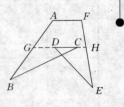

在四边形AGHF中，

∠A＋∠AGH＋∠GHF＋∠F＝360°，

而∠AGH＝∠B＋∠GCB，

∠GHF＝∠E＋∠HDE，

故∠A＋∠B＋∠C＋∠D＋∠E＋∠F＝360°.

图7-3-14

点评　在解题过程中，我们往往不是对问题进行正面的、直接的攻破，而是把问题进行变形、转化，直到把它化为某个熟悉的或已经解决了的问题，这种解题的思想方法就是转化的思想方法.转化思想在应用时，要求我们居高临下地抓住问题的本质，在遇到较复杂的问题时，能够积极地分析和解决问题，通过一定的策略和手段达到解题的目的.本例中小明、小彬就是抓住了这一思想，通过构造四边形来达到解题的目的的.

数海花絮
不完全归纳法及应用

(1)**归纳法：**由特殊到一般的推理方法，称为归纳法.即根据对许多具体的部分对象(试验或观测)性质的研究得出一般性结论.

(2)**不完全归纳法：**如果一般结论只是研究了全体对象中的一部分而得出的，则称这种归纳方法为不完全归纳法.

例如，观察下列等式：

$-2+3=3+(-2)$；

$\frac{1}{2}-\frac{1}{3}=-\frac{1}{3}+\frac{1}{2}$；

$0.75+(-6)=-6+0.75$；

$\sqrt{2}+\sqrt{3}=\sqrt{3}+\sqrt{2}$；

……

发现交换两个加数的位置其和不变的特性，但这样的等式有无穷多个，不可能都写出来，只对上述一些等式的观测，就可概括出"对于任意两个加数a与b，恒有$a+b=b+a$"成立，进而用不完全归纳法发现了加法交换律.

(3)用不完全归纳法探索"多边形内角和公式"的正确性.观察下表中边数变化与内角和的关系：

凸多边形的边数 n	图 例	从一个顶点作对角线得三角形个数	内角和 S_n	用边数 n 表示出内角和 S_n
3		1	$S_3 = 1 \times 180°$	$S_3 = (3-2) \times 180°$
4		2	$S_4 = 2 \times 180°$	$S_4 = (4-2) \times 180°$
5		3	$S_5 = 3 \times 180°$	$S_5 = (5-2) \times 180°$
⋮	⋮	⋮	⋮	⋮
由此推知,当凸多边形的边数为 n 时,得到对应的结论:				
n		$n-2$	$S_n = (n-2) \cdot 180°$	$S_n = (n-2) \cdot 180°$

说明:不完全归纳法因为没有对事物的全部加以分析,只是对其中若干特殊情形归纳,因而归纳出的结论有可能是不正确的.例如,当 $n=1,2,\cdots,15$ 时,代数式 n^2+n+17 之值为质数,但是当 $n=16$ 时,易知 $(16)^2+16+17=17^2$,这不是质数.尽管如此,不完全归纳法对于我们进行数学猜想、发现仍具有积极的促进作用.

随堂能力测试

一、填空题

1. 正五边形的每一个内角的度数为 _____ ,正六边形的每一个内角的度数为 _____ ,正八边形的每一个内角的度数为 _____ .

2. 一个多边形的内角和为 $1800°$,则它是 _____ 边形.

3. 一个多边形的每一个内角都等于 $140°$,则它的每一个外角都等于 _____ ,它是 _____ 边形.

4. 一个多边形的每一个外角的度数等于其相邻内角的度数的 $\frac{1}{3}$,则这个多边形是 _____ 边形.

5. 在四边形 $ABCD$ 中,如果 $\angle A : \angle B : \angle C : \angle D = 3 : 1 : 2 : 3$,则 $\angle A = $ _____ ,

∠B=_____，∠C=_____，∠D=_____．

6. 如果一个角的两边与另一个角的两边互相垂直，则这两个角的关系是_____．

7. 一个凸多边形的内角从小到大排列起来，恰好依次增加相同的度数，其中最小角是100°，最大角为140°，则这个多边形的边数是_____．

二、选择题

8. 一个多边形的外角不可能都等于　　　　　　　　　　　　　　　（　　）
    A. 30°   B. 40°   C. 50°   D. 60°

9. 过多边形的一个顶点可以引 9 条对角线，那么这个多边形的内角和为（　　）
    A. 1 620°   B. 1 800°   C. 1 980°   D. 2 160°

10. 多边形每一个内角都等于150°，则从此多边形一个顶点发出的对角线有（　　）
    A. 7 条   B. 8 条   C. 9 条   D. 10 条

11. 一个多边形的每一个外角都相等，且小于 45°，那么这个多边形的边数最少是
    　　　　　　　　　　　　　　　　　　　　　　　　　　　　　　（　　）
    A. 7   B. 8   C. 9   D. 10

12. 一个多边形的内角和是外角和的 3 倍，则这个多边形的对角线有（　　）
    A. 20 条   B. 24 条   C. 27 条   D. 30 条

13. 一个多边形截去一个内角后，形成另一个多边形，它的内角和为 2 520°，则原多边形的边数不可能是　　　　　　　　　　　　　　　　　　　　　（　　）
    A. 15   B. 16   C. 17   D. 18

三、解答题

14. 如果一个多边形除了一个内角外，其余各内角之和为 1 190°，则这个内角是多少度？

15. 如图 7 - 3 - 15 所示，在△ABC 中，∠B=38°，∠C=74°．AD是 BC 边上的高，D 为垂足，AE 平分∠BAC 交 BC 于点 E，DF⊥AE，求∠ADF 的度数．

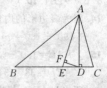

图 7 - 3 - 15

16. 如图 7 - 3 - 16 所示,某厂按规定一块模板中 AB,CD 的延长线相交成 $80°$ 角,因交点不在板上,不便测量,工人师傅连接 AC,测得 $\angle BAC=34°$,$\angle DCA=65°$,此时 AB,CD 的延长线相交成的角是否符合规定?为什么?

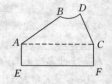

图 7 - 3 - 16

17. 如图 7 - 3 - 17 所示,在三角形纸片 ABC 中,$\angle A=65°$,$\angle B=75°$,将纸片一角折叠,使点 C 落在 $\triangle ABC$ 内,若 $\angle 1=20°$,求 $\angle 2$ 的度数.

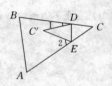

图 7 - 3 - 17

标 答与点拨

1. $108°$　$120°$　$135°$　2.十二　3.$40°$　九　4.八　5.$120°$　$40°$　$80°$　$120°$

6.相等或互补　7.六

8.C　9.B　10.C　11.C　12.A　13.D

14. 因为多边形的内角和是 180 的倍数,
　　$1\ 190°÷180=6……110°$,故这个内角为 $70°$.

15. $\angle BAC=180°-38°-74°=68°$,$\angle BAE=34°$,
　　$\angle AED=38°+34°=72°$,
　　所以 $\angle ADF=72°$.

16. 不符合规定.理由:延长 AB,CD 相交于点 O,由三角形内角和定理知 $\angle AOC=$
　　$180°-34°-65°=81°\neq80°$.

17. $\angle 2=60°$.

7.4 课题学习:镶嵌

教 材内容全解

平面镶嵌的定义

用形状相同或不同的平面封闭图形,把一块地面既无缝隙又不重叠地全部覆盖,通常把这类问题叫做用多边形覆盖平面(或平面镶嵌)的问题.

提醒 (1)"平面封闭图形"一般指"封闭曲线"、"封闭折线"以及平面上的其他封闭图形,如图7-4-1所示.

(1)　　　　　　　　(2)　　　　　　　　(3)

图7-4-1

(2)"无缝隙"、"不重叠"指镶嵌时,既不能使地面有任何裸露又不能使所用的平面封闭图形彼此有所覆盖.如图7-4-2所示,都是平面镶嵌.

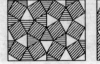

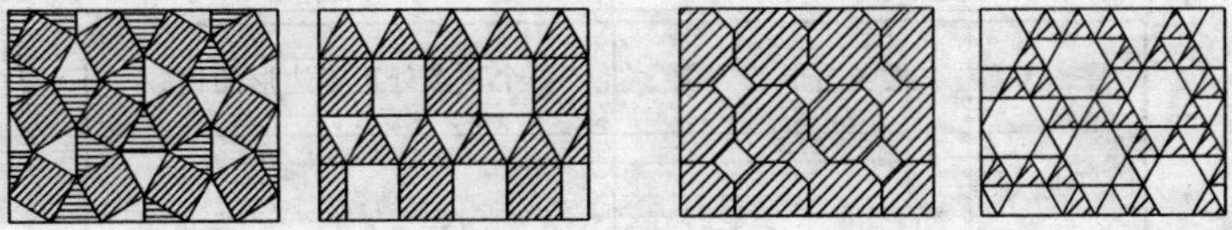

图7-4-2

潜 能开发广角

问题探究

如果设计几种地板图案,就要解决下列问题:

(1)如果限定用一种正多边形镶嵌,哪几种正多边形能镶嵌成一个平面?

(2)如果允许用两种正多边形组合起来镶嵌,哪两种正多边形组合起来能镶嵌成一个平面?

一、探究用一种正多边形作镶嵌

限定镶嵌的正多边形的顶点不落在另一个正多边形的边上.

思考 剪一些正三角形、正方形、正五边形、正六边形,试着作镶嵌,思考用同一种正多边形作平面镶嵌,需要满足什么条件.

观察 图7-4-3所示中(1)、(2)、(3)、(4)分别是以正三角形、正四边形、正五边形、正六边形作镶嵌拼出的图形.

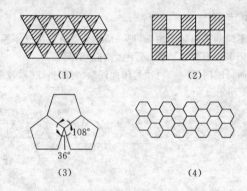

(1)   (2)

(3)   (4)

图 7 - 4 - 3

发现 观察图(1)、(2)、(3)、(4)可以看出,正三角形、正方形、正六边形可以进行平面镶嵌,而用正五边形则不行.因此用同一种正 n 边形作镶嵌有三种情况:

序　号	正多边形的边数	一个顶点处正多边形的边数
1	3	6
2	4	4
3	6	3

注意 这里所指的镶嵌,只能边与边重合,因此,实际上有三条限制:①边长都相等;②顶点公用;③在一个顶点处各正多边形的内角之和为360°.这三条限制是正多边形镶嵌的一个基本依据.

二、探究用两种正多边形作镶嵌

限定镶嵌的正多边形的顶点不落在另一个正多边形的边上.

思考 通过对第一个问题的探索,不难发现,用两种不同边数的正多边形镶嵌,同样,必须在一个顶点处正多边形的内角之和为360°.

观察

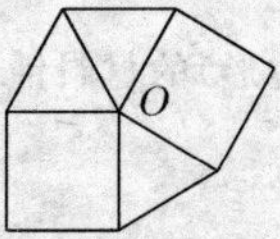

(1)正三角形与正四边形 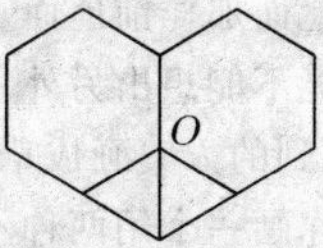 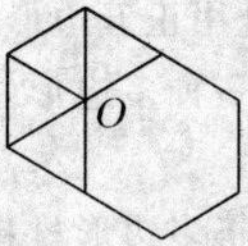　　　　　　　(2)正三角形与正六边形

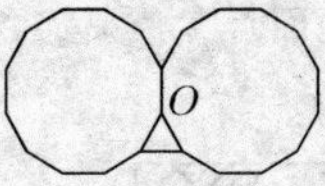

(3)正三角形与正十二边形 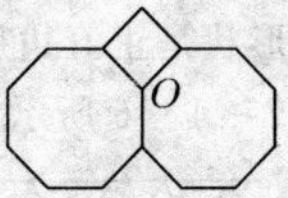　　(4)正四边形与正八边形 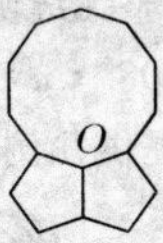　　(5)正五边形与正十边形

图 7 - 4 - 4

发现　通过上面的观察与思考,发现限用两个正 n 边形的镶嵌有六种情形,归纳如下表:

序　号	正多边形的边数						
	3	4	5	6	8	10	12
1	3	2					
2	4			1			
3	2			2			
4	1						2
5		1			2		
6			2			1	

三、利用两个探究的结论解答应用题

例 1　(2002 年安徽省)我们常见到如图 7 - 4 - 5 所示图案的地面,它们分别是全部用正方形或全部用正六边形状的材料铺成的,这样形状的材料能铺成平整、无缝隙的地面.

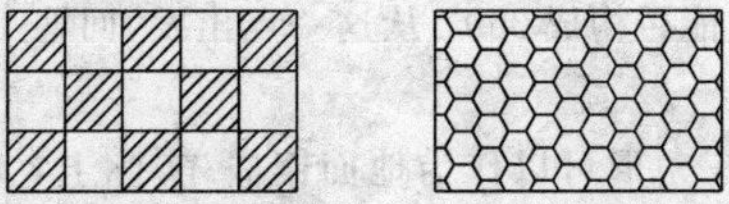

图 7 - 4 - 5

现在问：

(1)像上面那样铺地面,能否全用正五边形的材料,为什么?

(2)你能不能想出另外一个用一种多边形(不一定是正多边形)的材料铺地面的方案?把你想到的方案画成草图.

(3)请你画一个用两种不同的正多边形材料铺地的草图.

解析 可以根据问题探究中得出的结论,思考问题(1)、(2)、(3).

解答 (1)所用材料的形状不能是正五边形.因为正五边形的每个内角都是 $108°$,要铺成平整无缝隙的地面,必须使若干个正五边形拼成一个周角($360°$),但不存在正整数 n ,使 $108°·n=360°$,故不能用形状是正五边形的材料铺地面.

(2)提供几例作为参考(如图7-4-6所示):

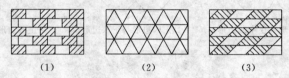

(1)   (2)   (3)

图7-4-6

(3)提供几例作为参考(如图7-4-7所示):

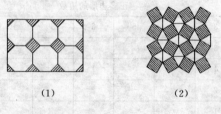

(1)   (2)

图7-4-7

点评 镶嵌作为生活中的应用早已融于装潢、设计的领域之中.中国人的审美习惯讲求一种和谐、匀称、对称的美,从数学的角度出发,一种正多边形或两种正多边形组成镶嵌的情况不是很多,前面的两个探究活动已经概括,因此利用和理解两次探究活动的结论,对我们很有益处.

例2 任意剪出一些形状、大小相同的三角形,拼拼看,它们能否镶嵌成平面图案.任意剪出一些形状、大小相同的四边形?

解析 看一种图形是否能作平面镶嵌,关键是看这个多边形的内角在某一个顶点能否构成 $360°$.从这一点出发,回答问题.

解答 (1)用同一种三角形可以作为地面镶嵌.实际上,三角形内角和为 $180°$,用6个同样大小的三角形就可以在同一顶点不重叠、无缝隙地镶嵌,如图7-4-8(1)所示.

特别提示

生活中用多边形镶嵌地面的形式多种多样,但同一种多边形(不是正多边形)作镶嵌的,只有三角形和四边形.

(2)用同一种四边形也能将地面镶嵌.实际上,四边形内角和为360°,用四个同一种四边形就可以在同一顶点处不重叠、无缝隙地镶嵌,如图7-4-8(2)所示.

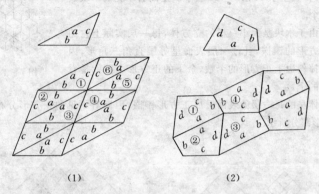

(1)   (2)

图 7 - 4 - 8

例 3   如图7-4-9所示,是某广场地面的一部分,地面的中央是一块正六边形的地砖,周围用正三角形和正方形的大理石地砖密铺,从里向外共铺了12层(不包括中央的正六边形地砖),每一层的外边界都围成一个正多边形.若中央正六边形的地砖的边长为0.5 m,则第12层的外边界所围成的多边形的周长是_____.

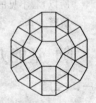

图 7 - 4 - 9

解析   各层的镶嵌实际上是有两种(正三角形和正方形)正多边形的镶嵌,从图形看每一层都有六个正方形,且由第一层开始,外边界依次有$1×6$个,$2×6$个,…,$n×6$个正三角形的边,所以第12层外边界应有6个正方形的边和$12×6$个正三角形的边围成的多边形.

解答   设正方形边长为a_4,正三角形边长为a_3,则第12层外边界所围成的多边形周长为

$$6a_4+12×6a_3=6×0.5+72×0.5=39 \text{(m)}.$$

点评   这道题实际是一道探索公式的问题,采用的方法为不完全归纳法.其探索过程为"特例引路(将每一层的周长作逐一统计),对比分析每一层的数据,最后归纳出公式",为解决一般提供方便.

例 4 如图 7 - 4 - 10 所示,一样大小的立方体木块堆放在房间一角,一共垒了 10 层,这 10 层中从正面看不见的木块共有 _____ 个.

图 7 - 4 - 10

解析 由于木块是大小一样的立方体,每一层实际上它的表面都是正方形的镶嵌,且每一层表面呈等腰直角三角形,因此每一层去掉斜边上正方形的个数,余下的正方形个数就是看不见的木块的个数.

把立方体垒的每一层的表面看成正方形镶嵌,因而看不见的正方形分布如图 7 - 4 - 11 中阴影部分所示.

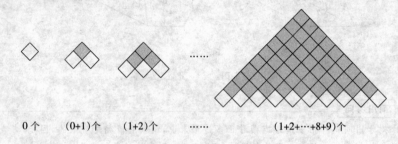

0 个　　(0+1)个　　(1+2)个　　······　　(1+2+···+8+9)个

图 7 - 4 - 11

累加,得 $0+(0+1)+(1+2)+\cdots+(1+2+\cdots+8+9)=0+1+3+6+\cdots+45=165$(个).

所以,看不见的立方体木块有 165 个.

解答 165

随堂能力测试

一、填空题

1. 在自己的身边,见到的瓷砖、地砖的形状是 _____.

2. 通常情况下,用地砖及瓷砖铺地时,基本要求是 _____

_____.

3. 用不规则的四边形拼成的地面也无缝隙,如图 7 - 4 - 12 所示,可知这些地砖能镶嵌地面要满足条件:_____

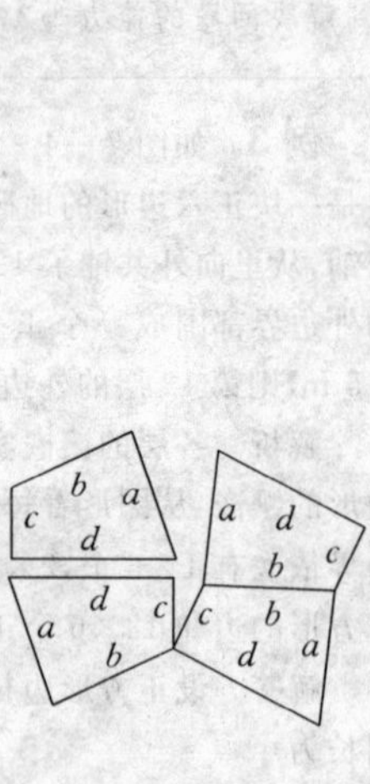

_____.

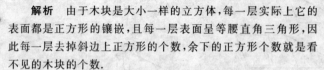

图 7 - 4 - 12

二、选择题

4. 只用下列正多边形,能作平面镶嵌的是　　　　　　(　　)

　　A. 正五边形　　　　B. 正八边形　　　　C. 正六边形　　　　D. 正十边形

5. 只用下列正多边形,不能进行平面镶嵌的是　　　　　　　　　　(　　)

A. 正方形　　　　B. 等边三角形　　　　C. 正十一边形　　　　D. 正六边形

6. 能够铺满地面的正多边形组合是　　　　　　　　　　　　　　　　　　　　（　　）

　　A. 正八边形和正方形　　　　　　　B. 正五边形和正十二边形

　　C. 正方形和正六边形　　　　　　　D. 正四边形和正七边形

7. 用正三角形单独作镶嵌，最少需要　　　　　　　　　　　　　　　　　　　（　　）

　　A. 3 块　　　　　　B. 4 块　　　　　　C. 5 块　　　　　　D. 6 块

三、解答题

8. 如图 7 - 4 - 13 所示，我们常见到图(1)、(2)那样图案的地面，它们分别是全用正六边形或全用正方形形状的材料铺成的，这样形状的材料能铺成平整、无缝隙的地面.

现在问：

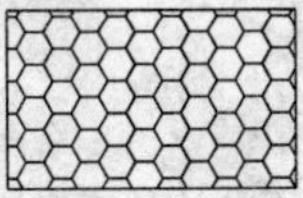

(1)像上面那样铺地面，能否全用正五边形的材料？为什么？

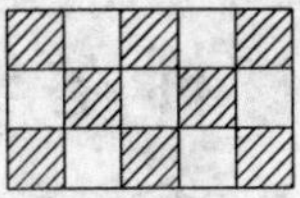

(1)　　　　(2)

图 7 - 4 - 13

(2)你能不能想出另外一个用一种多边形(不一定是正多边形)的材料铺地的方案？把你想到的方案画成草图.

9. 如图 7 - 4 - 14 所示是用正八边形和正方形两种图形密铺成的图案，请再用正八边形及正方形铺设另一种图案.

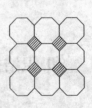

图 7 - 4 - 14

10. 如图 7 - 4 - 15 所示，是用小长方形铺设的一个长方形走廊，请你根据图中给出数据，求出每块小长方形的面积.

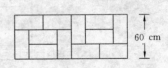

60 cm

图 7 - 4 - 15

11. 填空并解答问题.

　　如图 7 - 4 - 16 所示,有一种足球是由 32 块黑白相间的牛皮缝制而成的,黑皮可看做正五边形,白皮可看做正六边形. 设白皮有 x 块,则黑皮有 _____ 块,每块白皮有 6 条边,共 _____ 条边. 因为每块白皮有 3 条边和黑皮连在一起,故黑皮共有 _____ 条边. 要求出白皮、黑皮的块数,请列出关于 x 的方程求解.

图 7 - 4 - 16

标 答与点拨

1. 正方形　**2.** 在一个顶点处各正多边形的内角之和为 $360°$

3. 在一个顶点处各四边形的内角和为 $360°$,且相接处边长相等

4. C　**5.** C　**6.** A　**7.** D

8. (1)不能用正五边形的材料铺地面. 因为正五边形的每一个内角都是 $108°$,要铺成平整、无缝隙的地面,必须使若干个正五边形拼成一个周角($360°$),但不存在正整数 n,使 $108° \cdot n = 360°$,故不能用形状是正五边形的材料铺地面.　(2)略.

9. 略.

10. 设小长方形的长为 x,则宽为 $(60-x)$. 观察图形可得 $x+2(60-x)=2x$,解得 $x=40$. 故 $S=20 \times 40 = 800$ (cm^2).

11. $32-x$　$6x$　$3x$　$3x = 5(32-x)$,解得 $x=20$.

单元总结与测评

知 识结构图解

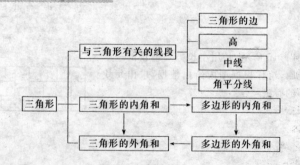

方 法技巧规律

思想方法

(1)转化的思想方法

转化的思想方法是将复杂的问题转化为简单的问题,将未知的问题转化为已知的问题,将陌生的问题转化为熟悉的问题的一种数学思想.本章中将多边形的内角和转化为三角形的内角来解决就是转化思想在本章中的重要应用.

(2)整体的思想方法

研究某些数学问题时,往往不是以问题的某个组成部分为着眼点,而是将要解决的问题看做一个整体,通过研究问题的整体形式、整体结构,作整体处理后,达到解决问题的目的.本章中有关角度的计算问题常用此法.

(3)方程的思想方法

在有关角度的计算中,如果依据题设和相关图形的性质列出方程求解,往往可以使计算简便.

一、转化思想和整体思想的应用

例 1 如图 7 - 1 所示,求 $\angle A + \angle B + \angle C + \angle D + \angle E + \angle F$ 的度数.

解析 因为 $\angle A$,$\angle B$,$\angle C$,$\angle D$,$\angle E$,$\angle F$ 较分散,本例中又不知其度数,因此,应设法将它们集中起来,将问题转化为三角形的问题来处理.

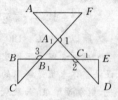

图 7 - 1

解答 因为 $\angle 1 = \angle A + \angle F$,$\angle 2 = \angle D + \angle E$,$\angle 3 = \angle B + \angle C$,

所以 $\angle 1 + \angle 2 + \angle 3 = \angle A + \angle B + \angle C + \angle D + \angle E + \angle F$.

又因为 $\angle 1$,$\angle 2$,$\angle 3$ 分别是 $\triangle A_1 B_1 C_1$ 的外角,

所以 $\angle 1 + \angle 2 + \angle 3 = 360°$(多边形的外角和为 $360°$),

故 $\angle A + \angle B + \angle C + \angle D + \angle E + \angle F = 360°$.

例 2 如图 7 - 2 所示,求 $\angle A + \angle B + \angle C + \angle D + \angle E + \angle F + \angle G$ 的度数.

解析 观察图形可得,图 7 - 2 由一个四边形和一个三角形构成,可根据四边形和三角形的内角和定理求度数之和.

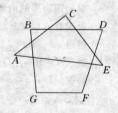

图 7 - 2

解答 因为 $\angle A + \angle C + \angle E = 180°$,

又因为 $\angle B + \angle D + \angle F + \angle G = 360°$,

所以 $\angle A + \angle B + \angle C + \angle D + \angle E + \angle F + \angle G = 540°$.

例3 如图7 - 3所示,在△ABC中,∠B＝40°,∠A,∠C的外角平分线交于E点,求∠AEC的度数.

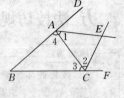

图7 - 3

解析 由图形观察分析不难看出,欲求∠AEC的度数,必须先求出∠1和∠2的度数.由于∠1和∠2的度数无法单独求出,此时,可设法将∠1＋∠2看做一个整体,进行整体求值.

解答 因为AE,CE分别是△ABC中∠A,∠C的外角平分线,

所以$\angle 1=\frac{1}{2}\angle DAC$,$\angle 2=\frac{1}{2}\angle ACF$,

所以$\angle 1+\angle 2=\frac{1}{2}(\angle DAC+\angle ACF)$.

又因为∠DAC＝∠B＋∠3,∠ACF＝∠B＋∠4,

所以∠DAC＋∠ACF＝2∠B＋∠3＋∠4,

而∠B＋∠3＋∠4＝180°,∠B＝40°,

所以∠DAC＋∠ACF＝180°＋40°＝220°.

所以$\angle 1+\angle 2=\frac{1}{2}\times 220°=110°$,

所以∠AEC＝180°－110°＝70°.

点评 以上三例中,若直接求出每一个角的度数再求其和显然是做不到的,因此,设法整体求值是解题的关键所在.事实上,有些数学问题,如果从局部着眼,拘泥于常规,则举步维艰;如果从全局着手,突破常规,则会柳暗花明.

二、方程思想的应用

例4 若四边形ABCD中,∠A：∠B：∠C：∠D＝1：2：4：5,则∠A与∠D的度数分别是 （　　）

A.15°,75°　　　B.20°,100°　　　C.30°,120°　　　D.30°,150°

解析 可设∠A＝x,则∠B＝2x,∠C＝4x,∠D＝5x.

根据四边形的内角和为360°,

可建立方程 x＋2x＋4x＋5x＝360°,

解得 x＝30°.

故∠A＝30°,∠D＝5x＝150°.

解答 D

例5 如果一个凸多边形的所有内角从小到大排列起来,恰好依次增加相同的度数,其中最小角为100°,最大角为140°,那么这个多边形的边数为多少?

解析 最小角为100°,最大角为140°,并且依次增加相同的度数,则多边形的内角平均度数为(100°＋140°)÷2＝120°,可设边数为x建立方程.

解答 依题意可知多边形的内角平均度数为120°.

设多边形的边数为 x，则有 $120° \cdot x = (x-2) \cdot 180°$，

解得 $x=6$.故此多边形为六边形.

例6 如图7-4所示，已知在 $\triangle ABC$ 中，$\angle B = \angle C$，$\angle 1 = \angle 2$，$\angle BAD = 40°$.求 $\angle EDC$ 的度数.

解析 利用三角形的外角的性质，设法建立关于 $\angle EDC$ 的方程.

解答 设 $\angle EDC = x$，则 $\angle AED = \angle ADE = x + \angle C$.

又因为 $\angle 2 + x = \angle B + 40°$，

所以 $\angle 2 = \angle B + 40° - x$，

所以 $x + \angle C = \angle B + 40° - x$.

又因为 $\angle B = \angle C$，所以 $x = 40° - x$，

所以 $x = 20°$.

故 $\angle EDC = 20°$.

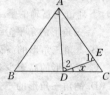

图 7-4

点评 方程是解决很多数学问题的重要工具，很多数学问题可以通过构建方程而获解.事实上，这种设未知数来表示图形中的未知角的方法，可使计算过程书写方便，也易于表明角与角之间的关系.

综 合能力测评

一、填空题

1. 如图7-5所示，图中共有_____个三角形，以 $\angle 1$ 为内角的三角形是_____和_____，$\angle 1$ 在相应的三角形中所对应的边是_____和_____.

2. 如果一个三角形的三条高的交点在三角形的内部，那么这个三角形为_____；如果三条高的交点在三角形的外部，则这个三角形为_____；如果三条高的交点在三角形的顶点上，则这个三角形为_____.

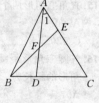

图 7-5

3. 等腰三角形的两边长分别为 12 cm 和 8 cm，则这个等腰三角形的周长为_____.

4. 如图7-6所示，在 $\triangle ABC$ 中，$\angle A = 40°$，$\angle ACB = \angle B$，CD 是 AB 边上的高，则 $\angle BCD$ 的度数是_____.

5. 已知 $\triangle ABC$，$\angle A = 40°$，$\angle B - \angle C = 40°$，则 $\angle B =$ _____，$\angle C =$ _____.

6. 若三角形的三个内角 $\angle A$，$\angle B$，$\angle C$ 满足 $2\angle A = 3\angle B = 4\angle C$，则该三角形必为_____三角形.

7. 内角和为 5 040° 的多边形共有_____条对角线.

8. 一个多边形的内角和是外角和的 4 倍，则这个多边形是

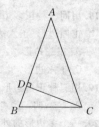

图 7-6

_____边形.

9.如图 7-7 所示,图中是用_____、_____和_____铺满地面的.因为这些图形满足条件_____.

10.用三种边长相等的正多边形铺地面,已选了正方形和正五边形两种,则还应选正_____边形.

图 7-7

二、选择题

11.下列语句正确的是 （ ）
   A.三角形的角平分线、中线和高都在三角形内
   B.直角三角形的高只有一条
   C.三角形的高至少有一条在三角形内
   D.钝角三角形的三条高都在三角形外

12.三角形的两边长为 2 cm 和 9 cm,第三边长是奇数,则第三边长为 （ ）
   A.5 cm　　　　B.7 cm　　　　C.9 cm　　　　D.11 cm

13.若一个多边形的内角和等于外角和,则这个多边形是 （ ）
   A.三角形　　　B.四边形　　　C.五边形　　　D.六边形

14.如图 7-8 所示,∠A+∠B+∠C+∠D+∠E+∠F 的度数为 （ ）
   A.180°　　　　B.360°
   C.540°　　　　D.720°

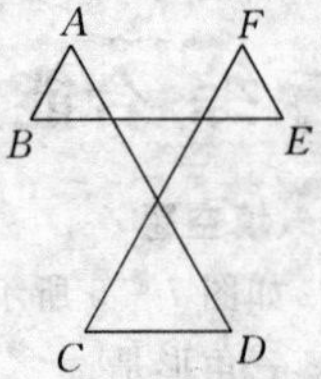

图 7-8

15.直角三角形两个锐角的平分线所组成的角等于 （ ）
   A.90°　　　　B.100°
   C.120°　　　　D.135°

16.等腰三角形一腰上的中线将周长分为 6 和 15 两部分,则此三角形的腰长为 （ ）
   A.7　　　　　B.8　　　　　C.9　　　　　D.10

17.如果一个多边形的内角和是外角的 5.5 倍,那么这个多边形的边数为 （ ）
   A.18　　　　　B.17　　　　　C.13　　　　　D.12

18.用同一种正多边形铺设一块正方形地面 100 m²,可供选择的正多边形有正三角形、正四边形、正六边形、正八边形,它们的各边都是 0.5 m,其中最省材料的是 （ ）
   A.正三角形　　　　　　　　B.正四边形
   C.正六边形　　　　　　　　D.正四边形或正八边形

19.用三种正多边形铺地,能铺成无缝隙的图案的应选 （ ）
   A.(三,四,五)　B.(四,五,六)　C.(三,五,八)　D.(五,五,十)

20.一个多边形的外角不可能都等于 （ ）
   A.50°　　　　　B.40°　　　　　C.30°　　　　　D.20°

三、解答题

21. 已知等腰三角形的周长为30,其中一边长为6,求其他两边长.

22. 如图 7 - 9 所示,$AC /\!/ DE$,若 $\angle ABC = 70°$,$\angle E = 50°$,$\angle D = 75°$,求 $\angle A$,$\angle ABD$ 的度数.

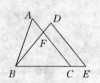

图 7 - 9

23. 如图 7 - 10 所示,已知 $\angle B = 32°$,$\angle D = 38°$,AM,CM 分别平分 $\angle BAD$ 和 $\angle BCD$,求 $\angle M$ 的大小.

图 7 - 10

24. 如图 7 - 11 所示,在六边形 $ABCDEF$ 中,$AF /\!/ CD$,$AB /\!/ DE$,且 $\angle A = 120°$,$\angle B = 80°$.求 $\angle C$ 及 $\angle D$ 的度数.

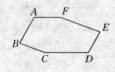

图 7 - 11

25. 一个零件的形状如图 7 - 12 所示,,按规定 $\angle A$ 应等于 90°,$\angle B$ 和 $\angle D$ 应分别等于 67°和 78°.检验工人量得 $\angle BCD = 129°$,$\angle A$ 是直角,就断定这个零件不合格.请运用所学知识来说明零件不合格的理由.

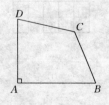

图 7 - 12

26. 阅读材料.

如图 7 - 13 所示,四边形边上或内部的一点与四边形各顶点的连线分割方法,分别将四边形分割成了 2 个、3 个、4 个小三角形.

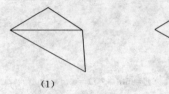

(1)   (2)   (3)

图 7 - 13

请你按照上述方法将图 7 - 14 中的六边形进行分割,并写出得到的小三角形的个数. 试把这一结论推广至 n 边形.

(1)   (2)   (3)

图 7 - 14

27. 如图 7 - 15 所示,图形是由边长为 1 的正方形按照某种规律排列而成的.

 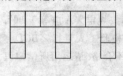 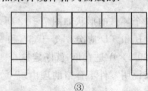

①   ②   ③

图 7 - 15

(1)观察图形,填写下表:

图 形	①	②	③
正方形的个数			
图形的周长			

(2)推测第 n 个图形中正方形的个数为_____,周长为_____(都用含 n 的代数式表示).

(3)小明同学从第 n 个图形起,顺次计算了 4 个图形的周长,发现其和为 252,求 n.

标 答与点拨

1. 8 △AEF △ADC EF CD **2.** 锐角三角形 钝角三角形 直角三角形

3. 28 或 32 cm **4.** 20° **5.** 90° 50° **6.** 锐角 **7.** 405 **8.** 十

9. 正方形 正六边形 正十二边形 一个顶点处内角和为 360°,且边长相等

10. 二十

11. C **12.** C **13.** B **14.** B **15.** D **16.** D **17.** C **18.** B **19.** D **20.** A

21. 6 若为腰长,则底边长为 $30-6×2=18$(不符舍去);6 若为底边长,则腰长为 $(30-6)÷2=12$,故其他两边长为 12,12.

22. 由 $AC // DE$ 得 $\angle ACB = \angle E = 50°$,

所以 $\angle A = 180° - 50° - 70° = 60°$.

又 $\angle DBE = 180° - 75° - 50° = 55°$,

所以 $\angle ABD = 70° - 55° = 15°$.

23. 由 $\angle 5 = \angle 1 + \angle B = \angle 3 + \angle M$ 得

$\angle M = \angle B + \angle 1 - \angle 3 = 32° + \angle 1 - \angle 3$.

由 $\angle 6 = \angle 2 + \angle M = \angle 4 + \angle D$ 得

$\angle M = \angle D + \angle 4 - \angle 2 = 38° + \angle 4 - \angle 2$.

所以 $2\angle M = 70° + \angle 1 - \angle 3 + \angle 4 - \angle 2$.

又 $\angle 1 = \angle 2, \angle 3 = \angle 4$,

所以 $2\angle M = 70°, \angle M = 35°$.

24. 连 AD,可得 $\angle D = \angle A = 120°$.

过 B 作 $BG \parallel AF$,可得 $\angle A + \angle B + \angle C = 180° + 180°$,$\angle C = 360° - 120° - 80° = 160°$.

25. 理由:因为 $90° + 129° + 67° + 78° = 364° \neq 360°$.

26. (1)4 个;(2)5 个;(3)6 个. 推广结论至 n 边形,写出分割后得到的小三角形数目分别为 $n-2,n-1,n$.

27. (1)8,13,18;18,28,38.

(2)$5n+3$　$10n+8$

(3)依题意有

$10n+8+10(n+1)+8+10(n+2)+8+10(n+3)+8=252$,

$40n+8+18+28+38=252$,

所以 $n=4$.

第八章

二元一次方程组

8.1　二元一次方程组

教材内容全解

一、二元一次方程的定义

含有两个未知数(x和y),并且未知数的指数都是1,像这样的方程叫做二元一次方程.如$x+y=32,2x+y=40$等都是二元一次方程.

提醒　①在方程中"元"是未知数,"二元"就是指方程中有且只有两个未知数.②"未知数的次数是1"是指含有未知数的项(单项式)的次数是1.如$3xy$的次数是2,所以方程$3xy-2=0$不是二元一次方程.③二元一次方程的左边和右边都必须是整式.例如,方程$\dfrac{1}{x}-y=1$的左边不是整式,所以它就不是二元一次方程.

例1　下列方程是不是二元一次方程?为什么?

① $2x-y=1$;　② $x+\dfrac{1}{2}y^2=0$;　③ $y-z=4$;　④ $yz=\dfrac{1}{3}$;

⑤ $5x-2y$;　⑥ $\dfrac{1}{x}+2y=3$;　⑦ $x+y+z=6$;　⑧ $5x+2y=x-3y$.

解析　根据二元一次方程的定义判断.

解答　① $2x-y=1$是二元一次方程.

② $x+\dfrac{1}{2}y^2=0$中的$\dfrac{1}{2}y^2$是二次项,所以它不是二元一次方程.

③ $y-z=4$是二元一次方程.

④ $yz=\dfrac{1}{3}$中的yz项是二次项,所以它不是二元一次方程.

特别提示

任何一个二元一次方程经过整理、化简后都可以化成$ax+by+c=0(a,b,c$为已知数,且$a\neq0,b\neq0)$的形式.这种形式叫做二元一次方程的一般形式.一般地,整式方程都是用"元"和"次"来定义.

⑤ $5x-2y$ 是代数式,不是方程.

⑥ $\dfrac{1}{x}+2y=3$ 左边不是整式,所以不是二元一次方程.

⑦ $x+y+z=6$ 含有三个未知数,所以不是二元一次方程.

⑧ $5x+2y=x-3y$ 是二元一次方程.

点评 "未知数的次数是1"是指含有未知数的项的次数,切不可理解为未知数的次数都是1.

例2 已知方程 $2x^{m+2}+3y^{1-2n}=17$ 是二元一次方程,求 m 和 n 的值.

解析 本题给出的条件为已知方程是二元一次方程,因此,应设法利用二元一次方程的定义解题.

解答 因为方程是二元一次方程,所以,方程中 x 的指数 $m+2=1$, y 的指数 $1-2n=1$.

由此可得 $m=-1$, $n=0$.

> **方法规律**
> 此题考查对二元一次方程概念的理解,解题时应挖掘题目中的隐含关系.

二、二元一次方程组的概念

两个二元一次方程合在一起,就组成了一个二元一次方程组.

提醒 二元一次方程组中,方程的个数可以超过两个,其中有的方程也可以是一元方程.如

$$\begin{cases} x=1, \\ 2x-y=0, \\ 3x=6; \end{cases} \quad \begin{cases} 2x-1=0, \\ x+y=1 \end{cases} \quad \text{等都是二元一次方程组.}$$

例3 暑假里,《新晚报》社组织了"我们的小世界杯"足球邀请赛,勇士队在第一轮比赛中共赛9场,得17分.比赛规定胜一场得3分,平一场得1分,负一场得0分.勇士队在这一轮中只负了2场,那么这个队胜了几场,又平了几场呢?

解析 这个问题可以用算术方法来解,也可以列一元一次方程来解.

(1)代数方法

胜的场数+平的场数=9-2=7(场),

若平一场,胜6场,则得分为 $1+6\times3=19$ (不合题意),

若平二场,胜5场,则得分为 $2\times1+5\times3=17$ (符合),

所以勇士队这一轮中胜了5场,平了2场.

(2)列一元一次方程

设勇士队胜 x 场,则平了 $(7-x)$ 场,

根据题意,得 $3x+(7-x)=17$,

解得 $x=5,7-5=2$.

故勇士队胜了5场,平了2场.

(3)探索新法

既然是求两个未知量,能否同时设两个未知数?如果设勇士队胜了 x 场,平了 y

场,可以列出下表寻求问题中的相等关系:

	胜	平	合 计
场 数	x	y	
得 分			

那么根据填表结果可知 $x+y=7$,　①

$$3x+y=17.　②$$

显然,这里的 x,y 既要满足方程①,又要满足方程②,此时,应将两个方程组合成

方程组 $\begin{cases} x+y=7, \\ 3x+y=17. \end{cases}$

如何通过方程组来求解呢?下一节我们再来探索这个问题.

答:勇士队胜了5场,平了2场.

点评　理解二元一次方程组应注意以下两点:①建立方程组的条件是:当感知要解决的问题同时满足几个约束条件,而这几个约束条件都是方程时,就自然要引入方程组.②研究方程组一定要紧密联系每一个方程.这里我们要明确,组成方程组的每一个方程的地位是相同的,缺一不可的.

三、二元一次方程的解

一般地,使二元一次方程两边的值相等的两个未知数的值,叫做二元一次方程的解.

提醒　①一般情况下,一个二元一次方程有无数多个解,但如果对其未知数的取值附加某些限制条件,那么也可能只有有限个解.②二元一次方程的每一个解,都是一对数值.如:

方程 $2x+y=1$ 的解有 $\begin{cases} x=-1, \\ y=3; \end{cases} \begin{cases} x=0, \\ y=1; \end{cases} \begin{cases} x=1, \\ y=-1; \end{cases} \begin{cases} x=2, \\ y=-3; \end{cases} \cdots$

例4　在方程 $3x+4y-2=0$ 中,若 y 分别取 $2,\dfrac{1}{4},0,-1,-4$,求相应的 x 的值.

解析　先把方程化成由已知的一个未知数的一次式表示另一个未知数的式子,然后依次代入,计算对应的另一个未知数的值.

特别提示
学会用一个字母的代数式表示另一个字母很重要,解方程时常用到它.

解答　将 $3x+4y-2=0$ 变形,得 $x=\dfrac{2-4y}{3}$.

把已知的 y 值代入方程的右边,计算对应的 x 值,得

y	2	$\dfrac{1}{4}$	0	-1	-4
$x=\dfrac{2-4y}{3}$	-2	$\dfrac{1}{3}$	$\dfrac{2}{3}$	2	6

点评 本例事实上揭示了寻找二元一次方程的解的方法.把 y 的取值,代入用 y 表示的 x 的代数式中即可求 x.从这一点看,一般情形下,二元一次方程有无数组解.

同类变式 已知二元一次方程 $3x+2y=6$.

(1)用含 x 的代数式表示 y;

(2)任意写出方程的两个解.

解析 (1)把要表示的 y 看做未知数,把 x 看做已知数,用解一元一次方程的方法即可.

(2)任意给出其中一个未知数的值(使方程有意义),用解一元一次方程的办法便可求出另一个未知数的对应值.

解答 (1)移项,得 $2y=6-3x$,

系数化为 1,得 $y=\dfrac{6-3x}{2}$ 或 $y=3-\dfrac{3}{2}x$.

(2)把 $x=0$ 和 2 分别代入 $y=3-\dfrac{3}{2}x$ 中,得 $y=3$ 和 0.

所以 $\begin{cases} x=0, \\ y=3; \end{cases} \begin{cases} x=2, \\ y=0 \end{cases}$ 是原方程的两个解.

> **特别提示**
>
> ①将二元一次方程的一个未知数用另一个未知数表示,其实质就是将方程变形,其依据为等式的性质.②写出二元一次方程的多个解时,给的 x 值与所解出(用一元一次方程的解法)的 y 值一定要对应,并用"{"联立起来.

四、二元一次方程组的解

一般地,二元一次方程组的两个方程的公共解,叫做二元一次方程组的解.

提醒 ①方程组的解必须满足方程组里的各个方程,而方程组中某一个方程的一个解不一定是方程组的解.②在同一个方程组中,各个相同的未知数应取相同的值.

例 5 方程组 $\begin{cases} 2x-y=7, & ① \\ x+2y=-4 & ② \end{cases}$ 的解为 ( )

A. $\begin{cases} x=-3 \\ y=2 \end{cases}$ B. $\begin{cases} x=1 \\ y=-5 \end{cases}$ C. $\begin{cases} x=0 \\ y=-2 \end{cases}$ D. $\begin{cases} x=2 \\ y=-3 \end{cases}$

解析 将各选择项中的每对数值分别代入原方程组的两个方程,既满足方程①,又满足方程②的才是原方程组的解,否则就不是.

A 既不是方程①的解,也不是方程②的解,故 A 不是原方程组的解.

B 是方程①的解,但不是方程②的解,故 B 不是原方程组的解.

C 是方程②的解,但不是方程①的解,故 C 不是原方程组的解.

D 是方程①的解,也是方程②的解,故 D 是原方程组的解.

解答 D

点评 检验一对数是不是某个方程组的解,当发现其不满足这个方程组中的一个

> **特别提示**
>
> 检验一对数是否为某个二元一次方程组的解的常用方法是:将这对数值分别代入方程组中的每个方程,只有当这对数值满足其中所有的方程时,才能说这对数是此方程组的解,否则就不是.

方程时,就可以下结论说它不是此方程组的解;当验证已满足方程组中的一个方程时,还不能下结论,必须验证完其他的方程后,才能说它是此方程组的解.

例 6 方程组 $\begin{cases} x+y=n, & ① \\ x=3 & ② \end{cases}$ 和 $\begin{cases} 3x+y=8, & ③ \\ x+2y=m & ④ \end{cases}$ 有相同的解,求 m 与 n 的值.

解析 若由两个方程组分别求出 x 和 y,再由解相同得到一个关于 m,n 的二元一次方程,求出 m,n 将十分复杂,而换一个角度思考会简单得多,因为两方程组有相同的解,根据方程组解的意义,这个相同的解必是由这四个方程组成的方程组的解.

解答 将 $x=3$ 代入③,得 $y=-1$.

再将 $\begin{cases} x=3, \\ y=-1 \end{cases}$ 分别代入①、④得 $m=1,n=2$.

潜 能开发广角

揭示规律

"解"回娘家——大有作为.数学概念是数学的基础与出发点,当面临条件甚少的问题时,记住著名的数学家玻利亚的话"回到定义中去",这就是所说的利用数学概念解题.当我们遇到"已知方程(组)的解是……"这类已知条件时,将解代入原方程(组),这便是"解"回娘家.

例 7 已知 $\begin{cases} x=2, \\ y=1 \end{cases}$ 是方程组 $\begin{cases} 2x+(m-1)y=2, \\ nx+y=1 \end{cases}$ 的解,求 $(m+n)^{2\,005}$ 的值.

解析 由方程组的解的定义可知 $\begin{cases} x=2, \\ y=1 \end{cases}$ 同时满足方程组中的两个方程,将 $\begin{cases} x=2, \\ y=1 \end{cases}$ 代入两个方程,分别解二元一次方程,即得 m 和 n 的值,从而求出代数式的值.

解答 把 $x=2,y=1$ 代入方程组 $\begin{cases} 2x+(m-1)y=2, \\ nx+y=1 \end{cases}$ 中,

得 $\begin{cases} 2\times 2+(m-1)\cdot 1=2, & ① \\ 2n+1=1. & ② \end{cases}$

由①得 $m=-1$,由②得 $n=0$.

所以当 $m=-1,n=0$ 时,$(m+n)^{2\,005}=(-1+0)^{2\,005}=-1$.

例 8 已知 $\begin{cases} x=2, \\ y=-\dfrac{1}{2} \end{cases}$ 是方程 $ax-4y=5$ 的解,求 a 的值.

解析 已知方程组的解,根据方程解的概念,可以把这个解代入方程,即可求出 a 的值.

解答 把 $\begin{cases} x=2, \\ y=-\dfrac{1}{2} \end{cases}$ 代入 $ax-4y=5$,

得 $2a-4\times\left(-\dfrac{1}{2}\right)=5$,

即 $2a+2=5, a=\dfrac{3}{2}$.

例 9 写出解为 $\begin{cases} x=1, \\ y=-2 \end{cases}$ 的二元一次方程组.

解析 此题可先构造两个以 $\begin{cases} x=1, \\ y=-2 \end{cases}$ 为一解的二元一次方程,然后将它们用 "{" 联立即可.

解答 因为 $x=1, y=-2$,

所以 $x+y=1-2=-1$,

$2x-5y=2-5\times(-2)=12$.

所以 $\begin{cases} x+y=-1, \\ 2x-5y=12 \end{cases}$ 就是所求的一个二元一次方程组.

点评 ①以 $\begin{cases} x=1, \\ y=-2 \end{cases}$ 为一解的二元一次方程可写出无穷多个,我们从中任选两个方程,只要其对应系数不成比例,联立起来即为所求,可见这样的方程组也有无穷多个. ②$x+y=-1$ 和 $2x+2y=-2$ 的对应系数成比例,这样的两个方程(实质为同一个方程),联立得到的方程组有无穷多个解,则不符合本题的条件.

拓展延伸

虽然二元一次方程的解有许多,但如果设定了范围,那么在一定范围内的解可以是有限个的,从而有了一个二元一次方程的正整数解、非负整数解等等.

例 10 写出二元一次方程 $4x+y=20$ 的所有正整数解.

解析 为了便于求解,先将原方程变形为 $y=20-4x$,由于题中所要求的解都限定为"正整数解",所以 x 和 y 的值都必须是正整数.

解答 将原方程变形,得 $y=20-4x$.

因为 x, y 均为正整数,所以 x 只能取小于 5 的正整数.

当 $x=1$ 时, $y=16$;

当 $x=2$ 时, $y=12$;

当 $x=3$ 时, $y=8$;

当 $x=4$ 时, $y=4$;

所以 $4x+y=20$ 的所有正整数解是 $\begin{cases} x=1, \\ y=16; \end{cases} \begin{cases} x=2, \\ y=12; \end{cases} \begin{cases} x=3, \\ y=8; \end{cases} \begin{cases} x=4, \\ y=4. \end{cases}$

点评 对"所有正整数解"的含义的理解要注意两点：一要正确，二要不重不漏."正确"的标准是两个未知数的值必须是正整数，且适合此方程.

同类变式 现有布料 25 m，要裁成大人和小孩的两种服装.已知大人每套用布 2.4 m，小孩每套用布 1 m.问：各裁多少套能恰好把布用完？

解析 设裁大人的 x 套，小孩的 y 套能恰好把布用完.

根据题意，有 $2.4x+y=25$，

即 $2.4x=25-y$.

因为方程中的 x,y 都必须是正整数，

所以 $25-y$ 也一定是正整数.

因为 $2.4x$ 一定是正整数，且 $x\leqslant 10$，

所以 x 所能取的值只能是 5 和 10.

当 $x=5$ 时，$y=25-2.4\times 5=13$；

当 $x=10$ 时，$y=25-2.4\times 10=1$.

答：裁大人的 5 套，小孩的 13 套，或者裁大人的 10 套，小孩的 1 套，能恰好把布用完.

方法规律

在题目条件下，将符合条件的对象一一列举出来，然后通过检验、比较、筛选，最终确定符合题意的结果，这种解题方法称为枚举法.本例求正整数解的过程采用了"枚举法"，即实验法.本例若从 $x=1$ 实验起，可能会复杂些.体会两例的解法，掌握其技巧性.

拓展延伸

二元一次方程组的解的讨论：

① 我们知道每个二元一次方程都有无数多个解，当用"{"把几个一次方程联立后，就组了二元一次方程组.这时在一般情况下，二元一次方程的解是唯一的.

② 有个别方程组有无数个解.从方程组本质看，两个方程是属同解方程的情况，如 $\begin{cases} x+y=2, \\ 3x+3y=6, \end{cases}$ 这两个方程表示的是同一个关系，是同解的，这样的方程组有无数多个解.

③ 还有的方程组无解.如 $\begin{cases} x+y=-3, \\ x+y=5, \end{cases}$ 两个数 x,y 的和既等于 5 又等于 -3，这是不可能的，所以方程组无解.

问题 探究方程组 $\begin{cases} x+y=3, & ① \\ x-y=1 & ② \end{cases}$ 的解.

思考 先求方程①的解，再求方程②的解，最后再求方程①、②的公共解——方程组的解.

发现 使方程①左、右两边的值相等的两个未知数的值有无数组，如

$$\begin{cases} x=1, \\ y=2; \end{cases} \begin{cases} x=2, \\ y=1; \end{cases} \begin{cases} x=0, \\ y=3; \end{cases} \begin{cases} x=-0.2, \\ y=3.2; \end{cases} \begin{cases} x=-0.4, \\ y=3.4; \end{cases} \cdots$$

使方程②左、右两边的值相等的两个未知数的值也有无数组,如

$$\begin{cases} x=1, \\ y=0; \end{cases} \begin{cases} x=2, \\ y=1; \end{cases} \begin{cases} x=-1, \\ y=-2; \end{cases} \begin{cases} x=0.1, \\ y=-0.9; \end{cases} \cdots$$

而同时使两个方程左、右两边的值相等的两个未知数的值只有一组,即 $\begin{cases} x=2, \\ y=1. \end{cases}$

因而,方程组 $\begin{cases} x+y=3, \\ x-y=1 \end{cases}$ 有唯一的解 $\begin{cases} x=2, \\ y=1. \end{cases}$

反思 由上可知,方程①有无数个解,方程②也有无数个解,而这两个方程的"公共解"便是方程①与②组成的方程组的解,如图 8 - 1 - 1 所示.

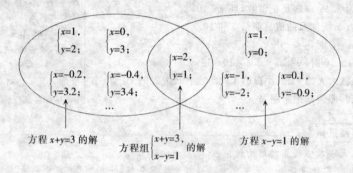

图 8 - 1 - 1

随堂能力测试

一、填空题

1. 在方程 $2x+4y=7$ 中,用含 x 的代数式表示 y,则 $y=$ _____. 用含 y 的代数式表示 x,则 $x=$ _____.

2. 在二元一次方程 $3x+5=4y$ 中,当 $x=3$ 时,$y=$ _____.

3. 已知 $x=1,y=2$ 是关于 x,y 的二元一次方程 $3x+6y-7k=1$ 的解,则 $k=$ _____.

4. 写出方程 $x-2y=3$ 的解(只写两个正整数解)为 $\begin{cases} \underline{\quad} \\ \underline{\quad} \end{cases}, \begin{cases} \underline{\quad} \\ \underline{\quad} \end{cases}$.

5. 若 $\begin{cases} x=2, \\ y=-3 \end{cases}$ 是方程组 $\begin{cases} 2x+y=1, \\ kx+3y=-2 \end{cases}$ 的解,则 $k=$ _____.

二、选择题

6. 下列四个方程中,是二元一次方程的是 ( )

A. $x - 3 = 0$ B. $2x - z = 5$ C. $3xy - 5 = 8$ D. $\dfrac{1}{x} + y = \dfrac{1}{2}$

7. 已知一个二元一次方程组的解是 $\begin{cases} x = -1, \\ y = -2, \end{cases}$ 则这个方程是   (　　)

A. $\begin{cases} x + y = -3 \\ xy = 2 \end{cases}$ B. $\begin{cases} x + y = -3 \\ x - 2y = 1 \end{cases}$ C. $\begin{cases} 2x = y \\ y + x = -3 \end{cases}$ D. $\begin{cases} x + y = 0 \\ 3x - y = 5 \end{cases}$

8. 已知二元一次方程组 $\begin{cases} 5x + 4y = 5, &①\\ 3x + 2y = 9. &② \end{cases}$ 下面说法正确的是   (　　)

A. 同时适合方程①和②的 x, y 的值是方程组的解

B. 适合方程①的 x, y 的值是方程组的解

C. 适合方程②的 x, y 的值是方程组的解

D. 同时适合方程①、②的 x, y 的值不一定是方程组的解

9. 若 x, y 均为非负数, 方程 $3x + \dfrac{1}{2}y = 0$ 的解的情况是   (　　)

A. 无数组解   B. 唯一解   C. 无解   D. 不能确定

10. 当今世界杯足球赛的积分方法如下: 赢一场得 3 分, 平一场得 1 分, 输一场得 0 分. 某小组 4 个队进行单循环赛后, 其中一队积 7 分. 若该队赢了 x 场, 平了 y 场, 则 (x, y) 是   (　　)

A. $(1, 4)$ B. $(2, 1)$ C. $(0, 7)$ D. $(3, -2)$

三、解答题

11. 已知 $\begin{cases} x = 3, \\ y = -1 \end{cases}$ 是方程组 $\begin{cases} 3x + ky = 0, \\ mx + y = 8 \end{cases}$ 的解, 求 k 和 m 的值.

12. 已知方程 $5x + 3y = 22$.

(1)填表:

x	1	2	3	4	5
y					

(2)求出方程的非负整数解(只出解即可).

13. 若 $\begin{cases} x=-2, \\ y=3 \end{cases}$ 是方程 $3x-3y=m$ 和 $5x+y=n$ 的公共解,求 m^2-3n 的值.

14. (1)给你一对数 $\begin{cases} x=1, \\ y=1, \end{cases}$ 你能写出一个二元一次方程,使这对数是满足这个方程的一个解吗?

(2)请你根据写出的二元一次方程,编写一道与它相关的应用题.

15. 甲种物品每个 4 kg,乙种物品每个 7 kg. 现有甲种物品 x 个,乙种物品 y 个,共76 kg.

(1)列出关于 x,y 的二元一次方程.

(2)若 $x=12$,则 $y=$ _____.

(3)若有乙种 8 个,则甲种物品有 _____ 个.

(4)请你用含 x 的代数式表示出 y,然后,再探究出满足条件的 x,y 的全部数值.

标 答与点拨

1. $\dfrac{7-2x}{4}$ $\dfrac{7-4y}{2}$ 2. $\dfrac{7}{2}$ 3. 2 4. $\begin{cases} x=5, \\ y=1; \end{cases}$ $\begin{cases} x=7, \\ y=2; \end{cases}$ 5. $\dfrac{7}{2}$

6. B 7. C 8. A 9. B 10. B

11. 将 $\begin{cases} x=3, \\ y=-1, \end{cases}$ 代入方程组得 $\begin{cases} 9-k=0, \\ 3m-1=8, \end{cases}$ 解得 $\begin{cases} k=9, \\ m=3. \end{cases}$

12. (1)

x	1	2	3	4	5
y	$\frac{17}{3}$	4	$\frac{7}{3}$	$\frac{2}{3}$	-1

(2) $\begin{cases} x=2 \\ y=4 \end{cases}$

13. 将 $\begin{cases} x=-2 \\ y=3 \end{cases}$ 分别代入两方程，得 $-6-9=m$，即 $m=-15$；$-10+3=n$，即 $n=-7$.

所以 $m^2-3n=(-15)^2-3\times(-7)=246$.

14. (1)答案不唯一，如 $2x+3y=5$. (2)略

15. (1)$4x+7y=76$ (2)4 (3)5 (4)$y=\dfrac{76-4x}{7}$，$\begin{cases} x=5, \\ y=8; \end{cases}$ $\begin{cases} x=12, \\ y=4. \end{cases}$

8.2 消 元

教 材内容全解

一、消元思想与代入消元法

二元一次方程组中有两个未知数，如果消去其中一个未知数，将二元一次方程组转化为我们熟悉的一元一次方程，我们就可以先解出一个未知数，然后再设法求另一个未知数. 这种将未知数的个数由多化少，逐一解决的思想，叫做消元思想.

提醒 解二元一次方程组的基本思想就是通过消元，将"二元一次方程"转化为"一元一次方程". 下面所介绍的代入消元法是解二元一次方程组的基本方法之一，必须灵活掌握.

在二元一次方程组中，由二元一次方程组中一个方程，将一个未知数用含另一个未知数的式子表示出来，再代入另一个方程，实现消元，进而求得这个二元一次方程组的解，这种方法叫做代入消元法，简称代入法.

提醒 由代入法的定义可知，用代入法解二元一次方程组的一般步骤是：

① 从方程组中选一个系数比较简单的方程，将这个方程中的一个未知数用含另一个未知数的代数式表示出来.

② 将变形后的关系式代入另一个方程，消去一个未知数，得到一个一元一次方程.

③ 解这个一元一次方程，求出 x(或 y)的值.

④ 将求得的未知数的值代入变形后的关系式中，求出另一个未知数的值.

⑤ 把求得的 x, y 的值用"{"联立起来，就是方程组的解.

例 1 用代入法解方程组 $\begin{cases} 2x+5y=-21, & ① \\ x+3y=8. & ② \end{cases}$

解析 要考虑将一个方程中的某个未知数用含另一个未知数的代数式表示，方

②中 x 的系数是1,因此,可将方程②变形,用含 y 的代数式表示 x,再代入①求解.

解答 由②得 $x=8-3y$,　③
把③代入①,得 $2(8-3y)+5y=-21$,
即 $-y=-37$,
所以 $y=37$.
把 $y=37$ 代入③,得 $x=8-3\times37=-103$.

所以这个方程组的解是 $\begin{cases} x=-103, \\ y=37. \end{cases}$

特别提示

要判断解的结果是不是正确,可以类似解一元一次方程那样进行检验.检验时需将所求得的一对未知数的值分别代入原方程组里的每一个方程中,看一看每一个方程的左右两边是否相等.

例 2 解方程组 $\begin{cases} 5x+2y=15, & ① \\ 8x+3y+1=0. & ② \end{cases}$

解析 选择其中一个方程,将其变形成 $y=ax+b$ 或 $x=ay+b$ 的形式,代入另一个方程求解.

解答 解法一:

由①得 $x=3-\dfrac{2}{5}y$.　③

将③代入②,得 $8\left(3-\dfrac{2}{5}y\right)+3y+1=0$.

解得 $y=125$,将 $y=125$ 代入③,得 $x=-47$.

所以原方程组的解为 $\begin{cases} x=-47, \\ y=125. \end{cases}$

解法二:

由①得 $y=\dfrac{15-5x}{2}$.　④

将④代入②,得 $8x+3\cdot\dfrac{15-5x}{2}+1=0$,

解得 $x=-47$.
将 $x=-47$ 代入④,得 $y=125$.

所以 $\begin{cases} x=-47, \\ y=125. \end{cases}$

解法三:

由②得 $x=-\dfrac{1+3y}{8}$.　⑤

将⑤代入①,得 $5\cdot\left(-\dfrac{1+3y}{8}\right)+2y=15$,

解得 $y=125$.

将 $y=125$ 代入⑤,得 $x=-47$.

所以 $\begin{cases} x=-47, \\ y=125. \end{cases}$

解法四:

由②得 $y=-\dfrac{1+8x}{3}$. ⑥

将⑥代入①,得 $5x+2\left(-\dfrac{1+8x}{3}\right)=15$,

解得 $x=-47$.

将 $x=-47$ 代入⑥,得 $y=125$.

所以 $\begin{cases} x=-47, \\ y=125. \end{cases}$

点评 用"代入法"解二元一次方程组,往往总有以上四种解法,然而力求简捷,由于以上解法中将①式变形为③式较简单,因而解法一较简便.

例 3 用代入法解方程组 $\begin{cases} \dfrac{x}{2}+\dfrac{y}{3}=\dfrac{13}{2}, & ① \\ \dfrac{x}{3}-\dfrac{y}{4}=\dfrac{3}{2}. & ② \end{cases}$

解答 原方程组化简为 $\begin{cases} 3x+2y=39, & ③ \\ 4x-3y=18. & ④ \end{cases}$

由③得 $y=\dfrac{39-3x}{2}$. ⑤

将⑤代入④,得 $4x-3\cdot\dfrac{39-3x}{2}=18$,

解得 $x=9$.

把 $x=9$ 代入⑤,得 $y=6$.

所以原方程组的解为 $\begin{cases} x=9, \\ y=6. \end{cases}$

警示误区

①解方程组时,必须注意"真正"用到每一个方程,才可能求出方程组的解.②用"代入法"解方程组时,由哪一个方程变形代入另一个方程要注意技巧:若方程组中某个未知数在一个方程中的系数是 1 或 −1,变形此方程较好;若未知数的系数都不是 1 或 −1,选系数的绝对值较小的方程变形较好.

二、加减消元法

(1)两个二元一次方程中同一个未知数的系数相反或相等时,将两个方程的两边分别相加或相减,就能消去这个未知数,得到一个一元一次方程,这种方法叫做加减消元法,简称加减法.

提醒 用"加减法"解二元一次方程组时应注意以下三点:

①两个方程中,如果有相同未知数的系数的绝对值相等,那么只要将两个方程的两边相加或相减,就可以消去一个未知数.②两个方程中,如果某个相同未知数的系数成整数倍,可以在系数绝对值小的方程两边乘以倍数,使这个未知数的两个系数的绝对值相等,然后再将两个方程两边分别相加或相减,就可消去这个未知数.③当方程组中两个未知数的系数均不成整数倍时,一般选择系数较简单的未知数消元,将两个方程分别乘以某个数,使该未知数的系数的绝对值相等(即得原两系数的最小公倍数,其绝对值当然相等),再加减消元求解.

(2)用"加减法"解二元一次方程组的一般步骤(假定未知数为 x,y):

① 方程组的两个方程中,如果同一个未知数的系数既不相等又不互为相反数,就用适当的数去乘方程的两边,使某一个未知数的系数相等或互为相反数.

② 把两个方程的两边分别相减或相加,消去一个未知数,得到一个一元一次方程.

③ 解这个一元一次方程,求得未知数的值.

④ 将求出的未知数的值代入原方程组的任意一个方程中,求出另一个未知数的值.

⑤ 把所求得的两个未知数的值写在一起,就得到原方程组的解,用 $\begin{cases} x=m, \\ y=n \end{cases}$ 的形式表示.

例 4 解方程组 $\begin{cases} 4x+3y=9, & ① \\ 6x-4y=5. & ② \end{cases}$

解析 用加减法解方程组时,一般选择系数较简单的未知数消元. 本题中先消去 x,还是先消去 y,其难易程度差不多.

解答 解法一:

①×3,得 $12x+9y=27$, ③

②×2,得 $12x-8y=10$. ④

③-④,得 $17y=17$,解得 $y=1$.

把 $y=1$ 代入①,得 $x=\dfrac{3}{2}$.

所以原方程组的解为 $\begin{cases} x=\dfrac{3}{2}, \\ y=1. \end{cases}$

解法二:

①×4,得 $16x+12y=36$, ⑤

②×3,得 $18x-12y=15$. ⑥

⑤+⑥,得 $34x=51$,解得 $x=\dfrac{3}{2}$.

把 $x=\dfrac{3}{2}$ 代入①,得 $y=1$.

所以原方程组的解为 $\begin{cases} x=\dfrac{3}{2}, \\ y=1. \end{cases}$

解法三:

①×3-②×2,得 $17y=17$,即 $y=1$;

①×4+②×3,得 $34x=51$,即 $x=\dfrac{3}{2}$.

所以原方程组的解为 $\begin{cases} x=\dfrac{3}{2}, \\ y=1. \end{cases}$

点评 由于本例中未知数的系数没有倍数,则应将两个方程同时变形,同时选择系数比较小的未知数消元.从本例提供的三种方法中,你能体会到哪种方法最优吗?

例5 解方程组 $\begin{cases} 1-0.3(y-2)=\dfrac{x+1}{5}, \quad ① \\ \dfrac{y-1}{4}=\dfrac{4x+9}{20}-1. \quad ② \end{cases}$

解析 由于本题结构比较复杂,应先化简成一般形式,再看如何消元.

解答 化简方程组得 $\begin{cases} 2x+3y=14, \quad ③ \\ 4x-5y=6. \quad ④ \end{cases}$

③×2,得 $4x+6y=28$, ⑤

⑤-④,得 $11y=22$,解得 $y=2$.

把 $y=2$ 代入④,得 $4x-5\times2=6$,解得 $x=4$.

即 $\begin{cases} x=4, \\ y=2. \end{cases}$

> **特别提示**
>
> 当方程组比较复杂时,应先化简.化简的方法及步骤是:①去分母(不要漏常数项);②去括号;③移项,合并同类项.

点评 (1)当同一未知数的两个系数互为相反数时,两个方程相加;当同一未知数的两个系数相等时,两个方程相减.

(2)当方程组比较复杂时,应通过去分母、去括号、移项、合并同类项等,使之化为 $\begin{cases} a_1x+b_1y=c_1, \quad ① \\ a_2x+b_2y=c_2 \quad ② \end{cases}$ 的形式(同类项对齐),为加减消元创造有利条件.

(3)当求出一个未知数的值之后,可以把它代入化简后的方程中,求出另一个未知数的值.

(4)检验所求结果是否正确时,必须将所求的一对数值分别代入原方程组的两个方程中检验,既满足方程①,又满足方程②,才说明结果是正确的,否则,说明结果是错误的或检验时计算有误.

例6 解方程组 $\begin{cases} 33x+17y=83, \quad ① \\ 17x+33y=67. \quad ② \end{cases}$

解析 该方程组的两个方程相异未知数的系数和相等,可先分别将两方程相加、减后,再去解可能简便多.

解答 由①+②并整理,得 $x+y=3$. ③

由①-②并整理,

得 $x-y=1$. ④

再由③+④,可得 $x=2$,

③-④,可得 $y=1$.

> **特别提示**
>
> 循常规方法去解二元一次方程组,有时解题过程烦琐、冗长,并不理想,而注意观察其系数特点,便能探究出简捷的解题方法.

所以原方程组的解为 $\begin{cases} x=2, \\ y=1. \end{cases}$

潜 能开发广角

揭示规律

解二元一次方程组的常规方法是：①代入法；②加减法.选择哪种方法要根据具体的题目来确定,但是,对于某些特殊的二元一次方程组(比如系数较大,含字母的项相同等)采用技巧解法可以化繁为简,迅速求解.

例 7 选择适当的方法解下列方程组：

(1) $\begin{cases} 1\ 997x-1\ 999y=1\ 995, & ① \\ 1\ 996x-1\ 998y=1\ 994; & ② \end{cases}$

(2) $\begin{cases} 8\ 359x+1\ 641y=28\ 359, & ① \\ 1\ 641x+8\ 359y=21\ 641. & ② \end{cases}$

解析 (1)观察方程组的特点：相同未知数系数的差都是1,则可利用反复相加、减的方法消元.

(2)观察方程组的特点,注意到相同未知数的系数之和相等,且方程①中 x,y 的系数恰好是方程②中的 y,x 的系数,属 $\begin{cases} ax+by=c_1, \\ bx+ay=c_2 \end{cases}$ 型二元一次方程组,它的特殊方法是直接将两个方程相加、减,反复两次,则可巧妙地迅速求解.

解答 (1)①－②,得 $x-y=1$, ③

③×1 996－②,得 $y=1$,

③×1 999－①,得 $x=2$.

所以原方程组的解为 $\begin{cases} x=2, \\ y=1. \end{cases}$

(2)①＋②,得 $x+y=5$. ③

①－②,得 $x-y=1$. ④

③＋④,得 $x=3$,

③－④,得 $y=2$.

所以原方程组的解是 $\begin{cases} x=3, \\ y=2. \end{cases}$

特别提示

本例揭示了两种特殊的二元一次方程组的解法,这两种解法从抓住系数的特征入手,使本复杂的解题过程变得轻松、巧妙.记住这两个典例,将为以后的举一反三大有帮助.

点评 本例两题都因系数较大,使计算量过大而不宜直接利用常规的代入法或加减法,所以要抓住这些方程组的特点,利用一些巧妙的方法化简.方法虽然多种多样,但目的只有一个,就是消元获解.

例 8 解方程组 $\begin{cases} \dfrac{2x+3y}{4}+\dfrac{2x-3y}{3}=7, \\ \dfrac{2x+3y}{3}+\dfrac{2x-3y}{2}=8. \end{cases}$

解析 本题比较复杂,应化简成一般形式后再看如何消元.

解答 化简方程得 $\begin{cases} 14x-3y=84, & ① \\ 10x-3y=48. & ② \end{cases}$

①-②,得 $4x=36,x=9.$

把 $x=9$ 代入②,得 $90-3y=48,y=14.$

所以原方程组的解为 $\begin{cases} x=9, \\ y=14. \end{cases}$

点评 一般情况下,当方程组比较复杂时,应先化简方程,把方程组化成一般形式. 利用消元法求出一个未知数,可以把它代入方程组求出另一个未知数.对一些比较特殊 的方程组,宜采用简便、灵活的解题方法.本题还有下面的解法,请读者体会.

方法研讨 设 $2x+3y=A,2x-3y=B,$

则原方程组变为 $\begin{cases} \dfrac{A}{4}+\dfrac{B}{3}=7, \\ \dfrac{A}{3}+\dfrac{B}{2}=8, \end{cases}$

即 $\begin{cases} 3A+4B=84, & ① \\ 2A+3B=48. & ② \end{cases}$

①×2,得 $6A+8B=168,$ ③

②×3,得 $6A+9B=144.$ ④

④-③,得 $B=-24.$

把 $B=-24$ 代入②,得 $2A=48-3\times(-24),$

所以 $A=60.$

即 $\begin{cases} 2x+3y=60, & ⑤ \\ 2x-3y=-24. & ⑥ \end{cases}$

⑤+⑥,得 $4x=36,$ 所以 $x=9.$

⑤-⑥,得 $6y=84,$ 所以 $y=14.$

所以原方程组的解是 $\begin{cases} x=9, \\ y=14. \end{cases}$

> **特别提示**
>
> 这种解法是根据方程组中 $2x+3y$ 与 $2x-3y$ 整体出现而采 用的换元法,即先把原方程组看 成含未知数 $(2x+3y),(2x-3y)$ 的二元一次方程组,求出 $2x+ 3y,2x-3y$ 的值后,继续解由它 们组成的方程组,从而求出 x,y 的大小.所谓的换元法是把一个 数学式子或者其中一部分看做 一个整体,用一个中间变量去代换, 从而达到简化式子的目的.

前沿考向

二元一次方程组的解法是历届中考命题的重点之一.加减消元法和代入消元法是 解二元一次方程组的基本方法之一,同学们必须准确掌握,并能灵活运用.有了这个基 础,利用二元一次方程组的"解"的意义解答一些较为新颖的中考题便不在话下.

一、将"解"代回,求未知的系数

例9 合作交流:

小明和小刚同时解方程组 $\begin{cases} ax+by=26, \\ cx+y=6. \end{cases}$

图 8-2-1

请根据小明和小刚的对话,试求 a,b,c 的值.

解析 要求出 a,b,c 的值,必须找出满足条件的三元一次方程组,分别把小明求出的 x,y 值代入原方程,把小刚求出的 x,y 的值代入 $ax+by=26$ 中即可.

解答 把 $x=4,y=-2$ 代入原方程组中得

$4a-2b=26,$ ①

$4c-2=6.$ ②

把 $x=7,y=3$ 代入 $ax+by=26$ 中得

$7a+3b=26.$ ③

将①、②、③联立成方程组

$\begin{cases} 4a-2b=26, \\ 4c-2=6, \\ 7a+3b=26, \end{cases}$ 得 $\begin{cases} a=5, \\ b=-3, \\ c=2. \end{cases}$ 故 a,b,c 的值分别为 $5,-3,2$.

> **方法规律**
>
> 当问题所给的条件中(或隐含)有"x,y 是原方程……的解"时,将解代入,便是利用"解"的意义解题的具体体现.本例中,小刚求出的解只满足方程 $ax+by=26$ 而不满足方程 $cx+y=6$,这一点极容易出错,应在理解题意上去克服.

二、根据"解"所满足的条件求未知的系数

例10 已知关于 x,y 的方程组 $\begin{cases} x+2y=5m, & ① \\ x-2y=9m & ② \end{cases}$ 的解满足方程 $3x+2y=19$,求 m 的值.

解析 要求 m 就必须设法建立关于 m 的方程,因此,应先求出方程组的解,然后将所求出的解代入 $3x+2y=19$ 中,问题便可解决.

解答 ①+②,得 $2x=14m$,

即 $x=7m.$ ③

> **特别提示**
>
> 观察方程组中两个方程的系数特征,将两个方程相加可消去 y,将两个方程相减可消去 x.

①－②，得 $4y=-4m$，

即 $y=-m$. ④

把③、④代入方程 $3x+2y=19$ 中，

得 $3\times 7m+2\cdot(-m)=19$，

所以 $m=1$.

点评 此题综合运用加减法和代入法达到消元的目的，体现了对知识灵活运用能力的考查. 假若将问题作下面这样的变动，你能迅速地求出 m 的值吗？

问题：已知方程 $\begin{cases} 2\,004x+2\,003y=2\,000m, \\ 2\,003x+2\,004y=2\,007m \end{cases}$ 的解满足 $x+y=1$，求 m.

例 11 已知方程组 $\begin{cases} ax-by=4, \\ ax+by=6 \end{cases}$ 与方程组 $\begin{cases} 3x-y=5, \\ 4x-7y=1 \end{cases}$ 的解相同，求 a,b 的值.

解析 因为两个方程组的解相同，所以可以先求出方程组 $\begin{cases} 3x-y=5, \\ 4x-7y=1 \end{cases}$ 的解，然后把此解代入方程组 $\begin{cases} ax-by=4, \\ ax+by=6 \end{cases}$ 中得到关于 a,b 的二元一次方程组，解这个方程组，即可求出 a,b 的值.

解答 解方程组 $\begin{cases} 3x-y=5, \\ 4x-7y=1, \end{cases}$ 得 $\begin{cases} x=2, \\ y=1. \end{cases}$

把 $\begin{cases} x=2, \\ y=1 \end{cases}$ 代入方程组 $\begin{cases} ax-by=4, \\ ax+by=6, \end{cases}$ 得 $\begin{cases} 2a-b=4, \\ 2a+b=6. \end{cases}$

解这个方程组，得 $\begin{cases} a=\dfrac{5}{2}, \\ b=1. \end{cases}$

点评 由于此题的解题步骤较多，所以解方程组的过程可以省略. 若将本例作如下变动，你能寻求到解题的方法吗？

问题：已知方程组 $\begin{cases} ax-by=4, \\ 3x-y=5 \end{cases}$ 与方程组 $\begin{cases} ax+by=6, \\ 4x-7y=1 \end{cases}$ 的解相同，求 a,b 的值.

三、"巧解"名题

例 12 如果关于 x,y 的二元一次方程组 $\begin{cases} 3x-ay=16, \\ 2x+by=15 \end{cases}$ 的解是 $\begin{cases} x=7, \\ y=1, \end{cases}$

那么关于 x,y 的方程组 $\begin{cases} 3(x+y)-a(x-y)=16, \\ 2(x+y)+b(x-y)=15 \end{cases}$ 的解是多少？此题解法上的技巧是什么？试根据两个方程组的特点加以分析并求解.

解析 如果用一般解法，先求 a,b 的值，再代入第二个方程组求 x,y 的值比较麻烦，仔细观察两个方程组，比较它们的异同，发现 x 与 $x+y$ 不同，y 与 $x-y$ 不同，其他

完全相同.由第一方程组的解为 $\begin{cases} x=7, \\ y=1, \end{cases}$ 可得 $\begin{cases} x+y=7, \\ x-y=1, \end{cases}$ 解这个方程组即可求出原方程组的解.

解答 根据两个方程组的特点,可得 $\begin{cases} x+y=7, & ① \\ x-y=1. & ② \end{cases}$

①+②,得 $x=4$.把 $x=4$ 代入①,得 $y=3$.

所以原方程组的解为 $\begin{cases} x=4, \\ y=3. \end{cases}$

点评 此题的解题技巧是把 $x+y$ 和 $x-y$ 看做一个整体,当作第一个方程中的 x,y,即得到 $\begin{cases} x+y=7, \\ x-y=1, \end{cases}$ 由此解出 x,y 的值.

综合方法

方程是解决数学问题的重要工具,很多数学问题都可以转化为方程问题而获解.上学期我们研究了利用一元一次方程解应用题,事实上,很多一元一次方程的应用题用二元一次方程组来解思维更直接,列方程更简单.

四、构建二元一次方程(组)的模型解数式类问题

例 13 已知 $\begin{cases} 4x-3y-3z=0, \\ x-3y-z=0, \end{cases}$

求:(1) $x:z$;

(2) $x:y:z$;

(3) $\dfrac{xy+2yz}{x^2+y^2-z^2}$ 的值.

解析 所给方程组中含有三个未知数,由两个方程组成,要把 x,y,z 的值求出来是不可能的,但方程组具有的特点是"常数项"为零,要求比值可以做到.方法与解一般方程组的方法相同,这时须把某一个字母视为"已知数",另两个字母视为"未知数",解方程组,用"已知数"的代数式把"未知数"表示出来,问题就得以解决.

解答 (1)在所给条件中,把 y 视为已知数,解关于 x,z 的二元一次方程组 $\begin{cases} 4x-3z=3y, \\ x-z=3y, \end{cases}$

解得 $\begin{cases} x=-6y, \\ z=-9y, \end{cases}$

思想方法

本例解题的思想方法是"主元法".所谓主元法,就是在处理含有多个"元"的数学问题时,选择其中一个变量为主元素,而将其余各量视为常量,使之出现我们所熟悉的结构形式.本例通过把"y"视为已知数,将"三元"的问题转化为"二元"来解决.

所以 $x:z=2:3$.

(2)由(1)的结论 $x=-6y$,$z=-9y$,

得 $x:y:z=(-6y):y:(-9y)=(-6):1:(-9)$.

(3)同样可由(1)的结论 $x=-6y$,$z=-9y$,

代入化简,$\dfrac{xy+2yz}{x^2+y^2-z^2}=\dfrac{(-6y)\cdot y+2y\cdot(-9y)}{(-6y)^2+y^2-(-9y)^2}=\dfrac{-24y^2}{-44y^2}=\dfrac{6}{11}$.

点评 解含有字母系数的方程组时,仍然同数字系数方程组的解法一样,可以灵活运用代入消元法、加减消元法进行求解.

五、构建二元一次方程(组)的模型解应用题

例14 (2004 年北京中考题)某山区有 23 名中、小学生因贫困失学需要捐助.资助一名中学生的学习费用需要 a 元,一名小学生的学习费用需要 b 元.某校学生积极捐款,初中各年级学生捐款数额与用其恰好捐助贫困中学生和小学生人数的部分情况如下表:

年 级	捐款数额(元)	捐助贫困中学生人数(名)	捐助贫困小学生人数(名)
初一年级	4 000	2	4
初二年级	4 200	3	3
初三年级	7 400		

(1)求 a,b 的值;

(2)初三年级学生的捐款解决了其余贫困中、小学生的学习费用,请将初三年级学生可捐助的贫困中、小学生人数直接填入上表中.(不需写出计算过程)

解析 若求 a,b,需建立关于 a,b 的二元一次方程组,通过阅读及理解本例中的条件,不难发现问题中有两个等量关系:

① 初一年级:捐助贫困中学生的捐款数+捐助贫困小学生的捐款数=4 000;

② 初二年级:捐助贫困中学生的捐款数+捐助贫困小学生的捐款数=4 200.

根据上述关系,即可列出方程组.

解答 (1)根据题意,得 $\begin{cases} 2a+4b=4\ 000, \\ 3a+3b=4\ 200. \end{cases}$

> **方法规律**
> 　分析题意时,要注意挖掘问题中隐含条件,本例通过阅读表格发现问题中的相等关系.

解这个方程组,得 $\begin{cases} a=800, \\ b=600. \end{cases}$

(2)初三年级学生捐款捐助贫困中学生人数为 4 名,捐助贫困小学生人数为 7 名.

例15 (2004 年浙江绍兴中考题)华英学校七年级(2)班的一个综合实践活动小组去 A,B 两个超市调查去年和今年"五一"节期间的销售情况,图 8-2-2 所示是调查

后小明与其他两名同学交流的情况. 根据他们的对话, 请你分别求出 A, B 两个超市今年"五一"节期间的销售额.

图 8 - 2 - 2

解析 此题中有两个未知数——A, B 两个超市今年"五一"节的销售额, 有两个相等关系: ①两超市去年的销售额共 150 万元; ②两超市今年的销售额共 170 万元.

解答 设今年 A, B 两个超市"五一"节期间的销售额分别为 x 万元和 y 万元, 依题意, 得

$$\begin{cases} x + y = 170, \\ \dfrac{x}{1+15\%} + \dfrac{y}{1+10\%} = 150. \end{cases}$$

解这个方程组, 得 $\begin{cases} x = 115, \\ y = 55. \end{cases}$

答: A, B 两个超市今年"五一"节期间的销售额分别为 115 万元、55 万元.

点评 通过审题找相等关系是列方程解应用题的关键. 问题中的相等关系有的是明显的, 有的则隐含在题目中, 需要分析才能找出. 一般情况下, 要求两个未知量, 必须找出两个相对独立的条件, 建立两个方程才能求解.

拓展延伸

以上, 我们所碰到的二元一次方程组, 其解都是唯一的一组, 然而, 对任意一个二元一次方程组来说, 可能有唯一一组解, 可能有无数组解, 也可能没有解. 你想知道这方面的知识吗? 不妨研读下文.

二元一次方程组的解的讨论:

现在, 我们不妨用字母来表示未知数的系数和常数项, 列出一个二元一次方程组

$$\begin{cases} a_1 x + b_1 y = c_1, & ① \\ a_2 x + b_2 y = c_2. & ② \end{cases}$$ (其中 a_1, b_1 不同时为零, a_2, b_2 也不同时为零)

①$\times b_2 -$②$\times b_1$, 得 $(a_1 b_2 - a_2 b_1) x = c_1 b_2 - c_2 b_1$, ③

②$\times a_1 -$①$\times a_2$, 得 $(a_1 b_2 - a_2 b_1) y = a_1 c_2 - a_2 c_1$. ④

(1)若 $a_1b_2-a_2b_1\neq 0$，即 $\dfrac{a_1}{a_2}\neq\dfrac{b_1}{b_2}$ 时，由③、④得方程组的唯一一组解:

$$\begin{cases} x=\dfrac{c_1b_2-c_2b_1}{a_1b_2-a_2b_1}, \\ y=\dfrac{a_1c_2-a_2c_1}{a_1b_2-a_2b_1}. \end{cases}$$

(2)若 $a_1b_2-a_2b_1=0$ 且 $a_1c_2-a_2c_1=0$，即 $\dfrac{a_1}{a_2}=\dfrac{b_1}{b_2}=\dfrac{c_1}{c_2}$ 时，可推得 $c_1b_2-c_2b_1=0$，方程③和④都有无数个解，因此，原方程组有无数组解.

(3)若 $a_1b_2-a_2b_1=0$，而 $a_1c_2-a_2c_1\neq 0$，即 $\dfrac{a_1}{a_2}=\dfrac{b_1}{b_2}\neq\dfrac{c_1}{c_2}$ 时，可推得 $c_1b_2-c_2b_1\neq 0$，方程③和④均无解，所以原方程组无解.

例16 不解方程，判断下列各方程组解的情况:

(1) $\begin{cases} 12x-13y=9, \\ 7x-2y=38; \end{cases}$　　(2) $\begin{cases} s+2t=4, \\ t+\dfrac{s}{2}=6; \end{cases}$　　(3) $\begin{cases} 30x-6y=15, \\ 4x-\dfrac{4}{5}y=2. \end{cases}$

解答　(1)因为 $\dfrac{12}{7}\neq\dfrac{-13}{-2}$，所以原方程组有唯一一组解.

(2)原方程组即 $\begin{cases} s+2t=4, \\ s+2t=12. \end{cases}$

因为 $\dfrac{1}{1}=\dfrac{2}{2}\neq\dfrac{4}{12}$，所以原方程组无解.

(3)原方程组即 $\begin{cases} 30x-6y=15, \\ 20x-4y=10. \end{cases}$

因为 $\dfrac{30}{20}=\dfrac{-6}{-4}=\dfrac{15}{10}$，所以原方程组有无数组解.

探索　请同学们根据上面研究的结果，解答下面的问题:

当 a,b 为何值时，关于 x,y 的方程组 $\begin{cases} ax+3y=b, \\ 3x-2y=b-3, \end{cases}$

(1)有唯一解;

(2)有无数组解;

(3)无解.

随堂能力测试

一、填空题

1. 用代入法解方程组 $\begin{cases} 2x-y=-3, & ① \\ 3x-7y=10, & ② \end{cases}$ 较简便的解题步骤是:先把方程_____变为

_____，再代入方程_____，求得_____的值，然后再求_____的值.

2. 已知 $\begin{cases} x=1, \\ y=1 \end{cases}$ 和 $\begin{cases} x=-1, \\ y=-2 \end{cases}$ 是关于 x,y 的二元一次方程 $2ax-by=2$ 的两解，则 $a=$ _____，$b=$ _____.

3. 在二元一次方程 $4x-3y=14$ 中，若 x,y 互为相反数，则 $x=$ _____，$y=$ _____.

4. 若方程组 $\begin{cases} 2x+3y=4, \\ 3x+2y=2m-3 \end{cases}$ 的解满足 $x+y=\dfrac{1}{5}$，则 $m=$ _____.

5. 如果 $\begin{cases} x=-m, \\ y=-n \end{cases}$ 满足二元一次方程组 $\begin{cases} x+2y=5, \\ 2x+y=7, \end{cases}$ 那么 $\dfrac{3m+2n}{5m-n}=$ _____.

6. 若 $\begin{cases} 3x+y=m, \\ x-3y=m, \end{cases}$ 则 $\dfrac{x}{y}=$ _____.

二、选择题

7. 方程 $2x-y=3$ 和 $3x+2y=1$ 的公共解是 （　　）

A. $\begin{cases} x=0 \\ y=\dfrac{1}{2} \end{cases}$　　B. $\begin{cases} x=0 \\ y=-3 \end{cases}$　　C. $\begin{cases} x=\dfrac{1}{2} \\ y=-2 \end{cases}$　　D. $\begin{cases} x=1 \\ y=-1 \end{cases}$

8. 方程组 $\begin{cases} x=y+5, \\ 2x-y=5 \end{cases}$ 的解满足 $x+y+a=0$，则 a 的值是 （　　）

A. 5　　　　B. -5　　　　C. 3　　　　D. -3

9. 二元一次方程组 $\begin{cases} 9x+4y=1, \\ x+6y=-11 \end{cases}$ 的解满足 $2x-ky=10$，则 k 的值等于 （　　）

A. 4　　　　B. -4　　　　C. 8　　　　D. -8

10. 解方程组 $\begin{cases} 3x+5y=12, \\ 3x-5y=-6, \end{cases}$ 比较简便的方法为 （　　）

A. 代入法　　　　　　　　B. 加减法
C. 换元法　　　　　　　　D. 三种方法都一样

11. 若二元一次方程 $2x+y=3$，$3x-y=2$ 和 $2x-my=-1$ 有公共解，则 m 取值为 （　　）

A. -2　　　　B. -1　　　　C. 3　　　　D. 4

12. 甲、乙两人同求方程 $ax-by=7$ 的整数解，甲正确地求出一个解为 $\begin{cases} x=1, \\ y=-1, \end{cases}$ 乙把 $ax-by=7$ 看成 $ax-by=1$，求得一个解为 $\begin{cases} x=1, \\ y=2, \end{cases}$ 则 a,b 的值分别为 （　　）

A. $\begin{cases} a=2 \\ b=5 \end{cases}$　　B. $\begin{cases} a=5 \\ b=2 \end{cases}$　　C. $\begin{cases} a=3 \\ b=5 \end{cases}$　　D. $\begin{cases} a=5 \\ b=3 \end{cases}$

三、解答题

13. 解方程组：

(1) $\begin{cases} m - \dfrac{n}{2} = 2, \\ 2m + 3n = 12; \end{cases}$
    (2) $\begin{cases} 3x + 2y = 5x + 2, \\ 2(3x + 2y) = 11x + 7; \end{cases}$

(3) $\begin{cases} \dfrac{x+y}{3} + \dfrac{x-y}{2} = 6, \\ 3(x+y) - 2(x-y) = 28; \end{cases}$
    (4) $\begin{cases} 5x - 6 = \dfrac{5}{6} + 7y, \\ \dfrac{x}{3} = \dfrac{1+y}{2}. \end{cases}$

14. 若方程组 $\begin{cases} 2x + 3y = m, \\ 3x + 5y = m + 2 \end{cases}$ 的解满足 $x + y = 12$，求 m 的值.

15.已知方程组 $\begin{cases}2x+5y=-26,\\ax-by=-4\end{cases}$ 和方程组 $\begin{cases}3x-5y=36,\\bx+ay=-8\end{cases}$ 的解相同，求 $(2a+b)^{2005}$ 的值.

16.一、二两班共有 100 名学生，他们的体育达标率（达到标准的百分率）为 81%.如果一班学生的体育达标率为 87.5%，二班的达标率为 75%，那么一、二两班的学生数各是多少？

设一、二两班学生数分别为 x 名和 y 名，填写下表，并求出 x,y 的值.

	一　班	二　班	两班总和
学 生 数			
达标学生数			

17.m 为正整数，已知二元一次方程组 $\begin{cases}mx+2y=10,\\3x-2y=0\end{cases}$ 有整数解，即 x,y 均为整数，则 m^2 的值是多少？

标 答与点拨

1. ① $y=2x+3$ ② x y **2.** 3 4 **3.** 2 −2 **4.** 0 **5.** $\dfrac{11}{14}$ **6.** −2

7. D **8.** A **9.** A **10.** B **11.** C **12.** B

13. (1) $\begin{cases} m=3 \\ n=2 \end{cases}$ (2) $\begin{cases} x=-3 \\ y=-2 \end{cases}$ (3) $\begin{cases} x=8 \\ y=4 \end{cases}$ (4) $\begin{cases} x=-\dfrac{1}{2} \\ y=-\dfrac{4}{3} \end{cases}$

14. 解方程组得 $\begin{cases} x=2m-6, \\ y=-m+4. \end{cases}$

由 $x+y=12$,得 $(2m-6)+(-m+4)=12$,

解得 $m=14$.

15. 解方程组 $\begin{cases} 2x+5y=-26, \\ 3x-5y=36, \end{cases}$ 得 $\begin{cases} x=2, \\ y=-6. \end{cases}$

代入 $\begin{cases} ax-by=-4 \\ bx+ay=-8 \end{cases}$ 中,得 $\begin{cases} 2a+6b=-4 \\ 2b-6a=-8 \end{cases}$,解得 $\begin{cases} a=1 \\ b=-1. \end{cases}$

所以 $(2a+b)^{2\,005}=1$.

16.

	一 班	二 班	两班总和
学 生 数	x	y	100
达标学生数	87.5%x	75%y	81%×100

可列方程组为 $\begin{cases} x+y=100, \\ 87.5\%x+75\%y=81\%\times100, \end{cases}$

解得 $\begin{cases} x=48, \\ y=52. \end{cases}$

17. 将方程组的两方程相加得 $(m+3)x=10$,

变形为 $m=\dfrac{10}{x}-3$.

因为 m 为正整数,x 为整数,

所以 $\begin{cases} x=1, \\ m=7; \end{cases}$ $\begin{cases} x=2, \\ m=2. \end{cases}$

又 $3x-2y=0$,所以当 $x=1$ 时,y 不为整数,

故 $\begin{cases} x=1, \\ m=7 \end{cases}$ 不合题意.

所以 $\begin{cases} x=2, \\ m=2, \end{cases}$ 所以 $m^2=4$.

8.3 再探实际问题与二元一次方程组

教 材内容全解

一、列方程组解应用题的基本思想

列方程组解应用题,是把"未知"转化成"已知"的重要方法.它的关键是把已知量和未知量联系起来,找出题目中的相等关系.一般来说,有几个未知量就必须列出几个方程,所列方程必须满足:①方程两边表示的是同类量;②同类量的单位要统一;③方程两边的数值要相等.

二、列一次方程组解应用题的一般步骤

(1)审题,弄清题意及题目中的数量关系.

(2)设未知数,可直接设元,也可间接设元.

(3)列出方程组,根据题目中能表示全部含义的相等关系列出方程,并组成方程组.

(4)解所列方程组,并检验解的正确性.

(5)写出答案.

提醒 ①解实际应用问题必须写"答",而且在写答案前要根据应用题的实际意义,检查求得的结果是否合理,不符合题意的解应该舍去.②"设"、"答"两步,都要写清单位名称.③一般来说,设几个未知数,就应列出几个方程并组成方程组.

三、列方程组解应用题的常见题型

1. 和差倍分问题

解这类问题的基本相等关系是:

(1)较大量＝较小量＋多余量;(2)总量＝倍数×1 倍量.

例 1 (2005 年吉林课改实验区)随着我国人口增长速度的减慢,小学入学儿童数量每年按逐渐减少的趋势发展,某区 2003 年和 2004 年小学入学儿童人数的比为 8：7,且 2003 年入学人数的 2 倍比 2004 年入学人数的 3 倍少 1 500 人.某人估计 2005 年入学儿童数将超过 2 300 人.请你通过计算,判断他的估计是否符合当前的变化趋势.

解析 可以分别求出 2003 年和 2004 年小学入学儿童的人数,然后根据"逐渐减少"这一变化趋势,进行分析和判断.

解答 设 2003 年入学儿童人数为 x 人,2004 年入学儿童人数为 y 人.

根据题意,得 $\begin{cases} 7x = 8y, \\ 2x = 3y - 1\,500. \end{cases}$

解得 $\begin{cases} x = 2\,400, \\ y = 2\,100. \end{cases}$

因为 2 300>2 100,

所以他的估计不符合当前入学儿童逐渐减少的变化趋势.

点评 列一次方程组解应用题的解题步骤与列一元一次方程解应用题基本相同. 在解答多个未知数且关系复杂的应用题时,列一次方程组比列一元一次方程容易.

2.产品配套问题

解这类问题的基本数量关系是:加工总量成比例.

例2 某车间有 28 名工人参加生产某种特制的螺丝和螺母,已知平均每人每天只生产螺丝 12 个或螺母 18 个,一个螺丝装配两个螺母.问:应怎样安排生产螺母的工人,才能使每天的产品正好配套?

解答 设每天安排 x 人生产螺丝,y 人生产螺母,那么每天能生产螺丝 $12x$ 个,螺母 $18y$ 个.

根据题意,得 $\begin{cases} x+y=28, \\ 12x:18y=1:2. \end{cases}$

解得 $\begin{cases} x=12, \\ y=16. \end{cases}$

答:应安排 12 人生产螺丝,16 人生产螺母.

> **特别提示**
>
> 用二元一次方程组解决相关问题的关键在于构造二元一次方程组. 要学会读题、断句、找关键.

点评 对学有困难的同学可以采用列表法帮助分析:

	生产人数	工 效	总 数
螺 丝	x	12	$12x$
螺 母	y	18	$18y$

在表格填写后,相等关系自然就会显现出来.

3.盈亏问题

解这类问题的关键是从盈(过剩)、亏(不足)两个角度来把握事物的总量.

例3 某校为七年级学生安排宿舍,若每间宿舍住 5 人,则有 4 人住不下;若每间住 6 人,则有一间只住 4 人,且空两间宿舍.求该年级寄宿生人数及宿舍间数.

解析 本题相等关系较明显,即"若每间宿舍住 5 人,则有 4 人住不下"和"若每间住 6 人,则有一间只住 4 人,且空两间宿舍",将这两句"译"成相等关系即可.当条件中并非有明显的"多、少"关系时,要注意结合实际,先将其转换成数量上的关系.

解答 解法一:

设该年级寄宿人数为 x 人,有宿舍 y 间.

根据题意,得 $\begin{cases} x-4=5y, \\ x+2=6(y-2). \end{cases}$

解这个方程组,得 $\begin{cases} x=94, \\ y=18. \end{cases}$

经检验,它是所列方程组的解,符合题意.

答:该年级寄宿生 94 人,宿舍 18 间.

解法二:

同上法得第一个方程,第二个方程可视作安排了 $(y-3)$ 间宿舍而有 4 人住不下,得方程 $x-4=6(y-3)$.

点评 本题考查列方程组解应用题中基本相等关系的寻找方法.题中"有 4 人住不下",即安排人数比总人数少 4 人;"空两间宿舍"即安排了 $(y-2)$ 间宿舍.

4. 工程问题

解答这类问题的基本关系式是:工作量＝工作效率×工作时间.一般分为两类,一类是一般的工程问题,一类是工作总量为 1 的工程问题.

例 4 一批机器零件共 840 个,如果甲先做 4 天,乙加入合做,那么再做 8 天才能完成;如果乙先做 4 天,甲加入合做,那么再做 9 天才能完成.问:两人每天各做多少个机器零件?

解答 设甲每天做 x 个机器零件,乙每天做 y 个机器零件.

根据题意,得 $\begin{cases} (4+8)x+8y=840, \\ 9x+(4+9)y=840. \end{cases}$

解之,得 $\begin{cases} x=50, \\ y=30. \end{cases}$

答:甲、乙两人每天做机器零件分别为 50 个,30 个.

例 5 一项工程,甲队单独做要 12 天完成,乙队单独做要 15 天完成,丙队单独做要 20 天完成.按原定计划,这项工程要求在 7 天内完成.现在甲、乙两队先合做若干天,以后为加快速度,丙队也同时加入这项工作,这样比原定时间提前一天完成任务.问:甲、乙两队合做了多少天?丙队加入后又做了多少天?

解答 设甲、乙两队先合做了 x 天,丙队加入后又做了 y 天.

根据题意,得 $\begin{cases} x+y=7-1, \\ x\cdot\left(\dfrac{1}{12}+\dfrac{1}{15}\right)+y\cdot\left(\dfrac{1}{12}+\dfrac{1}{15}+\dfrac{1}{20}\right)=1. \end{cases}$

解之,得 $\begin{cases} x=4, \\ y=2. \end{cases}$

答:甲、乙两队先合做了 4 天,丙队加入后又做了 2 天.

点评 ①工程类问题中相等关系一般都比较明显,常见的一组相等关系是:两个或几个工作效率不同的对象所完成的工作量等于工作总量.②在工程类问题中如果没有工作总量,一般情况下把工作总量设为单位"1"。

5.增长率问题

解这类问题的基本相等关系式是：

(1)增长量＝原有量×增长率；

(2)原有量＝现有量－增长量；

(3)现有量＝原有量×(1＋增长率).

例6 某工厂去年总产值比总支出多 500 万元，而今年计划的总产值比总支出多 950 万元.已知今年计划总产值比去年增加 15%，而计划总支出比去年减少 10%.求今年计划的总产值和总支出各是多少.

解答 解法一：

设今年计划总产值为 x 万元，计划总支出为 y 元，则去年的总产值为 $\dfrac{x}{1+15\%}$ 万元，去年的总支出为 $\dfrac{y}{1-10\%}$ 万元.

依题意，得 $\begin{cases} \dfrac{x}{1+15\%} - \dfrac{y}{1-10\%} = 500, \\ x - y = 950. \end{cases}$

解之，得 $\begin{cases} x = 2\,300, \\ y = 1\,350. \end{cases}$

答：今年总产值为 2 300 万元，总支出为 1 350 万元.

解法二：

设去年总产值为 x 万元，总支出为 y 万元，则今年计划的总产值为 $(1+15\%)x$ 万元，总支出为 $(1-10\%)y$ 万元.

依题意，得 $\begin{cases} (1+15\%)x - (1-10\%)y = 950, \\ x - y = 500. \end{cases}$

解之，得 $\begin{cases} x = 2\,000, \\ y = 1\,500. \end{cases}$

所以今年的总产值为 $2\,000 \times (1+15\%) = 2\,300$（万元），

今年的总支出为 $1\,500 \times (1-10\%) = 1\,350$（万元）.

答：今年总产值为 2 300 万元，总支出为 1 350 万元.

点评 本例解法中，解法一采用的是直接设元，解法二采用间接设元.有时间接设元思维直接，容易把握.比较本例两种设元方式，体会一下哪个最优.

6.几何问题

解答这类问题的基本关系是有关几何图形的性质、周长、面积等计算公式.

例7 有两个长方形，第一个长方形的长与宽之比为 5：4，第二个长方形的长与宽之比为 3：2.第一个长方形的周长比第二个长方形的周长大 112，第一个长方形的宽比第二个长方形的长的 2 倍还大 6 cm.求这两个长方形的面积.

解析 由于本例中涉及的数量关系较多,为了理清关系,可以利用列表法帮助思考.

	长	宽	周 长
第一个长方形	$5x$	$4x$	$2(5x+4x)$
第二个长方形	$3y$	$2y$	$2(3y+2y)$

解答 设第一个长方形的长与宽分别为 $5x$ cm 和 $4x$ cm,第二个长方形的长与宽分别为 $3y$ cm 和 $2y$ cm.

根据题意,得 $\begin{cases} 2(5x+4x)-2(3y+2y)=112, \\ 4x=2\times 3y+6. \end{cases}$

解之,得 $\begin{cases} x=9, \\ y=5. \end{cases}$

从而 $5x\cdot 4x=20x^2=1\,620,\ 3y\cdot 2y=6y^2=150.$

答:这两个长方形的面积分别为 $1\,620$ cm² 和 150 cm².

7. 年龄问题

解这类问题的关键是抓住两个人年龄的增长数相等,两人的年龄差是永远不会变的.

例 8 师傅对徒弟说:"我像你这样大时,你才 4 岁;将来当你像我这样大时,我已经是 52 岁的老人了."问:这位师傅与徒弟现在的年龄各是多少?

解答 设现在师傅 x 岁,徒弟 y 岁.

根据题意,得 $\begin{cases} x-y=y-4, \\ 52-x=x-y. \end{cases}$

解之,得 $\begin{cases} x=36, \\ y=20. \end{cases}$

答:现在师傅 36 岁,徒弟 20 岁.

8. 数字问题

解这类问题,首先要正确掌握自然数、奇数、偶数等有关数的概念、特征及其表示.如当 n 为整数时,奇数可表示为 $2n+1$(或 $2n-1$),偶数可表示为 $2n$ 等.有关两位数的基本相等关系式为:两位数=十位数字×10+个位数字.

例 9 一个两位数的十位数字与个位数字的和是 7,如果这个两位数加上 45,则恰好成为个位数字与十位数字对调后组成的两位数.求这个两位数.

解析 这个问题有两个未知数——十位数字和个位数字.相等关系是:原来的两位数+45=对调后组成的两位数.如果将这个两位数表示为 $10x+y$,则对调后的两位数表示为 $10y+x$,然后根据题意可列出二元一次方程组.

解答 设这个两位数的十位数字为 x,个位数字为 y.

根据题意,得 $\begin{cases} x+y=7, & ① \\ 10x+y+45=10y+x. & ② \end{cases}$

解这个方程组，得 $\begin{cases} x=1, \\ y=6. \end{cases}$

答：这个两位数是 16.

点评 对于两位数、三位数的数字问题，关键是明确它们与各数位上的数字之间的关系：

两位数＝十位数字×10＋个位数字；

三位数＝百位数字×100＋十位数字×10＋个位数字.

9.行程问题

解这类问题的基本关系式是：路程＝速度×时间. 此类问题一般分为相遇问题、追及问题及环形道路问题. 现列表归纳如下：

类　　型		相等关系式
相　遇	相向而行	甲走的路程＋乙走的路程＝总路程
追　及	同时不同地	前者走的路程＋两者间的距离＝追者走的路程
	同地不同时	前者所用时间－多用时间＝追者所用时间
环形道路	同向出发	前者走的路程－后者走的路程＝环形周长
	反向出发	甲走的路程＋乙走的路程＝环形周长

例 10 一列快车长 70 m，慢车长 80 m，若两车同向而行，快车从追上慢车到完全离开慢车所用时间（即"会车"时间）为 20 s；若两车相向而行，则两车从相遇到离开时间为 4 s. 求两车每小时各行多少千米.

解析 此题是追及问题和相遇问题的一种变式，这类问题的解决关键在于路程的确定. 同向而行时，可看做快车的车尾追慢车的车头，属同时不同地（相距 70 m＋80 m）（如图 8－3－1 所示）；相向而行时，可看做两车的车尾从相距 70 m＋80 m 的两地相向而行到相遇（如图 8－3－2 所示）.

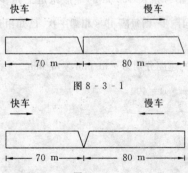

图 8－3－1

图 8－3－2

解答 设快车、慢车每秒分别行驶 x m，y m，

则 $\begin{cases} 20x-20y=70+80, \\ 4x+4y=70+80. \end{cases}$

解得 $\begin{cases} x=22.5, \\ y=15. \end{cases}$

又 $1\text{ m}=\dfrac{1}{1\,000}\text{ km},1\text{ s}=\dfrac{1}{3\,600}\text{ h},$

所以快车速度 $=\dfrac{22.5\times\dfrac{1}{1\,000}}{\dfrac{1}{3\,600}}\text{ km/h}=81\text{ km/h},$

慢车速度 $=\dfrac{15\times\dfrac{1}{1\,000}}{\dfrac{1}{3\,600}}\text{ km/h}=54\text{ km/h}.$

答:快车和慢车每小时分别行驶 81 km 和 54 km.

例 11 某人从甲地骑车出发,先以 12 km/h 的速度下山坡,后以 9 km/h 的速度过公路到达乙地,共用 55 min;返回时,按原路先以 8 km/h 的速度过公路,后以 4 km/h 的速度上山坡回到甲地,共用 1 h 30 min. 问:甲地到乙地共多少千米?

解答 设甲地到乙地山坡路为 x km,公路为 y km.

根据题意,得 $\begin{cases} \dfrac{x}{12}+\dfrac{y}{9}=\dfrac{55}{60}, \\ \dfrac{x}{4}+\dfrac{y}{8}=\dfrac{3}{2}. \end{cases}$

解之,得 $\begin{cases} x=3, \\ y=6. \end{cases}$

答:甲地到乙地共 9 km.

例 12 甲、乙两人在一条长 400 m 的环形跑道上跑步,若同向跑步,则每隔 $3\dfrac{1}{3}$ min 相遇一次;若反向跑步,则每隔 40 s 相遇一次.已知甲比乙跑得快,求甲、乙两人的速度.

解答 设甲、乙两人的速度分别为 x m/min,y m/min.

根据题意,得 $\begin{cases} 3\dfrac{1}{3}(x-y)=400, \\ \dfrac{40}{60}(x+y)=400. \end{cases}$

即 $\begin{cases} x-y=120, \\ x+y=600. \end{cases}$

解这个方程组,得 $\begin{cases} x=360, \\ y=240. \end{cases}$

经检验求出的 x,y 符合题意.

答:甲、乙两人的速度分别为 360 m/min,240 m/min.

点评 此题中的反向跑是行程问题中的相遇问题,同向跑是行程问题中的追及问题.注意不要把追及的时间弄错,还要注意时间单位的统一.

潜能开发广角

前沿考向

随着课改的不断深入,中考应用题出现了许多新的变化和特点,从传统的列方程解应用题,拓展到有关营销决策、优化设计等时代气息浓厚的应用问题,形式多样,涉及的知识比较广,且注意知识的有机融合.

一、营销决策

例 13 某地生产一种绿色蔬菜,若在市场上直接销售,每吨利润为 1 000 元;经粗加工后销售,每吨利润可达 4 500 元;经精加工后销售,每吨利润涨至 7 500 元.当地一家农工商公司收获这种蔬菜 140 t,该公司的加工厂的生产能力是:如果对蔬菜进行粗加工,每天可加工 16 t;如果进行精加工,每天可加工 6 t.但两种加工方式不能同时进行.受季节条件的限制,公司必须在 15 天之内将这批蔬菜加工完毕,为此公司研制了三种加工方案:方案一是将蔬菜全部进行粗加工;方案二是尽可能多地对蔬菜进行精加工,没有来得及加工的蔬菜在市场上全部销售;方案三是将部分蔬菜进行精加工,其余蔬菜进行粗加工,并恰好在 15 天完成.你认为选择哪种方案获利最多?为什么?

解答 方案一获利为 4 500×140＝630 000(元).

方案二获利为 7 500×(6×15)＋1 000×(140－6×15)＝675 000＋50 000＝725 000(元).

方案三获利计算如下:

设将 x t 蔬菜进行精加工,y t 蔬菜进行粗加工,

则根据题意,得 $\begin{cases} x+y=140, \\ \dfrac{x}{6}+\dfrac{y}{16}=15. \end{cases}$

解得 $\begin{cases} x=60, \\ y=80. \end{cases}$

所以方案三获利为 7 500×60＋4 500×80＝810 000(元).

由以上计算可得选择方案三获利最多.

点评 如何对蔬菜进行一番深加工,获利最大,是生产经营者一直思考的问题.本题正是基于这一点,对绿色蔬菜的粗、精加工制定了三种可行方案,供同学们合理选择,这是在培养同学们应用数学知识解决实际问题的兴趣.

例 14 (2005 年山东课改卷)某水果批发市场香蕉的价格如下表：

购买香蕉数	不超过 20 kg	20 kg 以上 但不超过 40 kg	40 kg 以上
每千克价格	6 元	5 元	4 元

张强两次共购买香蕉 50 kg(第二次多于第一次)，共付出 264 元，请问：张强第一次、第二次分别购买香蕉多少千克？

解析 由价格表可知，购买的数量不同，单价也不同，因此，必须对购买的数量进行分类讨论，才能使问题得以圆满解决.

解答 设张强第一次购买香蕉 x kg，第二次购买香蕉 y kg. 由题意可得 $0<x<25$.

则(1)当 $0<x\leqslant20$，$y\leqslant40$ 时，由题意可得

$$\begin{cases} x+y=50, \\ 6x+5y=264. \end{cases} \quad 解得 \begin{cases} x=14, \\ y=36. \end{cases}$$

(2)当 $0<x\leqslant20$，$y>40$ 时，由题意可得

$$\begin{cases} x+y=50, \\ 6x+4y=264. \end{cases}$$

解得 $\begin{cases} x=32, \\ y=18. \end{cases}$ 不合题意，舍去.

(3)当 $20<x<25$ 时，则 $25<y<30$.

此时张强用去的款项为

$5x+5y=5(x+y)=5\times50=250<264.$ 不合题意，舍去.

由①、②、③可知：

张强第一次购买香蕉 14 kg，第二次购买香蕉 36 kg.

点评 本例为营销问题中购买支付类问题. 在购买时，购买的数量越多，单价也就越便宜，正因为单价不定，本题在解答时也就较难，难在不知如何确定使用哪一种单价. 在此情况下，进行分类讨论，寻求问题的切入点很关键.

例 15 (2002 年江苏省)某中学组织初一学生春游，原计划租用 45 座客车若干辆，但有 15 人没有座位；若租用同样数量的 60 座客车，则多出一辆车，且其余客车恰好坐满. 已知 45 座客车每日租金为每辆 220 元，60 座客车每日租金为每辆 300 元. 试问：

(1)初一年级人数是多少？原计划租用 45 座客车多少辆？

(2)若租用同一种车，要使每名同学都有座位，怎样租用更合算？

解析 此题中有两个未知量——初一人数和原计划租用 45 座客车的辆数.

问题中有两个等量关系：

(1)45×(45 座客车的辆数)+15＝初一人数；

(2)60×(45 座客车的辆数-1)＝初一人数.

解答 (1)设初一有 x 人，原计划租用 y 辆 45 座客车.

根据题意,有 $\begin{cases} 45y+15=x, \\ 60(y-1)=x. \end{cases}$

解这个方程组,得 $\begin{cases} x=240, \\ y=5. \end{cases}$

(2)租用 6 辆 45 座客车的租金为 $6\times220=1\,320$(元),

租用 4 辆 60 座客车的租金为 $4\times300=1\,200$(元).

所以租用 60 座客车更合算些.

二、优化设计

例 16 某商场计划拨款 9 万元从厂家购进 50 台电视机,已知该厂家生产三种不同型号的电视机,出厂价分别为:甲每台 1 500 元,乙每台 2 100 元,丙每台 2 500 元.(1)若商场同时购进其中两种不同型号的电视机共 50 台,用去 9 万元,请你研究一下商场的进货方案;(2)若商场销售一台甲种电视机可获利 150 元,销售一台乙种电视机可获利 200 元,销售一台丙种电视机可获利 250 元,在同时购进两种不同型号的电视机的方案中,为使销售时获利最多,你选择哪种进货方案?

解析 (1)本题没有已知进哪两种型号的电视机,故可从三种型号的电视机中任选两种,共有三种情况.

解答 (1)分情况计算,设购甲、乙、丙种电视机分别为 x,y,z 台.

① 若选甲、乙,则 $\begin{cases} x+y=50, \\ 1\,500x+2\,100y=90\,000. \end{cases}$

解得 $\begin{cases} x=25, \\ y=25. \end{cases}$

② 若选甲、丙,则有 $\begin{cases} x+z=50, \\ 1\,500x+2\,500z=90\,000. \end{cases}$

解得 $\begin{cases} x=35, \\ y=15. \end{cases}$

③ 若选乙、丙,则有 $\begin{cases} y+z=50, \\ 2\,100y+2\,500z=90\,000. \end{cases}$

解得 $\begin{cases} x=87.5, \\ z=-37.5. \end{cases}$ 不合题意,舍去.

> **方法规律**
> 　　本例对进货的要求是"购进其中两种不同型号的电视机".由于厂家提供了三种型号的电视机,故有三种不同的购货方案.很多同学由于不知分类讨论而中考失分.

(2)① 若购甲种 25 台,乙种 25 台,可获利 $150\times25+200\times25=8\,750$(元).

② 若购甲种 35 台,丙种 15 台,可获利 $150\times35+250\times15=9\,000$(元).

答:(1)有两种进货方案:①购进甲种 25 台,乙种 25 台;②购进甲种 35 台,丙种 15 台.(2)第二种方案获利较多.

点评 当我们面临数学问题而无法确定其情形时,就必须进行分类讨论.分类讨论

思想的实质是把问题"分而治之,各个击破".本例是这样进行分类讨论的:

型号Ⅰ   型号Ⅱ   型号Ⅲ

三、开放与探索

例 17 某中学新建了一栋 4 层的教学大楼,每层有 8 间教室,进出这栋大楼共有 4 道门,其中两道正门大小相同,两道侧门大小也相同.安全检查中,对 4 道门进行了测试:当同时开启一道正门和两道侧门时,2 min 内可以通过 560 名学生;当同时开启一道正门和一道侧门时,4 min 内可以通过 800 名学生.

(1)求平均每分钟一道正门和一道侧门各可以通过多少名学生.

(2)检查中发现,紧急情况时因学生拥挤,出门的效率降低 20%.安全检查规定,在紧急情况下全大楼的学生应在 5 min 内通过这 4 道门安全撤离.假设这栋教学楼每间教室最多有 45 名学生,问:建造的这 4 道门是否符合安全规定?请说明理由.

解析 第(1)问设出两个未知数,由题目中的两个相等关系,列出方程组即可解决.第(2)问通过计算比较,得出正确的结论.

解答 (1)设平均每分钟一道正门可以通过 x 名学生,一道侧门可以通过 y 名学生.

由题意,得 $\begin{cases} 2(x+2y)=560, \\ 4(x+y)=800. \end{cases}$ 解得 $\begin{cases} x=120, \\ y=80. \end{cases}$

经检验符合题意.

答:平均每分钟一道正门可以通过 120 名学生,一道侧门可以通过 80 名学生.

(2)这栋楼最多有学生 $4 \times 8 \times 45 = 1\ 440$(名).

拥挤时 5 min 内 4 道门通过学生 $5 \times 2(120+82)(1-20\%) = 1\ 600$(名).

$1\ 600 > 1\ 400$.

答:建造的 4 道门符合安全规定.

合作探究

案例 小明在拼图时,发现 8 个一样大的矩形如图 8-3-3 所示,恰好可以拼成一个大的矩形.

小红看见了,说:"我来试一试."结果小红七拼八凑,拼成如图 8-3-4 所示那样的正方形.啊!怎么中间还留下了一个洞,恰好是边长为 2 mm 的小正方形!

你能帮助他们解开其中的奥秘吗?

小华:通过观察小明的拼图,我发现了每个小长方形的长与宽之间的数量关系:若设小长方形的长为 x mm,宽为 y mm,则 y 与 x 的关系式

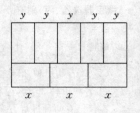

图 8-3-3

为 $3x=5y$.

小颖：受小华的启发，通过观察小红的拼图，我也能写出另一个 y 与 x 之间的关系式，即 $2y-x=2$.

其理由是：因为 $AB=CD+DE+FG$，所以有 $x+2y=2x+2$，即 $2y-x=2$.

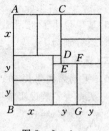

图 8-3-4

小彬：小华、小颖得出的等式都是对的. 若把两个等式联立成方程组，x,y 即可求出，这里的奥秘不就揭示出来了吗？

解方程组 $\begin{cases} 3x=5y, \\ 2y-x=2, \end{cases}$ 得 $\begin{cases} x=10, \\ y=6. \end{cases}$

所以 8 个小矩形的面积和为 $8xy=8\times10\times6=480$（mm^2），

大正方形的面积 $=(x+2y)^2=(10+2\times6)^2=484$（$mm^2$），

$484-480=4=2^2$.

因此小红拼出的大正方形中间还留下了一个边长恰好为 2 mm 的小正方形.

师评：观察是认识事物最基本的途径，是发现问题和解决问题的前提. 解每一道数学题时，都应先从观察入手，边看边想，从观察中找出特点，发现规律，从而使问题得以顺利解决. 这里我们不得不佩服小华、小颖敏锐的观察力，正因为这样，小彬才能将问题解答得淋漓尽致. 学习几何图形，尤其应注意这一点.

问题研讨 能不能找到 8 个大小一样的小矩形，既能拼成像小明拼成的大矩形，又能拼成一个没有空隙的正方形呢？

小琴：根据题意可知 8 个小矩形的面积和恰好等于正方形的面积，所以可列等式 $(x+2y)^2=8xy$，即 $x^2+4xy+4y^2-8xy=0$.

所以 $x^2-4xy+4y^2=0$，即 $(x-2y)^2=0$.

故 $x-2y=0$，即 $x=2y$.

这就是说，当矩形的长是宽的 2 倍时，就能拼成中间没有空隙的正方形.

随堂能力测试

一、填空题

1. 一艘轮船顺流航行时，每小时行 32 km，逆流航行时，每小时行 28 km，则轮船在静水中的速度是每小时行 _____ km.

2. 一队民工参加水利工程挖土及运土，平均每人挖土 5 m^3 或运土 3 m^3，如果安排 a 人挖土，b 人运土，恰好使挖的土能及时运走，则 $a:b=$ _____.

3. 若甲、乙、丙三数的和是 35，甲、乙的差是 7，乙数是丙数的 3 倍，则甲＝_____，乙＝_____，丙＝_____.

4. 某学生骑自行车从学校去县城，先以每小时 12 km 的速度下山，而后以每小时 9 km 的速度通过平路到达县城，共用去 55 min. 返回时，他以每小时 8 km 的速度通过平路,再以每小时 4 km 的速度上山回到学校,又用去 1 h 30 min.则学校到县城的距离为_____.

5.某单位买了 35 张戏票共用了 250 元,其中甲种票每张 8 元,乙种票每张 6 元,则两种票分别为_____张.

二、选择题

6."买苹果和梨共 100 kg,其中苹果的重量是梨的重量的 2 倍少 8 kg,求:苹果和梨各买多少?"若设买苹果 x kg,买梨 y kg,则列出的方程组应是　　　　　　（　　）

A. $\begin{cases} x+y=100 \\ y=2x+8 \end{cases}$　　B. $\begin{cases} x+y=100 \\ y=2x-8 \end{cases}$　　C. $\begin{cases} x+y=100 \\ x=2y+8 \end{cases}$　　D. $\begin{cases} x+y=100 \\ x=2y-8 \end{cases}$

7.一辆汽车从 A 地出发,向东行驶,途中要经过十字路口 B.在规定的某一时间内,若车速为每小时 60 km,就能驶过 B 处 2 km;若每小时行驶 50 km,就差 3 km 才能到达 B 处.设 A,B 间的距离为 x km,规定的时间为 y h,则可列出的方程是　　（　　）

A. $\begin{cases} 60y-x=2 \\ x-50y=3 \end{cases}$　　B. $\begin{cases} 60y-x=2 \\ 50y-x=3 \end{cases}$　　C. $\begin{cases} 60y=x-2 \\ 50y=x-3 \end{cases}$　　D. $\begin{cases} 60y=x-2 \\ 50y=x+3 \end{cases}$

8.一船顺水航行 45 km,需要 3 h,逆水航行 65 km 需要 5 h.若设船在静水中速度为 x km/h,水流的速度是 y km/h,则 x,y 的值为　　　　　　（　　）

A. $x=13$,$y=2$　　B. $x=14$,$y=1$　　C. $x=15$,$y=1$　　D. $x=14$,$y=2$

9."某仓库存有甲、乙两种零件共 100 个,其中甲种零件售出 7 个以后的个数是乙种零件的 2 倍,求:原有甲、乙两种零件各多少个?"如果设甲、乙两种零件分别有 x 个和 y 个,那么列出的方程应是　　　　　　（　　）

A. $\begin{cases} x+y=100 \\ y=2x-7 \end{cases}$　　B. $\begin{cases} x+y=100 \\ y=2x+7 \end{cases}$　　C. $\begin{cases} x+y=100 \\ x=2y+7 \end{cases}$　　D. $\begin{cases} x+y=100 \\ x=2y-7 \end{cases}$

10.西部山区某县响应国家"退耕还林"号召,将该县一部分耕地改还为林地.改还后,林地面积和耕地面积共有 180 km²,耕地面积是林地面积的 25%.设改还后耕地面积为 x km²,林地面积为 y km²,则下列方程组中,正确的是　　（　　）

A. $\begin{cases} x+y=180 \\ x=25\%y \end{cases}$　　B. $\begin{cases} x+y=180 \\ y=25\%x \end{cases}$　　C. $\begin{cases} x+y=180 \\ x-y=25\% \end{cases}$　　D. $\begin{cases} x+y=180 \\ y-x=25\% \end{cases}$

三、解答题

11.小明和小亮做加法游戏,小明在一个加数后面多写了一个 0,得到的和为 242;而小亮在另一个数后面多写了一个 0,得到的和为 341.原来的两个加数分别是多少?

12. "以绳测井.若将绳三折测之,绳多五尺;若将绳四折测之,绳多一尺.绳长、井深各几何?"题目大意是:用绳子测量水井的深度.如果将绳子折成三等份,一份绳长比井深多 5 尺;如果将绳子折成四等份,一份绳长比井深多 1 尺.绳长、井深各是多少尺?

13. 某商场按定价销售某种商品时,每件可获利 45 元;按定价的 8.5 折销售该商品8 件与定价降低 35 元销售该商品 12 件所获利润相等.该商品进价、定价分别是多少?

14. (2005 年重庆课改卷)为解决农民工子女入学难的问题,我市建立了一套进城农民工子女就学的保障机制,其中一项是免交"借读费".据统计,2004 年秋季有 5 000名农民工子女进入主城区中小学学习,预测 2005 年秋季进入主城区中小学学习的农民工子女将比 2004 年有所增加,其中小学增加 20%,中学增加 30%,这样 2005年秋季将新增 1 160 名农民工子女在主城区中小学学习.

(1) 如果按每年小学生每生收"借读费"500 元,中学生每生收"借读费"1 000 元计算,求 2005 年新增的 1 160 名中小学生共免收多少"借读费".

(2) 如果小学每 40 名学生配备 2 名教师,中学每 40 名学生配备 3 名教师,若按2005 年秋季入学后农民工子女在主城区中小学就读人数计算,一共需要配备多少名中小学教师?

15. 某商场购进商品后,加价 40% 作为销售价.商场搞优惠促销,决定由顾客抽奖确定折扣.某顾客购买甲、乙两种商品分别抽到 7 折和 9 折,共付款 399 元.两种商品原销售价之和为 490 元.两种商品进价分别为多少元?

16. (2005 年海南课改)在当地农业技术部门指导下,小明家增加种植菠 萝的投资,使今年的菠萝喜获丰收,图 8-3-5 所示是小明爸爸、妈妈的一段对话:

老李,没关系.你看我们家去年只净赚 8 000 元,今年却赚了 11 800 元.增加投资值.

哎,我们家今年菠萝收入多少钱?

阿菊,我算了一下,今年我们家菠萝的收入比去年增加了 35%,不过投资也增加了 10%.

小明

阿菊(小明妈)

老李(小明爸)

图 8-3-5

请你用学过的知识帮助小明算出他们家今年菠萝的收入.(收入-投资=净赚)

17. 王先生手中有 30 000 元钱,想买年利率为 2.89% 的三年期国库券,到银行时,银行所剩国库券已不足 30 000 元,王先生全部买下这部分国库券后,余下的钱改存三年定期银行存款,年利率为 2.7%,且到期要缴纳 20% 的利息税.三年后,王先生得到的本息和为 32 338.2 元.王先生到底买了多少元国库券?在银行存款又是多少元?

18. 小明的爸爸骑着摩托车带着小明在公路上匀速行驶,如图 8-3-6 所示是小明每隔 1 h 看到的里程情况.你能确定小明在 12:00 时看到的里程碑上的数吗?

图 8-3-6

如果设小明在 12:00 时看到的数的十位数字是 x,个位数字是 y,那么

(1)12:00 时小明看到的数可表示为_____,根据两个数字和是 7,可列出方程_____.

(2)13:00 时小明看到的数可表示为_____,12:00~13:00 间摩托车行驶的路程是_____.

(3)14:00 时小明看到的数可表示为_____,13:00~14:00 间摩托车行驶的路程是_____.

(4)12:00~13:00 与 13:00~14:00 两段时间内摩托车的行驶路程有什么关系?你能列出相应的方程吗?

标 答与点拨

1. 30 **2.** 3∶5 **3.** 19　12　4 **4.** 9 km **5.** 20,15

6. D **7.** A **8.** B **9.** C **10.** A

11. 设两加数分别为 x 和 y,有 $\begin{cases} x+10y=242, \\ 10x+y=341. \end{cases}$ 解得 $\begin{cases} x=32, \\ y=21. \end{cases}$

12. 设绳长 x 尺,井深 y 尺,有 $\begin{cases} \dfrac{x}{3}-5=y, \\ \dfrac{x}{4}-1=y. \end{cases}$ 解得 $\begin{cases} x=48, \\ y=11. \end{cases}$

13. 设该商品进价 x 元,定价为 y 元,

有 $\begin{cases} x+45=y, \\ 8(0.85y-x)=12(y-35-x). \end{cases}$ 解得 $\begin{cases} x=155, \\ y=200. \end{cases}$

14. (1)设 2004 年秋季在主城区小学学习的农民工子女有 x 人,在主城区中学学习的
农民工子女有 y 人.

由题意可得 $\begin{cases} x+y=5\ 000, \\ 20\%x+30\%y=1\ 160. \end{cases}$ 解得 $\begin{cases} x=3\ 400, \\ y=1\ 600. \end{cases}$

所以 $\dfrac{20}{100}x=\dfrac{20}{100}\times 3\ 400=680,\dfrac{30}{100}y=\dfrac{30}{100}\times 1\ 600=480.$

所以 $500\times 680+1\ 000\times 480=820\ 000$(元)$=82$ 万元.

答:共免收 82 万元(或 820 000 元)借读费.

(2)2005 年秋季入学后,在小学就读的学生有 $3\ 400\times(1+20\%)=4\ 080$(名),
在中学就读的学生有 $1\ 600\times(1+30\%)=2\ 080$(名).

所以 $(4\ 080\div 40)\times 2+(2\ 080\div 40)\times 3=102\times 2+52\times 3=360$(名).

答:一共需要配备 360 名中小学教师.

15. 设甲种商品进价为 x 元,乙种商品进价为 y 元,

有 $\begin{cases} 1.4x+1.4y=490, \\ 1.4x\cdot 0.7+1.4y\cdot 0.9=399. \end{cases}$ 解得 $\begin{cases} x=150, \\ y=200. \end{cases}$

16. 设小明家去年种植菠萝的收入为 x 元,投资为 y 元.依题意得

$\begin{cases} x-y=8\ 000, \\ (1+35\%)x-(1+10\%)y=11\ 800. \end{cases}$

解方程组,得 $\begin{cases} x=12\ 000, \\ y=4\ 000. \end{cases}$

所以小明家今年菠萝的收入应为 $(1+35\%)x=1.35\times 12\ 000=16\ 200$(元).

17. 设王先生买了 x 元的国库券,y 元银行存款,

有 $\begin{cases} x+y=30\ 000, \\ 2.89\%\times 3x+2.7\%\times 3y(1-20\%)=32\ 338.2-30\ 000. \end{cases}$

解得 $\begin{cases} x=18\,000, \\ y=12\,000. \end{cases}$

18. (1) $10x+y$ $x+y=7$

(2) $10y+x$ $9y-9x$

(3) $100x+y$ $99x-9y$

(4) 相等, $\begin{cases} 9y-9x=99x-9y, \\ x+y=7. \end{cases}$ 解得 $\begin{cases} x=1, \\ y=6. \end{cases}$

单元总结与测评

知 识结构图解

方 法技巧规律

> **综合方法**
>
> 　消元是解方程组的基本思想,消元的目的是把多元的方程组逐步转化为一元方程.如:
>
> $$\boxed{二元一次方程组} \xrightarrow[\text{代入消元}]{\text{加减消元}} \boxed{一元一次方程}.$$
>
> 　代入消元法和加减消元法是解方程组的基本方法,是最常用的消元手段.事实上,在解方程组时,除了常用的代入法和加减法以外,有时还可以采用其他的消元方法(如把两个方程相乘或相除,换元等,这些方法本章没有介绍),在具体解方程组时,要根据题目的具体特点,灵活选用适当的手段以达到消元的目的.

一、引入新的未知量

例 1 解方程组 $\begin{cases} x-\dfrac{3x-1}{2}=2y, & ① \\ x:2=y:3. & ② \end{cases}$

解析 由于本例中方程②有明显的特征,即 $\dfrac{x}{y}=\dfrac{2}{3}$,故可设 $x=2m, y=3m$,从而

达到消元的目的.

解答 由方程②得 $\dfrac{x}{y}=\dfrac{2}{3}$，故可设 $x=2m,y=3m$.

将 $x=2m,y=3m$，代入①，得 $2m-\dfrac{3\times 2m-1}{2}=2\times 3m$，

去分母，得 $4m-6m+1=12m$，所以 $m=\dfrac{1}{14}$.

故 $x=2m=\dfrac{1}{7}$，$y=3m=\dfrac{3}{14}$.

所以原方程组的解为 $\begin{cases}x=\dfrac{1}{7},\\ y=\dfrac{3}{14}.\end{cases}$

点评 解方程组时，代入法和加减法是常用方法，但是有时根据题目的特征，采用技巧性的解法(如本例引入新的未知量)，令人拍案叫绝.

二、利用换元法

例2 解方程组 $\begin{cases}\dfrac{2(x-y)}{3}-\dfrac{x+y}{4}=-1,&①\\ 6(x+y)-4(x-y)=12.&②\end{cases}$

解析 此题如果把 $x-y$ 和 $x+y$ 分别看做一个整体，并分别用 m,n 来表示，那么原方程组就可化简为 $\begin{cases}\dfrac{2m}{3}-\dfrac{n}{4}=-1,\\ 6n-4m=12.\end{cases}$ 解此方程组求出 m,n 的值，再解 $\begin{cases}x+y=n,\\ x-y=m,\end{cases}$ 就可求出 x,y 的值.

解答 设 $x-y=m,x+y=n$，则原方程组为 $\begin{cases}\dfrac{2m}{3}-\dfrac{n}{4}=-1,\\ 6n-4m=12,\end{cases}$

即 $\begin{cases}8m-3n=-12,&③\\ 3n-2m=6.&④\end{cases}$

③+④，得 $6m=-6$，所以 $m=-1$.

将 $m=-1$ 代入④，得 $n=\dfrac{4}{3}$.

所以 $\begin{cases}x+y=\dfrac{4}{3},\\ x-y=-1.\end{cases}$ 解得 $\begin{cases}x=\dfrac{1}{6},\\ y=\dfrac{7}{6}.\end{cases}$

点评 上述解法运用了换元思想.此题的解法虽然并不比直接解简单，但是它体现了一种方法，揭示了一种思想，在今后的解方程组中应用十分广泛.请同学们体会这种解法的实质.

列方程解应用题——设"元"技巧:

列方程组解应用题,是把"未知"转化成"已知"的重要方法,它的关键是把已知量和未知量联系起来,找出题目中的相等关系.一般来说,有几个未知量就必须列出几个方程,所列方程必须满足:①方程两边表示的是同类量;②同类量的单位要统一;③方程两边的数值要相等.

三、设直接未知数

即题目里要求的未知量是什么,就把它设做方程里的未知数,并且求几个设几个.

例3 某家电生产企业根据市场调查分析,决定调整产品生产方案,准备每天生产冰箱、彩电共 310 台.已知生产这些家电产品每台所需工时和每台产值如下表:

家电名称	冰　箱	彩　电
工　时	$\frac{1}{4}$	$\frac{1}{3}$
产值(万元)	0.2	0.3

请你测算一下:该企业每天应生产冰箱、彩电各多少台,才能使产值达到 83 万元? 所用总工时为多少个?

解析 根据题意可以找到三个相等关系:

冰箱的台数+彩电的台数=310(台);

生产冰箱所需工时+生产彩电所需工时=生产总工时;

冰箱产值+彩电产值=83(万元).

解答 设每天应生产冰箱 x 台,生产彩电 y 台,才能使产值达到 83 万元.

根据题意,得 $\begin{cases} x+y=310, \\ 0.2x+0.3y=83. \end{cases}$

解这个方程组,得 $\begin{cases} x=100, \\ y=210. \end{cases}$

所以 $100 \times \frac{1}{4} + 210 \times \frac{1}{3} = 95$.

答:每天应生产冰箱 100 台,生产彩电 210 台,才能使产值达到 83 万元,所用总工时为 95 个工时.

例4 李红用甲、乙两种形式分别储蓄 2 000 元和 1 000 元,一年后全部取出,扣除利息所得税后可得利息 43.92 元.已知这两种储蓄的年利率的和为 3.24%.问:这两种储蓄的年利率各是百分之几?

解析 本题要求两个未知量就须设两个未知数,关键是抓住两个相等关系:

(1)甲种形式储蓄年利率+乙种形式储蓄年利率=3.24%;

(2)(甲种形式储蓄所得利息+乙种形式储蓄所得利息)×(1−20%)=43.92.

解答 设甲、乙两种形式储蓄的年利率分别为 $x\%,y\%$.

根据题意,得 $\begin{cases} x\%+y\%=3.24\%, \\ (2\,000\cdot x\%+1\,000\cdot y\%)\times(1-20\%)=43.92. \end{cases}$

即 $\begin{cases} x+y=3.24, \\ 20x+10y=54.9. \end{cases}$

解之,得 $\begin{cases} x=2.25, \\ y=0.99. \end{cases}$

答:甲、乙两种储蓄的年利率分别为 2.25% 和 0.99%.

点评 一般情况下,求什么,设什么,就建立关于什么的方程.这里所说的直接设元就是这个意思.

注意:公民应缴纳的利息所得税=利息总额×20%.

四、设间接未知数

例5 甲、乙两厂计划在上月共生产机床 360 台,结果甲厂完成了计划的 112%,乙厂完成了计划的 110%,两厂共生产了机床 400 台.问:上月两个厂各超额生产了机床多少台?

解析 本题若设直接未知数,即设上月甲厂超额生产了机床 x 台,乙厂超额生产了机床 y 台,则得方程组 $\begin{cases} x+y=400-360, \\ \dfrac{x}{112\%-1}+\dfrac{y}{110\%-1}=360. \end{cases}$

此方程组列出来不太容易又难于解答,如若改设间接未知数就简单得多.

解答 设上月份甲厂计划生产机床 x 台,乙厂计划生产机床 y 台.

根据题意,得 $\begin{cases} x+y=360, \\ x\cdot 112\%+y\cdot 110\%=400. \end{cases}$

解之,得 $\begin{cases} x=200, \\ y=160. \end{cases}$

从而 $200\times(112\%-1)=24,160\times(110\%-1)=16.$

答:上月份甲、乙两厂分别超额生产了机床 24 台和 16 台.

点评 所谓设立间接未知数,即设的不是所求量.有些应用题,若设直接未知数,则所列的方程比较复杂,若改设间接未知数,则能列出既简单又易解的方程.这种设元方法希望同学们在学习中体会到其中的妙处.

例6 (2004 年江苏省泰州市)一批货物要运往某地,货主准备租用汽车运输公司的甲、乙两种货车.已知过去两次租用这两种货车的情况如下表:

	第一次	第二次
甲种货车辆数(辆)	2	5
乙种货车辆数(辆)	3	6
累计运货吨数(t)	15.5	35

现租用该公司 3 辆甲种货车及 5 辆乙种货车一次刚好运完这批货,如果按每吨付运费 30 元计算,问:货主应付运费多少元?

解析 要求出货主应付运费数,必须知道运货总吨数,运货总吨数与甲种货车、乙种货车每辆每次运货吨数有关.根据图表中数据可先求出甲种货车、乙种货车每辆每次的运货量.

解答 设甲种货车每辆每次运货 x t,乙种货车每辆每次运货 y t.

依题意,得 $\begin{cases} 2x+3y=15.5, \\ 5x+6y=35. \end{cases}$

解得 $\begin{cases} x=4, \\ y=2.5. \end{cases}$

$30(3x+5y)=30\times(3\times 4+5\times 2.5)=735(元).$

答:货主应付运费 735 元.

> **特别提示**
>
> 本题若直接设未知数,真是无法设起,故转而设立每辆车的运货量.像这类题设立间接未知数较好.

综 合探究案例

合作探究

案例 为了提高同学的整体素质,学校对同学进行问卷调查.考查试题共 10 道,做对一道得 10 分,做对某道题一部分得 3 分,完全不会做的题倒扣 6 分.某名同学得了 77 分,问:这名同学做对的试题有几道?

小明:依得分算法的不同,本题可有两种不同解法.

(1)考查试题共 10 道,做对一道得 10 分,所以满分为 100 分,减去丢失分,减去倒扣分,即为得分 77 分.根据此相等关系可列出方程.

(2)做对 1 道 10 分,做对某道题一部分给 3 分,完全不会做的题倒扣 6 分,所以前两种分合在一起,再减去倒扣分,即为得分 77 分.根据此相等关系可列出方程.

小颖:小明的分析有道理.

利用小明的分析(1),可这样解答:

设做对一部分的题有 x 道,完全不会做的有 y 道.

根据题意,有 $100-(10-3)x-(10+6)y=77$,

即 $100-7x-16y=77$,

即 $x=\dfrac{23-16y}{7}$.

因为 x，y 均为非负整数，所以 y 只能取 1.

所以 $x=\dfrac{23-16\times1}{7}=1$.

所以这名同学做的试题中做对的题有 $10-1-1=8$（道）.

小彬：利用小明的分析（2），可以这样解答：

设做对一部分的题有 x 道，完全不会做的题有 y 道，则全做对的题有 $(10-x-y)$ 道.

根据题意，有 $10(10-x-y)+3x-6y=77$，

即 $100-7x-16y=77$.

后面的解答和小颖的解答一样.

师评：在列方程组解决问题时，要主动探索，大胆尝试，与同学互相交流，逐步培养自己解决实际问题的能力和自信心.小明的分析过程就体现了这一点.由于思维的角度不同，解决问题的切入点也就不同.其中分析（1）采用的得分的计算方法是满分减去扣分，分析（2）的得分计算方法是得分减去扣分，两者虽然思维方式不同，但是最后的结果却殊途同归.

综 合能力测评

一、填空题

1．在 $y=kx+b$ 中，若 $x=5$ 时，$y=6$；$x=-1$ 时，$y=-2$.则 $x=2$ 时，$y=$ _____．

2．若 $\begin{cases}x=\frac{1}{2}，\\ y=-1\end{cases}$ 是 $\begin{cases}ax-3y=5，\\ 2x-by=1\end{cases}$ 的解，那么 $a^2+b^2=$ _____．

3．如果二元一次方程 $4x+3y=5$ 的解是二元一次方程 $2x-y=5$ 的解，那么 $\dfrac{x}{y}=$ _____．

4．用 9 元 2 角买 80 分和 40 分的邮票共 15 张，其中买 80 分的邮票 _____ 张，40 分的邮票 _____ 张.

5．某营业员昨天卖出 7 件衬衫和 4 条裤子共 460 元，今天又卖出 9 件衬衫和 6 条裤子共 660 元，则每件衬衫售价为 _____，每条裤子售价为 _____．

6．方程组 $\begin{cases}x+y=5k\\ x-y=9k\end{cases}$ 的解也是方程 $2x+3y=6$ 的解，则 k 的值为 _____．

7．学生问老师："你今年多大？"老师风趣地说："我像你这么大时，你才出生；你到我这么大时，我已经 37 岁了."则老师现在的年龄是 _____ 岁.

8．某城市有人口 42 万，计划一年后城镇人口增加 0.8%，农村人口增加 1.1%，这样全

市人口将增加1‰.求这个城市现在的城市人口数与农村人口数."若设农村人口数为 x 万,城镇人口有 y 万,则所列方程组为 $\begin{cases} \underline{\hspace{3cm}}, \\ \underline{\hspace{3cm}}. \end{cases}$

二、选择题

9. 下列各式是二元一次方程的是 （　　）

    A. $x^2 - 4 = 0$ B. $x + 3$ C. $x + y + z = 0$ D. $x = 2y$

10. 当 $\begin{cases} x = 1, \\ y = 5 \end{cases}$ 与 $\begin{cases} x = 0, \\ y = -2 \end{cases}$ 都是方程 $ax + 3y = b$ 的解时,a,b 的值为 （　　）

    A. $a = 3, b = -1$ B. $a = -21, b = -6$

    C. $a = 1, b = -6$ D. $a = 21, b = -4$

11. 关于 x, y 的方程组 $\begin{cases} kx - 3y = 8, \\ 2x + 5y = -4 \end{cases}$ 的解中,$y = 0$,则 k 的值为 （　　）

    A. $k = 4$ B. $k = -4$ C. $k = 2$ D. $k = -2$

12. 已知 $|2x - y - 3| + (2x + y + 11)^2 = 0$,则 （　　）

    A. $\begin{cases} x = 2 \\ y = 1 \end{cases}$ B. $\begin{cases} x = 0 \\ y = -3 \end{cases}$ C. $\begin{cases} x = -1 \\ y = -5 \end{cases}$ D. $\begin{cases} x = -2 \\ y = -7 \end{cases}$

13. 如果方程组 $\begin{cases} x = 4, \\ by + ax = 5 \end{cases}$ 的解与方程组 $\begin{cases} y = 3, \\ bx + ay = 2 \end{cases}$ 的解相同,则 a, b 的值为 （　　）

    A. $\begin{cases} a = 2 \\ b = 1 \end{cases}$ B. $\begin{cases} a = 2 \\ b = -1 \end{cases}$ C. $\begin{cases} a = -2 \\ b = 1 \end{cases}$ D. $\begin{cases} a = -2 \\ b = -1 \end{cases}$

14. 若方程组 $\begin{cases} 3x + 5y = k + 2, \\ 2x + 3y = k \end{cases}$ 的解 x 与 y 的和为 0,则 k 的值为 （　　）

    A. $k = -2$ B. $k = 0$ C. $k = 4$ D. $k = 2$

15. 4 辆板车和 5 辆卡车一次能运 27 t 货,10 辆板车和 3 辆卡车一次能运 20 t 货,设每辆板车每次可运 x t 货,每辆卡车每次能运 y t 货,则可列方程组 （　　）

    A. $\begin{cases} 4x + 5y = 27 \\ 10x - 3y = 20 \end{cases}$ B. $\begin{cases} 4x - 5y = 27 \\ 10x + 3y = 20 \end{cases}$

    C. $\begin{cases} 4x + 5y = 27 \\ 10x + 3y = 20 \end{cases}$ D. $\begin{cases} 4x - 27 = 5y \\ 10x - 20 = 3y \end{cases}$

16. 小明郊游时,早上 9 时下车,先走平路然后登山,到山顶后又沿原路返回到下车处,正好是下午 2 时.若他走平路每小时行 4 km,爬山时每小时走 3 km,下山时每小时走 6 km,小明从上午到下午一共走的路程是 （　　）

    A. 5 km   B. 10 km   C. 20 km   D. 答案不唯一

三、解答题

17. 解方程组:

(1) $\begin{cases} x+2y=3, \\ 2x+5y=15; \end{cases}$

(2) $\begin{cases} x+1=5(y+2), \\ 3(2x-5)-4(3y+4)=5. \end{cases}$

18. 如果方程 $\begin{cases} x-y=9a, \\ 4x-2y=32a \end{cases}$ 的解也是二元一次方程 $2x+3y=8$ 的解,求 a 的值.

19. 满足方程组 $\begin{cases} 3x+5y=k+1, \\ 2x+3y=k \end{cases}$ 的 x,y 值之和为2,求 k 的值.

20. 如图8-1所示,8块相同的长方形地砖拼成了一个矩形图案(地砖间的缝隙忽略不计),求每块地砖的长和宽.

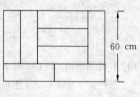

图8-1

21. 某电视台在黄金时段的 2 min 广告时间内,计划插播长度为 15 s 和 30 s 的两种广告.15 s 广告每播 1 次收费 0.5 万元,30 s 广告每播 1 次收费 1 万元.若要求每种广告播放不少于 2 次,问:

(1)两种广告的播放次数有几种安排方式?

(2)电视台选择哪种方式播放收益较大?

22. 据电力部门统计,每天 8:00 至 21:00 是用电高峰期,简称"峰时". 21:00 至次日 8:00 是用电低谷期,简称"谷时".为了缓解供电需求紧张的矛盾,我市电力部门拟逐步统一换装"峰谷分时"电表,对用电实行"峰谷分时电价"新政策.具体见下表:

时间	换表前	换 表 后	
		峰时(8:00~21:00)	谷时(21:00~次日 8:00)
电价	0.52 元/kW·h	x 元/kW·h	y 元/kW·h

  已知每千瓦时的峰时价比谷时价高 0.25 元,小卫家对换表后最初使用的 100 kW·h 的用电情况进行统计分析得知:峰时用电量占 80%,谷时用电量占 20%,与换表前相比,电费共下降 2 元.请你求出表格中 x 和 y 的值.

23. 已知某电脑公司有 A 型、B 型、C 型三种型号的电脑,其价格分别为 A 型每台 6 000元,B 型每台 4 000 元,C 型每台 2 500 元.某市东坡中学计划将 100 500 元钱全部用于从该电脑公司购进其中两种不同型号的电脑共 36 台,请你设计出几种不同的购买方案供该校选择,并说明理由.

标 答与点拨

1. 2   **2.** 16   **3.** -2 **4.** 8   7   **5.** 20   80   **6.** $\dfrac{3}{4}$ **7.** 25

8. $\begin{cases} x+y=42 \\ 1.1\%x+0.8\%y=42\times1\% \end{cases}$

9. D   **10.** B   **11.** B   **12.** D   **13.** B   **14.** D   **15.** C   **16.** B

17. (1) $\begin{cases} x=-15 \\ y=9 \end{cases}$ (2) $\begin{cases} x=4 \\ y=-1 \end{cases}$

18. 解方程得 $\begin{cases} x=7a, \\ y=-2a. \end{cases}$

又 $2x+3y=8$.

所以 $14a-6a=8$,则 $a=1$.

19. 由方程①-②,得 $x+2y=1$.

又 $x+y=2$,解得 $\begin{cases} x=3, \\ y=-1. \end{cases}$

所以 $k=2x+3y=6-3=3$.

20. 设每块地砖的长和宽分别为 x cm,y cm.

由题意得 $\begin{cases} x+y=60 \\ 3y+x=2x. \end{cases}$ 解得 $\begin{cases} x=45, \\ y=15. \end{cases}$

21. (1) 设播 15 s 的广告 x 次,播 30 s 的广告 y 次.

有 $15x+30y=2\times60$ 变形为 $x+2y=8$.

又 $x\geqslant2$ 且 $y\geqslant2$ 的整数,

故 $\begin{cases} x=2, \\ y=3; \end{cases} \begin{cases} x=4, \\ y=2. \end{cases}$

(2)当 $\begin{cases} x=2, \\ y=3 \end{cases}$ 时,收益为 $2\times0.6+3\times1=4.2$(万元).

当 $\begin{cases} x=4, \\ y=2 \end{cases}$ 时,收益为 $4\times0.6+2\times1=4.4$(万元).

故应选择 15 s 的广告播 4 次,30 s 的广告播 2 次.

22. 依题意 $\begin{cases} 100\times0.52-(100\times80\%x+100\times20\%y)=2, \\ x-y=0.25. \end{cases}$

解得 $\begin{cases} x=0.55, \\ y=0.30. \end{cases}$

23. 设购进 A 型电脑 x 台,B 型电脑 y 台,C 型电脑 z 台.

有 $\begin{cases} x+y+z=36, \\ 6\,000x+4\,000y+2\,500z=100\,500. \end{cases}$

当 $x=0$ 时,解得 $\begin{cases} y=7, \\ z=29. \end{cases}$

当 $y=0$ 时,解得 $\begin{cases} x=3, \\ z=33. \end{cases}$

当 $z=0$ 时,无正整数解,故舍去.

所以有两种不同方案:

①购 B 型 7 台,C 型 29 台;

②购 A 型 3 台,C 型 33 台.

第九章

不等式与不等式组

9.1 不 等 式

教材内容全解

一、不等式

用"<"或">"号表示大小关系的式子,叫做不等式.像 $a+2\neq a-2$ 这样用"$\neq$"号表示不等关系的式子也是不等式.

提醒 (1)像 $a\geqslant b$ 或 $a\leqslant b$ 这样的式子,也经常用来表示两个数量的大小关系.符号"$\geqslant$"读作"大于或等于",也可以说是"不小于";符号"$\leqslant$"读作"小于或等于",也可说是"不大于".

(2)由不等式的定义可知,不等式可以分成两大类:①表示大小关系的不等式,其符号的类型有">"、"<"、"$\geqslant$"、"$\leqslant$";②表示不等关系的不等式,其符号为"$\neq$",读作"不等于",它说明两个量之间的关系是不等的,但不明确谁大,谁小.

例 1 用适当的符号表示下列关系:

(1)x 与 1 的和是正数;

(2)y 的 2 倍与 1 的和大于 3;

(3)x 的 $\dfrac{1}{3}$ 与 x 的 2 倍的和是非正数;

(4)c 与 4 的和的 30% 不大于 -2;

(5)x 除以 2 的商加上 2,至多为 5;

(6)a 与 b 两数和的平方不可能大于 3.

解析 根据文字说明,列不等式与列式类似,一定要认

方法规律

列不等式是进一步学好不等式的一个重要方面,熟悉常见的不等式基本语言的意义是表示不等关系的基础.

常见不等式的基本语言有:①x 是正数,则 $x>0$;②x 是负数,则 $x<0$;③x 是非负数,则 $x\geqslant 0$;④x 是非正数,则 $x\leqslant 0$;⑤x 大于 y,则 $x-y>0$;⑥x 小于 y,则 $x-y<0$;⑦x 不小于 y,则 $x\geqslant y$;⑧x 不大于 y,则 $x\leqslant y$.

真领会文字间所含的数量关系和一些关键词.本例中的关键词有:

(1)中"正数";   (2)中"大于";   (3)中"非正数";
(4)中"不大于";   (5)中"至多";   (6)中"不可能大于".

解答   (1)$x+1>0$;   (2)$2y+1>3$;   (3)$\frac{1}{3}x+2x\leqslant0$;

(4)$30\%(c+4)\leqslant-2$;   (5)$\frac{x}{2}+2\leqslant5$;   (6)$(a+b)^2\leqslant3$.

点评   诸如"正数"、"非负数"、"至多"、"不大于"、"不可能大于"等这样的表述一定要正确使用不等式的符号来表示其实际意义.

例2 (1)下列按要求列出的不等式中,正确的是   (   )

A.a 不是正数,则 $a<0$ B.b 是不大于零的数,则 $b<0$
C.m 不小于-1,则 $m>-1$ D.$a+b$ 是正数,则 $a+b>0$

(2)下列列出的不等式中,正确的是   (   )

A.a^2 不是负数,可表示成 $a^2>0$
B.x 不大于 5,可表示成 $x<5$
C.m 与 5 的差是负数,可表示成 $m-5<0$
D.x 与 2 的和是非负数,可表示成 $x+2>0$

解析   将语言叙述的数量关系转化为相应的不等式,应在熟悉"常见不等式的基本语言"的基础上进行,因此,可以参照例1中的方法规律逐一判断,筛选.

解答   (1)D   (2)C

> **警示误区**
>
> 列不等式与列等式在方法上是类似的,但在表示时有较大的区别.列等式的"另一面"只有一种情况,而列不等式的"另一面"一般有两种情况,如:不是"正数"的另一面是零和负数,不是"负数"的另一面是零和正数.

二、不等式的解和解集

1.不等式的解

与方程类似,我们可以把那些使不等式成立的未知数的值叫做不等式的解.如 6 是不等式 $2x+1>10$ 的解,7,8,9,…也是不等式 $2x+1\geqslant0$ 的解,而 $x=4$ 不是不等式 $2x+1>0$ 的解.

提醒   有些不等式中不含未知数,如 $3<4$ 和$-1>-2$,但有些不等式中含有未知数,如 $x+5<7$,像这类不等式通常称为条件不等式,很显然,任何一个小于 2 的数都是这个不等式的解,任何一个大于或等于 2 的数都不是这个不等式的解.

2.不等式的解集

对于一个含有未知数的不等式,它的所有解的集合叫做这个不等式的解集.

例如,因为 x 取任何小于 2 的数,$x+5<7$ 都成立,取除此以外的任何数,$x+5<7$ 都不成立,所以不等式 $x+5<7$ 的解集是 $x<2$.

提醒   不等式的解集的表示方法:

(1)用最简的不等式表示.一般地,一个含有未知数的不等式有无数个解,其解集是一个范围,这个范围可用最简单的不等式来表示.如:不等式 $x-2\leqslant6$ 的解集为 $x\leqslant8$.

(2)用数轴表示.不等式的解集可以在数轴上直观地表示出来,形象地表明不等式的有限个解.如:

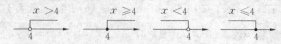

图 9-1-1

注意:在表示 4 的点上画空心圆圈,表示不包括这一点.

例 3 下列说法中正确的个数有   (   )

① -7 是 $x+3<-3$ 的一个解.

② -40 是不等式 $4x<-4$ 的解.

③ 不等式 $-\dfrac{1}{3}x>6$ 的解集是 $x<-18$.

④ 不等式 $x<-3$ 的整数解有有限个.

⑤ 不等式 $x<3$ 的正整数解只有有限个.

解析 ① 对.因为 $-7+3=-4<-3$.

② 对.因为 $4\times(-40)=-160<-4$.

③ 对.在解集与不等式之间,取解进行检验.

④ 不对.每一个小于 -3 的整数都是不等式 $x<-3$ 的解,故解有无限多个.

⑤ 对.不等式 $x<3$ 的正整数解只有 1 和 2,故正整数解的个数是有限的.

点评 理解不等式的解,不等式的解集,以及解与解集间的关系是本节的难点,千万不要把解误认为解集,防止以特殊代替一般的错误.

例 4 在数轴上表示下列不等式的解集:

(1)$x>-3$;   (2)$x\leqslant-3$;   (3)$x<-3$;   (4)$x\geqslant-3$.

解答 如图 9-1-2 所示.

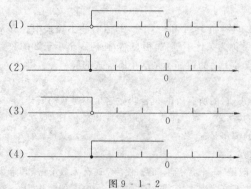

图 9-1-2

方法规律

数学解题的重要一方面就是利用定义解题.掌握好概念,逐字逐句推敲题意,是解答本例题的好方法.基于这一点,若要判断某个未知数的值是否是不等式的解,可直接将该值代入不等式的左右两边看不等式是否成立,如果成立则是,不成立则不是.

方法规律

用数轴表示不等式的解集是本节的又一考点.同学们易在细微之处大意,平时要多有"点的位置"的感觉.要注意空心圆圈与实心点的区别.大于向右画,小于向左画,有等号的画实心圆圈,无等号的画空心圆圈.

三、解不等式的含义

一般地,一个含有未知数的不等式的所有的解,组成这个不等式的解集,求不等式的解集的过程叫做解不等式.

四、一元一次不等式

类似于一元一次方程,含有一个未知数,未知数的次数是1的不等式叫做一元一次不等式.

如 $\frac{2}{3}x > 50, 2x + 3 > 7$ 等都是一元一次不等式.

提醒 一元一次不等式与一元一次方程既有区别又有联系.

(1)相同点:二者都是只含有一个未知数,未知数的次数都是1,"左边"和"右边"都是整式.

(2)不同点:一元一次不等式表示不等关系,由不等号"<"或">"连接,不等号有方向;一元一次方程表示相等关系,由等号"="连接,等号没有方向.

五、不等式的性质

不等式的性质1:不等式两边加(或减)同一个数(或式子),不等号的方向不变,即如果 $a > b$,那么 $a \pm c > b \pm c$.

不等式的性质2:不等式两边乘(或除以)同一个正数,不等号的方向不变,即如果 $a > b, c > 0$,那么 $ac > bc \left(\text{或} \frac{a}{c} > \frac{b}{c}\right)$.

不等式的性质3:不等式两边乘(或除以)同一个负数,不等号的方向改变,即如果 $a > b, c < 0$,那么 $ac < bc \left(\text{或} \frac{a}{c} < \frac{b}{c}\right)$.

提醒 (1)等式与不等式一字之差,它揭示了问题的两个方面;两字相同,却暗示着它们之间的内在联系.不等式有类似等式般的性质,理解不等式的性质2,3时,应注意以下两点:

① 把不等式的两边都乘以或除以同一个数时,必须先认清这个数的符号性质.如果这个数是正数,那么不等号的方向不变;如果这个数是负数,那么不等号的方向改变.

② 由于不等号">","<"具有方向性,所以叙述不等式的基本性质时不能笼统地说成"……仍是不等式",而应明确变形后不等式的方向是变还是不变.

特别地,在不等式的两边不能乘以0,乘以0后不等式变为等式.

(2)不等式的其他性质:

① 若 $a > b$,则 $b < a$;

② 若 $a > b, b > c$,则 $a > c$;

③ $a \geq b$,且 $b \geq a$,则 $a = b$;

④ $a^2 \leq 0$,则 $a = 0$.

例5 利用不等式的性质解下列不等式:

(1) $\frac{1}{3}x > -\frac{2}{3}x - 2$;　　　　　(2) $\frac{1}{2}x \leqslant \frac{1}{2}(6-x)$;

(3) $-3x > 2$;　　　　　　　　(4) $-3x+2 < 2x+3$.

解析 解关于 x 的一元一次不等式,就是要使不等式逐步化为 $x > a$ 或 $x < a$ 的形式.

解答 (1)根据不等式的基本性质1,不等式两边都加上 $\frac{2}{3}x$,不等号方向不变.

$$\frac{1}{3}x + \frac{2}{3}x > -\frac{2}{3}x + \frac{2}{3}x - 2, \text{即 } x > -2.$$

(2)根据不等式的基本性质1,不等式两边都加上 $\frac{1}{2}x$,不等号方向不变.

$$\frac{1}{2}x + \frac{1}{2}x \leqslant \frac{1}{2}(6-x) + \frac{1}{2}x,$$

即 $x \leqslant \frac{1}{2} \times 6 - \frac{1}{2}x + \frac{1}{2}x$,所以 $x \leqslant 3$.

(3)根据不等式的基本性质3,不等式两边都除以 -3,不等号方向改变.

即 $\frac{-3x}{-3} < \frac{2}{-3}$,所以 $x < -\frac{2}{3}$.

(4)根据不等式的基本性质1,不等式两边都加上 $-2x-2$,不等号方向不变.

即 $-3x+2-2x-2 < 2x+3-2x-2$,

所以 $-5x < 1$.再根据不等式的基本性质3,不等式两边同时除以 -5,不等号的方向改变.

所以 $\frac{-5x}{-5} > \frac{1}{-5}$,即 $x > -\frac{1}{5}$.

> **特别提示**
> ①不等式的三条基本性质是将不等式变形的主要依据,学习时要注意与等式的性质进行比较,灵活运用.②由于思维的惯性作用,在运用不等式的基本性质3时容易出现错误,请同学们注意这一点,千万不能忽视.

点评 解不等式就是求不等式的解集,就是要明确得出 x 的范围,因此,解不等式的终极目标就是将不等式化为 $x > a$ 或 $x < a$ 的形式.明确这个目标后,有的放矢地灵活运用不等式的性质将不等式的左边的加数、因数等消去.

例6 2003年8月3日晚8点30分,激动人心的时刻到了,"中国印·舞动的北京"正式成为第29届奥运会会徽.兴奋的小伟连夜奋战,按会徽式样画了两张矩形的宣传画,第一幅的边长分别为 $3m+5$ 和6,第二幅的边长分别为 $6m+11$ 和3.哪一幅的面积较大?

解析 用矩形的面积公式求出两幅画的面积,再利用不等式的性质进行比较,得出结论.

解答 第一幅画的面积为 $(3m+5) \cdot 6 = 18m+30$;

第二幅画的面积为 $(6m+11) \cdot 3 = 18m+33$.

因为 $33 > 30$,

所以 $18m+33 > 18m+30$(不等式的基本性质1),

故第二幅画的面积较大.

点评 利用不等式的基本性质,根据已知不等式可以产生仍然能成立的新的不等式,这一过程称为不等式的变形.在解答有些数学问题时,为了达到某种目的,将不等式进行合理变形,这种解题技巧值得学习和借鉴.

潜能开发广角

释疑解难

问:如何正确理解不等式的"解"和"解集"的区别和联系?

答:对于不等式的"解"和"解集"可以从以下三个方面去理解:

(1)不等式的解是指在某一范围内的数,用它代替不等式中的未知数,不等式成立.

(2)不等式的解集是一个含有未知数的不等式的所有的解组成的集合,简称不等式的解集.不等式的解集是一个范围,在这个范围内的每一个值都是不等式的解.

(3)不等式的解和不等式的解集是两个不同的概念,不等式的解是指满足这个不等式的未知数的某个值,而不等式的解集是指满足这个不等式的未知数的所有的值,解集中包含了每一个解.

例 7 求满足不等式 $x+3<6$ 的所有正整数解.

解析 "正整数"就是大于 0 的自然数,即 1,2,3,…这样的数,因此,应先求出不等式的解集,再在这个解集中去"找"符合要求的正整数解.

解答 在不等式 $x+3<6$ 的两边都减去 3,

得 $x+3-3<6-3$,所以 $x<3$.

而满足 $x<3$ 的正整数有 1,2,

所以满足不等式的正整数解为 1,2.

> **解题技巧**
>
> 一般情况下,不等式的解有无数个,但在特定的条件下解的个数有可能是有限的,体会这种求正整数解的方法与技巧.

例 8 (2004 年安徽实验区试题)某供电公司为了鼓励市民用电,制定了如下标准收取电费:若每户每月用电不超过 100 kW·h,则每千瓦时电收费 0.5 元;若每户每月用电超过 100 kW·h,则超出部分每千瓦时电收费 0.4 元.小颖家某月的电费不多于 80 元,那么她家这个月的用电量最多是多少?

解析 若小颖家用电量是 100 kW·h,则应交费 50 元,显然本题应考虑小颖家本月用电超过 100 kW·h 这种情况.

解答 设小颖这个月用电量是 x kW·h.

根据题意,可得不等式 $0.5\times100+0.4(x-100)\leqslant80$,

去括号,合并,得 $0.4x+10\leqslant80$,

> **方法规律**
>
> 不等式与最大值、最小值的关系是:对于 $x\geqslant a$,无最大值,但有最小值 a;对于 $x\leqslant b$,无最小值,但有最大值 b;对于 $x>a$ 和 $x<b$,虽然标注了数的范围,但它们既无最小值又无最大值.

利用不等式的性质解不等式,得 $x \leqslant 175$.

答:小颖家这个月的用电量最多为 175 kW·h.

拓展探究

情境 表示不等式的解集有两种方法:①用最简单的不等式表示(即 $x > a$ 或 $x < b$);②用数轴表示.如果说前者是用"数"来表示"解集"的话,那么后者是用"形"来表示"解集",事实上,两种方法相互结合,为解决很多实际问题提供了极大的方便.

案例 已知不等式 $3x - a \leqslant 0$ 的正整数解是 $1,2,3$.求 a 的取值范围.

思考 首先要正确理解题意."关于 x 的不等式 $3x - a \leqslant 0$ 的正整数解是 $1,2,3$"的意思是:$3x - a \leqslant 0$ 的解集中包含了正整数 $1,2,3$,且仅有 $1,2,3$.可以借助数轴思考探索:①在数轴上找出表示 $1,2,3$ 的点;②由于解集是 $x \leqslant \dfrac{a}{3}$,探索起点,$x \leqslant 0, x \leqslant 1, x \leqslant 2, x \leqslant 3, x \leqslant 4$ 等就会发现 $x < m (3 \leqslant m < 4)$,如图 9-1-3 所示.

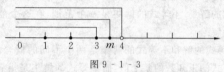

图 9-1-3

发现 解:解不等式 $3x - a \leqslant 0$,运用不等式的基本性质,解得 $x \leqslant \dfrac{a}{3}$.

因为不等式的正整数解为 $1,2,3$,

所以 $3 \leqslant \dfrac{a}{3} < 4$,

即 $9 \leqslant a < 12$,故 a 的值应取 $9 \leqslant a < 12$.

反思 (1)若问题中"$\leqslant 0$"将等号去掉,a 的范围将有怎样变化?

(2)若问题中将不等式 $3x - a \leqslant 0$ 的正整数解是 $1,2,3$ 改为最大的整数解是 3,a 的范围将有怎样变化?

请将答案写在下面的横线上.

(1)_____;(2)_____.

揭示规律

用求差比较大小以及利用不等式的基本性质解题:

两个数量的大小可以通过它们的差来判断.如果两个数 a 和 b 比较大小,那么当 $a > b$ 时,一定有 $a - b > 0$;当 $a = b$ 时,一定有 $a - b = 0$;当 $a < b$ 时,一定有 $a - b < 0$.反过来也对,即当 $a - b > 0$ 时,一定有 $a > b$;当 $a - b = 0$ 时,一定有 $a = b$;当 $a - b < 0$ 时,一定有 $a < b$.

因此,我们经常把两个要比较的对象先数量化,再求它们的差,根据差的正负判断对象的大小.

一、用求差法比较大小

例9 暑假里,有一个三口之家的父母准备带孩子外出旅行,咨询时了解到东方旅行社规定,若父母各买一张全票,则孩子可按全票的七折优惠;而光明旅行社规定,三人旅行可按团体票计价,即按全票的80%收费.若两家旅行社的全票相同,则实际收费哪家旅行社较低呢?

解析 要比较哪家旅行社收费低,可以先引入字母 x 表示全票数,列出表示两家旅行社的收费值,然后再用作差法进行比较.

解答 设两家旅行社的全票为 x 元.依题意:

东方旅行社的收费为 $2x+70\%x=2.7x$(元);

光明旅行社的收费为 $3x \cdot 80\%=2.4x$(元).

作差比较 $2.7x-2.4x=0.3x>0$,

故实际收费光明旅行社较低.

点评 在知道了东方旅行社的收费为 $2.7x$ 元,光明旅行社的收费为 $2.4x$ 元后,可以考虑 x 取特殊值的方法来判断哪家旅行社的收费低.如 $x=100$ 时,东方旅行社收费为 270 元,光明旅行社将收费 240 元.

二、用不等式的基本性质比较大小

例10 已知 $a<0,-1<b<0$,试将 a,ab,ab^2 从小到大依次排列.

解析 由 $a<0,b<0$ 可知 ab 是正数,a 和 ab^2 是负数.

由 $-1<b<0$ 可知 $b^2<1$,

将 $b^2<1$ 的两边都乘以负数 a,得 $ab^2>a$.

解答 因为 $a<0,-1<b<0$,所以 $ab^2<0,ab>0$.

又因为 $-1<b<0$,所以 $b^2<1$,所以 $ab^2>a$.

所以 a,ab,ab^2 从小到大依次是 $a<ab^2<ab$.

点评 上述解法主要是运用不等式的基本性质求解的,本题还可以运用上学期学过的知识来进行比较.因为 $a<0,b<0$,所以 $b^2>0$,因此在 a,ab,ab^2 中只有 ab 是正数,ab 最大.对于 a 和 ab^2 这两个负数,须比较它们的绝对值.因为 $-1<b<0$,所以 $|b^2|<1$.又因 $a<0$,故有 $|ab^2|<|a|$.根据"两个负数比较,绝对值大的反而小"可知 $a<ab^2$.所以 a,ab,ab^2 的大小关系是 $a<ab^2<ab$.

三、不等式的基本性质的应用

例11 (1)已知 $a<b$,下面四个不等式中不正确的是 ( )

A. $4a<4b$ B. $-4a<4b$ C. $a+4<b+4$ D. $a-4<b-4$

(2)已知 a,b,c 为有理数,且 $a>b>c$,那么下列式子正确的是 ( )

A. $a+b>b+c$ B. $a-b>b-c$ C. $ab>bc$ D. $\dfrac{a}{c}>\dfrac{b}{c}$

(3)已知关于 x 的不等式 $(1-a)x>2$ 的解集为 $x<\dfrac{2}{1-a}$,则 a 的取值范围是

(　　)

A. $a>0$　　　　　B. $a>1$　　　　　C. $a<0$　　　　　D. $a<1$

解析　(1)本题主要考查不等式的基本性质.依据基本性质1,由 $a<b$,可得 $a+4<b+4$, $a-4<b-4$,故 C,D 正确;依据基本性质2,由 $a<b$,可得 $4a<4b$,故 A 正确;依据基本性质3,由 $a<b$,可得 $-4a>-4b$,故 B 不正确.

(2)对于 A,因为 $a>c$,所以 $a+b>b+c$ 正确.

(3)本题考查不等式的基本性质,特别应关注不等号的方向发生了改变,说明 $1-a<0$,即 $a>1$,应选 B.

解答　(1)B　(2)A　(3)B

随堂能力测试

一、填空题

1.用适当的符号表示下列关系:

(1) $a-b$ 是负数:＿＿＿＿＿＿.　　　　(2) a 比 1 大:＿＿＿＿＿＿.

(3) x 是非正数:＿＿＿＿＿＿.　　　　(4) m 不大于 -5 :＿＿＿＿＿＿.

(5) x 的 4 倍大于 3:＿＿＿＿＿＿.

2.正方形边长是 x cm,它的周长不超过 160 cm,则用不等式表示为＿＿＿＿＿＿.

3.直接想出不等式的解集:

(1) $x+3>6$ 的解集是＿＿＿＿＿＿;　　　　(2) $2x<12$ 的解集是＿＿＿＿＿＿;

(3) $x-5>0$ 的解集是＿＿＿＿＿＿;　　　　(4) $\dfrac{1}{2}x>5$ 的解集是＿＿＿＿＿＿.

4.已知 $a>b$,用"$<$"或"$>$"填空:

(1) $a+2$ ＿＿＿ $b+2$;　　　(2) $3a$ ＿＿＿ $3b$;　　　(3) $-2a$ ＿＿＿ $-2b$;

(4) $a-b$ ＿＿＿ 0 ;　　　(5) $-a-4$ ＿＿＿ $-b-4$;　　　(6) $a-2$ ＿＿＿ $b-2$.

5.用"$>$"或"$<$"填空:

(1)如果 $a-b<c-b$,那么 a ＿＿＿ c ;　　　　(2)如果 $3a>3b$,那么 a ＿＿＿ b ;

(3)如果 $-a<-b$,那么 a ＿＿＿ b ;　　　　(4) $2a+1<2b+1$,那么 a ＿＿＿ b .

6.已知 $a>b$,若 $a<0$,则 a^2 ＿＿＿ ab ;若 $a>0$,则 a^2 ＿＿＿ ab .

二、选择题

7. x 的 3 倍减去 2 的差不大于 0,列出不等式是　　　　　　　　　　　　　　　　　　(　　)

A. $3x-2\leqslant0$　　　　B. $3x-2\geqslant0$　　　　C. $3x-2<0$　　　　D. $3x-2>0$

8.下列说法中,正确的数目是　　　　　　　　　　　　　　　　　　　　　　　　　　(　　)

① 4 是不等式 $x+3>6$ 的解.　　　　② $x+3<6$ 的解集是 $x<2$.

③ 3 是不等式 $x+3\leqslant6$ 的解.　　　　④ $x>4$ 是不等式 $x+3\geqslant6$ 解集的一部分.

A. 1 个　　　　B. 2 个　　　　C. 3 个　　　　D. 4 个

9. 图 9 - 1 - 4 中表示的是不等式的解集,其中错误的是　　　　　　　　（　　）

A. $x \geqslant -2$

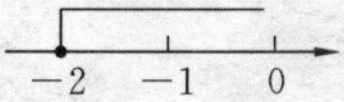

B. $x < 1$

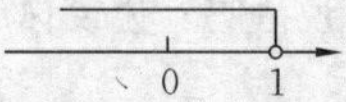

C. $x \neq 0$

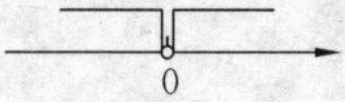

D. $x < 0$

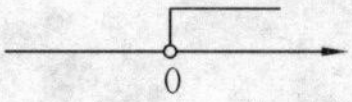

图 9 - 1 - 4

10. 若 $x > -y$,则下列不等式中成立的有　　　　　　　　　　　　　　　（　　）

A. $x + y < 0$　　　B. $x - y > 0$　　　C. $a^2 x > -a^2 y$　　　D. $3x + 3y > 0$

11. 若 $0 < x < 1$,则下列不等式成立的是　　　　　　　　　　　　　　（　　）

A. $x^2 > \dfrac{1}{x} > x$　　　B. $\dfrac{1}{x} > x^2 > x$　　　C. $x > \dfrac{1}{x} > x^2$　　　D. $\dfrac{1}{x} > x > x^2$

12. 若方程组 $\begin{cases} 3x + y = k + 1, \\ x + 3y = 3 \end{cases}$ 的解为 x,y,且 $x + y > 0$,则 m 的范围是　（　　）

A. $k > 4$　　　　B. $k > -4$　　　　C. $k < 4$　　　　D. $k < -4$

三、解答题

13. 工人张力 4 月份计划生产零件 176 个,前 10 天平均每天生产 4 个,后来改进技术,提前 3 天并且超额完成任务.若张力 10 天之后平均每天至少生产零件 x 个,请你试着写出 x 所满足的关系式.

14. 写出下列不等式的解集,并把解集在数轴表示出来:

(1) $x + 5 > 7$;　　(2) $2x \leqslant 10$;　　(3) $x - 2 > 1$;　　(4) $-3x < 12$.

15. 一种饮料重约 300 g,罐上注有"蛋白质含量 $\geqslant 0.5\%$",其中蛋白质的含量为多少克?

16. 大兴商城以 260 元进价购进一批 VCD,出售时标价为 398 元.由于销售不好,商城准备降价出售,但要保证利润不低于 10%.在这个问题中,若设降价 x 元,则有 $398 - x - 260 \geqslant 260 \times 10\%$.

小明说:"可以降价 100 元."

小颖说:"可以降价 150 元."

小华说:"降价不能超过112元,即降价的数量在0~112元之间都满足商城的要求."

你同意他们的说法吗?说说你的理由.

17.某同学在 A,B 两家超市发现他看中的随身听的单价相同,书包的单价也相同.随身听和书包单价之和是452元,且随身听的单价比书包的单价的4倍少8元.

(1)求:该同学看中的随身听和书包的单价各是多少元?

(2)某一天该同学上街,恰好赶上商家促销,超市 A 所有商品打8折销售,超市 B 全场购物满100元返购物券30元销售(不足100元不返券,购物券全场通用),但他只带了400元钱,如果他只在一家超市购买看中的这两样物品,你能说明他可以选择哪一家购买吗?若两家都可以选择,在哪一家购买更省钱?

标 答与点拨

1. (1)$a-b<0$　(2)$a>1$　(3)$x\leqslant0$　(4)$m\leqslant-5$　(5)$4x>3$

2. $4x\leqslant160$

3. (1)$x>3$　(2)$x<6$　(3)$x>5$　(4)$x>10$

4. (1)$>$　(2)$>$　(3)$<$　(4)$>$　(5)$<$　(6)$>$

5. (1)$<$　(2)$>$　(3)$>$　(4)$<$

6. $<$　$>$

7. A **8.** C **9.** D **10.** D **11.** D **12.** B

13. $4 \times 10 + (20 - 3)x > 176$

14. (1)$x > 2$ (2)$x \leqslant 5$ (3)$x > 3$ (4)$x > 4$

15. 设蛋白质含量为 x g,有 $x \geqslant 300 \times 0.5\%$,得 $x \geqslant 1.5$(g).

16. 由 $398 - x - 260 \geqslant 260 \times 10\%$,解得 $x \leqslant 112$. 故同意小华所说.

17. (1)设随身听和书包单价分别为 x 元和 y 元.

有 $\begin{cases} x + y = 452, \\ 4y - x = 8. \end{cases}$ 解得 $\begin{cases} x = 360, \\ y = 92. \end{cases}$

(2)两家均可购买,超市 A 所用金额 $452 \times 0.8 = 361.6$(元).

超市 B 所用金额 $360 - 30 \times 3 + 92 = 362$(元).

由于 $361.6 < 362$,故在超市 A 省钱.

9.2　实际问题与一元一次不等式

教 材内容全解

一、一元一次不等式的解法

　　一元一次不等式与一元一次方程在定义上类似,不同的是前者是用">"或"<"连接的两个整式,后者是用"="连接的两个整式.因此,一元一次不等式的解法与一元一次方程的解法类似,即解方程的移项、变形等方法及步骤对于解不等式同样适用,不同的是将 x 项的系数化为 1 时,要根据不等式的基本性质决定不等号的符号方向是否改变.

　　例1 解不等式 $3(1-x) < 2(x+9)$,并把它的解集在数轴上表示出来.

　　解析 解一元一次不等式就是要按照解一元一次方程的步骤将不等式化为 $ax > b$ 或 $ax < b$ 的形式,再利用不等式的性质确定它的解集.

　　解答 去括号,得 $3 - 3x < 2x + 18$,

　　移项且合并同类项,得 $-5x < 15$,

　　系数化为 1,得 $x > -3$.

　　这个不等式的解集在数轴上表示如图 9-2-1 所示.

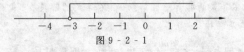

图 9-2-1

> **解题规律**
>
> "类比联想"是我们认识事物,发现规律的有效途径.一元一次不等式与一元一次方程的解法类似,由于前者是不等式,后者是等式,所以在解法上各有其特点,抓住这一点十分有益.

点评 解不等式的一般步骤:

①去分母(根据不等式的基本性质2或3);②去括号(根据整式运算法则);③移项(根据不等式的基本性质1);④合并同类项(根据整式的运算法则);⑤将系数化为1(根据不等式的基本性质2或3).

例 2 求不等式 $3-\dfrac{x-1}{4}\geqslant2+\dfrac{3(x-1)}{8}$ 的非负整数解,并把它在数轴上表示出来.

解析 先求出不等式的解集,再在解集中求出符合条件的非负整数.

方法规律

  求不等式的非负整数解,只要先求出不等式的解集,再按要求从解集中确定非负整数即可.解这类题时,要注意解集的完整性,如解集 $x\leqslant\dfrac{13}{5}$ 的正整数解为1,2.

解答 去分母,得 $24-2(x-1)\geqslant16+3(x-1)$,

去括号,得 $24-2x+2\geqslant16+3x-3$,

移项,得 $-2x-3x\geqslant16-3-24-2$,

合并同类项,得 $-5x\geqslant-13$,

把系数化为1,得 $x\leqslant\dfrac{13}{5}$.

解集 $x\leqslant\dfrac{13}{5}$ 的非负整数解是 $0,1,2$,在数轴上如图 $9-2-2$ 所示.

图 $9-2-2$

点评 解不等式时,有时为了去分母而在不等式的两边都乘以各分母的最小公倍数,不要忘了将分子(如果是多项式)作为一个整体加上括号,也不要漏乘没有分母的项.

例 3 x 取哪些非负整数时,$\dfrac{3x-2}{5}$ 的值不小于 $\dfrac{2x+1}{3}$ 与1的差.

解析 先列出 x 满足的不等式,求出解集,由于 x 是非负整数,再确定其值.

解答 由题意,x 是不等式 $\dfrac{3x-2}{5}\geqslant\dfrac{2x+1}{3}-1$ 的解.

特别提示

  解不等式时,要根据不等式的形式灵活安排求解的步骤,熟练后,步骤及检验的过程还可以合并简化.

去分母,得 $3(3x-2)\geqslant5(2x+1)-15$,

去括号,得 $9x-6\geqslant10x+5-15$,

移项,得 $9x-10x\geqslant5-15+6$,

合并同类项,得 $-x\geqslant-4$,

两边都除以 -1,得 $x\leqslant4$.

因为 x 是非负数,所以 $x=0,1,2,3,4$.

点评 不等式的解和解集是两个不同的概念,它们反映了同一事物"个体"与"整体"的关系,本题可以化归为求不等式的非负整数解.求出不等式的解集 $x\leqslant4$ 后,易发生两种错误:一是漏掉 $x=4$;二是漏掉 $x=0$.

例 4 m 取何值时,关于 x 的方程 $\dfrac{x}{6}-\dfrac{6m-1}{3}=x-\dfrac{5m-1}{2}$ 的解大于1.

解析 这是一道关于方程和不等式的综合应用的常见题型,通常可先求得字母系数方程的解,再根据条件列出不等式,求得 m 的范围.

解答 解方程 $x-2(6-1)=6x-3(5m-1)$,

$x-12m+2=6x-15m+3$,

即 $x=\dfrac{3m-1}{5}$.

根据题意,得 $\dfrac{3m-1}{5}>1$,

所以 $3m-1>5$,

解得 $m>2$.

点评 本题也可以从方程中先求出 m 的表达式(反客为主),即 $m=\dfrac{5x+1}{3}$.因为 $x>1$,所以 $m=\dfrac{5x+1}{3}>\dfrac{5\times1+1}{3}=2$,即 $m>2$.这种方法很有创意.同学们在解这类问题时,要注意灵活多变,采用更适合的思想方法解题.

例 5 已知方程组 $\begin{cases} 2x+y=3m+1, & ① \\ x-y=2m-1. & ② \end{cases}$

(1)试列出使 $x>y$ 成立的关于 m 的不等式.

(2)解关于 m 的不等式.

解析 问题(1)中要求列出使 $x>y$ 成立的不等式,需要用含有 m 的代数式表示出 x,y.要达到这一目标,首先要解关于 x,y 的二元一次方程组.

解答 (1)解方程组,用含 m 的代数式表示 x 和 y.

由①+②,得 $3x=5m$,即 $x=\dfrac{5}{3}m$,

①-②×2,得 $3y=-m+3$,即 $y=\dfrac{-m+3}{3}$.

依题意有 $\dfrac{5}{3}m>\dfrac{-m+3}{3}$.

(2)去分母,得 $5m>-m+3$,

移项,合并同类项,得 $6m>3$,

将 m 的系数化为 1,得 $m>\dfrac{1}{2}$.

> **特别提示**
>
> 方程(组)与不等式代表了问题的两个方面,因此,常常把两者结合起来进行综合考查.用不等式来研究解是此类题中的一大亮点.

例 6 (2004 年江西实验区试题)分别解不等式 $2x-3\leqslant5(x-3)$ 和 $\dfrac{y-1}{6}-\dfrac{y+1}{3}>1$,并比较 x,y 的大小.

解析 先按照解不等式的基本步骤解出每一个不等式的解集,然后,再根据解集比较 x,y 的大小.

解答 (1)$2x-3\leqslant5(x-3)$,

去括号,得 $2x-3\leqslant5x-15$,

移项,合并同类项,得 $-3x\leqslant-12$,

系数化为 1,得 $x\geqslant4$.

(2) $\dfrac{y-1}{6}-\dfrac{y+1}{3}>1$,

去分母,得 $y-1-2(y+1)>6$,

去括号,合并同类项,得 $-y>9$,

系数化为 1,得 $y<-9$.

故 $x>y$.

潜 能开发广角

综合方法

　　利用相等关系(方程)可以解决许多问题,事实上,利用不等关系(不等式)同样可以解决许多问题.在我们的生活中,不等关系更为普遍,因此,用不等式有时为问题的解决带来方便.

一、不等式的正整数解的应用

　　例 7 (2005 年江苏南通课改卷)海门市三星镇的叠石桥国际家纺城是全国最大的家纺专业市场,年销售额突破百亿元.2005 年 5 月 20 日,该家纺城的羽绒被和羊毛被这两种产品的销售价如下表:

品　名	规格(m)	销售价(元/条)
羊毛被	2×2.3	150
羽绒被	2×2.3	415

现购买这两种产品共 80 条,付款总额不超过 2 万元,问最多可购买羽绒被多少条.

　　解析 问题中的情境告诉我们,付款总额不超过 2 万元,因此应建立不等关系的模型.

　　解答 设购买羽绒被 x 条,则购买羊毛被 $(80-x)$ 条.

根据题意,得 $415x+150(80-x)\leqslant20\,000$.

整理,得 $265x\leqslant8\,000$.

解之,得 $x\leqslant30\dfrac{10}{53}$.

因为 x 为整数,所以 x 的最大整数值为 30.

答:最多可购买羽绒被 30 条.

　　例 8 小颖准备用 21 元钱买笔和笔记本,已知每支笔 3 元,每个笔记本 2.2 元.她买了两个笔记本,请你帮她算一算,她还可以买几支笔?

解析 根据题意分析,本例有如下的不等关系:

买笔的钱＋买笔记本的钱≤21 元.

解答 设她还可以买 n 支笔.

根据题意,得 $3n+2.2\times2\leqslant21$.

解这个不等式,得 $n\leqslant\dfrac{16.6}{3}$.

由于 $\dfrac{16.6}{3}\approx5.5$,

所以,小颖还可以买 1 支、2 支、3 支、4 支或 5 支笔.

特别提示

本例中有两处情境值得注意:①由于笔、本的记数都是正整数,因而"21 元"不可能刚好用完.②问题需回答还可以买几支,与最多可以买几支意义不同.体会此时建立不等式模型的优越性.

例 9 有数学作业本纸 26 张,甲、乙两人用去的数学纸总数少于剩下的数学纸张数的一半,若甲只用了 3 张,则乙最多用了多少张?

解析 从阅读问题的过程中,体会到贯穿全文的关键词为"少于剩下……",因此,本例的不等式关系为:

甲用的数学纸张数＋乙用的数学纸张数＜剩下的数学纸张数$\times\dfrac{1}{2}$.

解答 设乙用了 x 张数学纸.

根据题意,得 $x+3<\dfrac{1}{2}(26-x-3)$,

解这个不等式,得 $x<\dfrac{17}{3}$. 所以 x 取最大整数为 5.

答:乙最多用了 5 张数学纸.

点评 涉及一元一次不等式应用的中考题为数不少,求"整数解"型问题便是其中一类,这就要求我们把求不等式的特殊解与求不等式的解集联系起来,先求出解集,再找出特殊解.

例 10 (2005 年福建厦门)某软件公司开发出一种图书管理软件,前期投入的开发、广告宣传费用共 50 000 元,且每售出一套软件,软件公司还需支付安装费用 200 元,如果每套定价 700 元,软件公司至少要售出多少套软件才能确保不亏本?

解析 "不亏本"的含义是"收入"不少于"支出".因此,本例应构建关于售出件数的不等式来求解.

解答 设软件公司至少要售出 x 套软件才能确保不亏本.

则有 $700x\geqslant50\,000+200x$.

解得 $x\geqslant100$.

答:软件公司至少要售出 100 套软件才能确保不亏本.

特别提示

列一元一次不等式解答一些实际问题,可以类比列一元一次方程和二元一次方程组解应用题的方法和技巧,不同的是,列不等式解应用题,寻求的是不等量关系,因此,根据问题情境,抓住应用问题中"不等"关系的关键词语,或从题意中体会、感悟出不等关系十分关键.

二、应用不等式解"决策类"应用题

例 11 某学校计划购买若干台电脑,现从两家商场了解到同一型号电脑每台报价为 6 000 元,并且多买都有一定的优惠.甲商场的优惠条件是:第一台按原报价收费,其余每台优惠 25%.乙商场的优惠条件是:每台优惠 20%.

设该学校计划购买 x 台电脑,根据题意回答下列问题:

(1)若到甲商场购买,需收费_____元;若到乙商场购买,需收费_____元.

(2)什么情况下两家商场的收费相同? 什么情况下到甲商场购买更优惠? 什么情况下到乙商场购买更优惠?

解析 (1)第一问是列式问题,弄清收费方式很重要:甲商场第一台收费 6 000 元,后 $(x-1)$ 台优惠 25%;乙商场每台优惠 20%.弄清了这两点,解答第一问不成问题.(2)第二问是一道开放条件的题目,这时需要先假设结果成立,建立不等关系的模型,求出解后再"反答".

解答 (1)到甲商场购买应收费 $6\ 000+6\ 000(1-25\%)(x-1)=4\ 500x+1\ 500$;

到乙商场购买应收费 $6\ 000(1-20\%)x=4\ 800x$.

(2)若到两家商场的收费相同,则有 $4\ 500x+1\ 500=4\ 800x$,

解得 $x=5$.

故购买 5 台电脑时,两家商场收费相同.

若到甲商场购买更优惠,则有 $4\ 500x+1\ 500<4\ 800x$,

解得 $x>5$.

故购买 5 台电脑以上时,甲商场更优惠.

若到乙商场购买更优惠,则有 $4\ 500x+1\ 500>4\ 800x$,

解得 $x<5$.

故购买 5 台以下电脑时,乙商场更优惠.

例 12 某公司为了扩大经营,决定购进 6 台机器用于生产某种活塞.现有甲、乙两种机器供选择,其中每种机器的价格和每台机器日生产活塞的数量如下表所示.经过预算,本次购买机器所耗资金不能超过 34 万元.

	甲	乙
价格(万元/台)	7	5
每台日产量(个)	100	60

(1)按该公司要求可以有几种购买方案?

(2)若公司购进的 6 台机器的日生产能力不能低于 380 个,那么为了节约资金应选择哪种购买方案?

解析 (1)按公司要求购买机器所耗资金不能超过 34 万元,故可以构建不等关系的模型求解.(2)在(1)的方案中,在满足购进机器 6 台,日生产能力不低于 380 个的前提下,选择最优方案.

解答 (1)设购买甲种机器 x 台($x\geqslant0$),则购买乙种机器($6-x$)台.

依题意,得 $7x+5\cdot(6-x)\leqslant34$.

解这个不等式,得 $x\leqslant2$,即 x 可取 0,1,2 三个值.

所以该公司按要求可以有以下三种购买方案:

方案一:不购进甲种机器,购买乙种机器 6 台.

方案二:购买甲种机器 1 台,购买乙种机器 5 台.

方案三:购买甲种机器 2 台,购买乙种机器 4 台.

(2)按方案一购买机器,所耗资金为 $6\times5=30$(万元),新购买机器日生产量为 $6\times60=360$(个).

按方案二购买机器,所耗资金为 $1\times7+5\times5=32$(万元),新购买机器日生产量为 $1\times100+5\times60=400$(个).

按方案三购买机器所耗资金为 $2\times7+4\times5=34$(万元),新购买机器日生产量为 $2\times100+4\times60=440$(个).

因此,选择方案二既能达到生产能力不低于 380 个的要求,又比方案三节约 2 万元资金,故应选择方案二.

前沿考向

一元一次不等式的解法是本章的重点,也是历届中考的重要考点之一,其主要题型是选择题和填空题,有时也与方程知识综合考查.

三、已知不等式的解集,求未知系数中的字母

例 13 (2004 年重庆试验区试题)已知关于 x 的不等式 $2x-a>-3$ 的解集如图 9-2-3所示,则 a 的值等于 ( )

A.0   B.1   C.-1   D.2

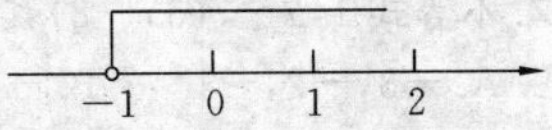

解答 解 $2x-a>-3$,得 $x>\dfrac{a-3}{2}$.

观察图形,得 $x>-1$.

依题意,得 $\dfrac{a-3}{2}=-1$,所以 $a=1$.

故选 B.

图 9-2-3

点评 本例中有两个关键点:①观察图形很重要;②得出 $\dfrac{a-3}{2}=-1$ 这个方程很关键.这是一道较为典型的数形结合的题目,是一种常见的热点题型.

四、与方程知识相结合进行综合考查

例 14 m 为何正整数时,方程 $\dfrac{5x-3m}{4}=\dfrac{m}{2}-\dfrac{15}{4}$ 的解是非正数.

解析　解为非正数的实质是小于或等于 0，这样便可以建立不等式的模型.

解答　解方程 $\dfrac{5x-3m}{4}=\dfrac{m}{2}-\dfrac{15}{4}$,

去分母 $5x-3m=2m-15$,

移项，合并同类项，得 $x=m-3$.

因为方程的解为非正数，

所以 $m-3\leqslant 0$，即 $m\leqslant 3$.

又因为 m 为正整数，

所以 $m=1,2,3$.

> **特别提示**
>
> 　解答本题时，要注意题中给出的 m 的限制条件，条件有：①m 为正整数；②方程的解是非正数.

随堂能力测试

一、填空题

1. 若使代数式 $\dfrac{x}{5}-5$ 的值不大于 $\dfrac{x}{2}-3$ 的值，则 x 的取值范围为 _____.

2. 使不等式 $x-2\leqslant 3x+5$ 成立的负整数有 _____.

3. 不等式 $4x-6\geqslant 7x-12$ 的非负整数解为 _____.

4. 代数式 $\dfrac{3}{2}y-\dfrac{2}{3}(y+1)$ 的值大于 1，则 y 的取值范围是 _____.

5. 某人 10 点 10 分离家赶 11 点整的火车，已知他家距车站 10 km，他离家后先以 3 km/h 的速度走了 5 min，然后乘公共汽车去车站，则公共汽车每小时至少走 _____ km 才能不误当次火车.

6. 某试卷共有 20 道题，对于每一道题选对了得 10 分，选错了或不选扣 5 分，至少要选对 _____ 道题，其得分不少于 80 分.

二、选择题

7. 不等式 $14x-7(3x-8)<4(25+x)$ 的负整数解是 （　　）
   A. $-3,-2,-1$　　B. $-1,-2$　　C. $-4,-3,-2,-1$　　D. $-3,-2,-1,0$

8. 若不等式 $ax>b$ 的解集是 $x>\dfrac{b}{a}$，则 a 的范围是 （　　）
   A. $a\geqslant 0$　　　　B. $a\leqslant 0$　　　　C. $a>0$　　　　　D. $a<0$

9. 不等式 $\dfrac{x-1}{2}\leqslant 3$ 的解集是 （　　）
   A. $x\leqslant 4$　　　　B. $x<4$　　　　C. $x\leqslant 7$　　　　D. $x\leqslant 5$

10. 不等式 $\dfrac{1}{6}(1-9x)<-7-\dfrac{3}{2}x$ 的解集是 （　　）
    A. 全体有理数　　B. 全体正数　　C. 全体负数　　D. 无解

11. $2x+1$ 是不小于 -3 的负数，表示为 （　　）
    A. $-3\leqslant 2x+1\leqslant 0$　　　　　B. $-3<2x+1<0$

C. $-3 \leqslant 2x+1 < 0$ D. $-3 < 2x+1 \leqslant 0$

12. 在方程组 $\begin{cases} 2x+y=1-m, \\ x+2y=2 \end{cases}$ 中,若未知数 x, y 满足 $x+y > 0$,则 m 的取值范围在数轴

上表示应是图 9 - 2 - 4 中的   (   )

A.   B.

C.   D.

图 9 - 2 - 4

三、解答题

13. 解下列不等式,并把解集在数轴上表示出来:

(1) $3(x+1) < 4(x-2)-3$;   (2) $\dfrac{2x-1}{3} - \dfrac{5x+1}{2} \leqslant 1$;

(3) $\dfrac{0.4x-1}{0.5} - \dfrac{5-x}{2} \leqslant \dfrac{0.03-0.02x}{0.03}$;   (4) $\dfrac{x-1}{3} - \dfrac{2x+5}{4} > -2$.

14. 一组同学在校门口拍一张合影,已知冲一张底片需要 0.6 元,洗一张照片需要 0.4 元,每人都得到一张照片,每人平均分摊的钱不超过 0.5 元,那么参加合影的同学至少有几人?

15. 红星公司要招聘 A, B 两个工种的工人 150 人,A, B 两个工种的工人的月工资分别为 600 元和 1 000 元.现在要求 B 种的人数不少于 A 工种人数的 2 倍,那么,招聘 A 工种工人多少人时,可使每月所付的工资最少?最少为多少元?

16. 某城市平均每天产生垃圾 700 t,由甲、乙两个垃圾处理厂处理.已知甲厂每小时可处理垃圾 55 t,需费用 550 元,乙厂每小时可处理垃圾 45 t,需费用 495 元.

(1)甲、乙两厂同时处理该城市的垃圾,每天需几小时才能完成工作?

(2)如果规定该城市每天用于处理垃圾的费用不超过 7 070 元,甲厂每天处理垃圾至少需要多少小时?

17. m 是什么正整数时,方程 $\dfrac{5x-3m}{4}=\dfrac{m}{2}-\dfrac{15}{4}$ 的解是非正数.

18. 为了保护环境,某企业决定购买 10 台污水处理设备.现有 A,B 两种型号的设备,其中每台的价格、月处理污水量及年消耗费如下表:

	A 型	B 型
价格(万元/台)	12	10
处理污水量(t/月)	240	200
年消耗费(万元/台)	1	1

经预算,该企业购买设备的资金不高于 105 万元.

(1)请你设计该企业的几种购买方案.

(2)若企业每月产生的污水量为 2 040 t,为了节约资金,应选择哪种购买方案?

(3)在第(2)问的条件下,若每台设备的使用年限为 10 年,污水厂处理污水费为每吨 10 元,请你计算:该企业自己处理污水与将污水排到污水厂处理相比较,10 年节约资金多少万元?(注:企业处理污水的费用包括购买设备的资金和消耗费)

标 答与点拨

1. $x \geqslant -\dfrac{20}{3}$　**2.** $-3, -2, -1$　**3.** $0, 1, 2$　**4.** $y > 2$　**5.** 13　**6.** 12

7. A　**8.** C　**9.** C　**10.** D　**11.** C　**12.** D

13. $x > 14$　(2)$x \geqslant -1$　(3)$x \leqslant \dfrac{165}{59}$　(4)$x < \dfrac{5}{2}$

14. 设有 x 人参与合影,有 $0.4x + 0.6 < 0.5x$,则 $x > 6$.

15. 设招 A 工种工人 x 人,则招 B 工种工人 $(150-x)$ 人.

有 $(150-x) \geqslant 2x$,得 $x \leqslant 50$.

故每月最低工资为 $50 \times 600 + 100 \times 1\,000 = 130\,000$(元).

16. (1)设每天需 y h 完成,$45y + 55y = 700$,有 $y = 7$.

(2)设甲厂每天需 x h,则 $\dfrac{700 - 55x}{45} \cdot 495 + 500x \leqslant 7\,070$,

则 $x \geqslant 6$,故甲厂每天处理垃圾至少需要 6 h.

17. $5x - 3m = 2m - 15$,则 $x = m - 3 \leqslant 0$,则 $m \leqslant 3$.

18. (1)三种:①A 2 台,B 8 台;②A 1 台,B 9 台;③A 0 台,B 10 台.

(2)设购 A 型 x 台,有 $240x + 200(10-x) \geqslant 2\,040$,得 $x \geqslant 1$.

故应选择方案②.

(3)$10 \times 2\,040 \times 12 \times 10 - 12 \times 10^4 - 10 \times 10^4 \times 9 - 10 \times 10^4 \times 10 = 42.8$(万元).

9.3 一元一次不等式组
9.4 利用不等关系分析比赛

教材内容全解

一、一元一次不等式组

类似于方程组,把两个不等式合起来,组成一个一元一次不等式组.

提醒 理解一元一次不等式组的定义应注意以下几点:①建立不等式组的条件是:当感知要解决的问题同时满足几个约束条件,而这几个约束条件都是不等式时,就自然要引入不等式组.②研究不等式组一定要紧密联系每一个不等式.这里我们要明确组成不等式组的每一个不等式的地位是相同的,缺一不可的.③不等式组里的不等式的个数并未规定,只要不是一个,两个、三个或四个都行.④在同一个不等式组中的未知数必须是同一个,不能在这个不等式中是这个未知数,在另一个不等式中是另一个未知数.

例 1 用甲、乙两种原料制成某种饮料,已知这两种原料的维生素 C 含量及购买这两种原料的价格如下表:

原料 维生素及价格	甲种原料	乙种原料
维生素 C(单位/kg)	600	100
原料价格(元/kg)	8	4

现配制这种饮料 10 kg,要求至少含有 4 200 单位的维生素 C,如果还要求购买甲、乙两种原料的费用不超过 72 元,请你写出所需甲种原料 x kg 应满足的不等式.

解析 前面,我们已经研究了建立不等式组的概念,分析题意便知,这里的 x kg 应同时满足两个不等关系:①至少含有 4 200 单位的维生素 C.②购买甲、乙两种原料的费用不超过 72 元.因此,需要写出关于 x kg 的不等式组才能满足题意.

解答 根据题意,有 $\begin{cases} 600x+100(10-x)\geqslant 4\,200, \\ 8x+4(10-x)\leqslant 72. \end{cases}$

特别提示

①建立不等式组的条件是:当感知所求的量同时满足几个不等关系时,要建立不等式组.建立不等式组的意义与建立方程组的意义类似.②想一想,你能尝试出同时满足这两个一元一次不等式的未知数的值吗?

二、一元一次不等式组的解集

一般地,几个不等式的解集的公共部分,叫做由它们所组成的不等式组的解集.解不等式组就是求它的解集.

提醒 (1)求几个一元一次不等式组的解集的公共部分,通常是利用数轴来确定的.公共部分是指数轴上被两个不等式的解集的区域都覆盖的部分.

(2)用数轴来表示一元一次不等式的解集,可分为四种情况(不妨设 $a>b$):

① $\begin{cases} x>a, \\ x>b \end{cases}$ 在数轴上表示为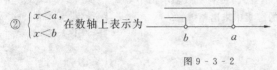

图 9 - 3 - 1

所以解集为 $x>a$,简单说为"同大取大".

② $\begin{cases} x<a, \\ x<b \end{cases}$ 在数轴上表示为

图 9 - 3 - 2

所以解集为 $x<b$,简单说为"同小取小".

③ $\begin{cases} x>b, \\ x<a \end{cases}$ 在数轴上表示为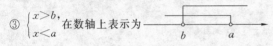

图 9 - 3 - 3

所以解集为 $b<x<a$,简单说为"大小小大中间夹".

④ $\begin{cases} x>a, \\ x<b \end{cases}$ 在数轴上表示为

图 9 - 3 - 4

所以解集为空集,简单说为"大大小小无解答(答:无解)".

例 2 解不等式组 $\begin{cases} 6x+2<4x, & ① \\ \dfrac{2x-1}{5}<\dfrac{x+1}{2}. & ② \end{cases}$

解析 不等式组的解集,即为不等式①、②解集的公共部分,可分别求出每个不等式的解集,再利用数轴找出公共部分,即为不等式组的解集.

解答 由①,得 $2x<-2$,即 $x<-1$.

由②,得 $4x-2<5x+5$,即 $x>-7$.

在数轴上表示不等式①、②的解集,如图 9 - 3 - 5 所示.

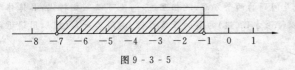

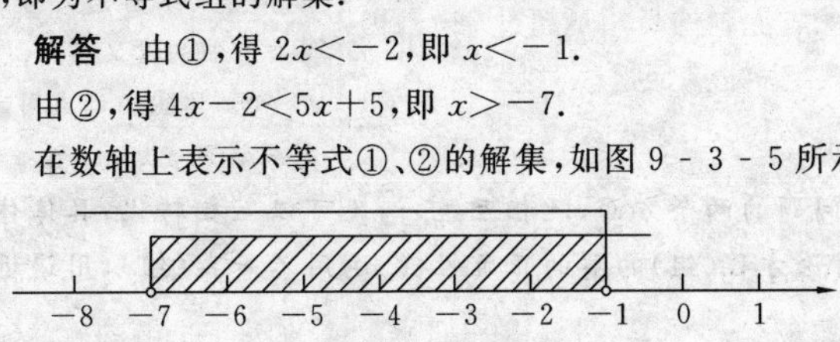

图 9 - 3 - 5

> **特别提示**
> (1)解一元一次不等式组的步骤是:①分别求出这个不等式组中各个不等式的解集;②利用数轴求这些不等式的解集的公共部分,即求出这个不等式组的解集.(2)熟练之后,可直接应用四种基本情况确定其解集.

所以不等式组的解集为$-7<x<-1$.

点评 解不等式组与解方程组有着重要的区别:解方程时,我们可以对几个方程进行"代入"或"加减"式的加工,但在解不等式组时,我们只能对某个不等式进行变形,分别求出每个不等式的解集,然后再求出其公共部分.通俗地说,解方程组时,可以"统一思想",而解不等式时,只能"分而治之".

例 3 求不等式组$\begin{cases} 3(1-x)>2(x+9), \\ \dfrac{x-3}{0.5}-\dfrac{x+4}{0.2} \leqslant -14 \end{cases}$的整数解.

警示误区

不等式的解与不等式的解集是两个不同的概念,它反映了同一事物"个体"与"整体"的关系,在解答这类问题时,千万不要用解集去代替"整数解".

解析 先分别解每一个不等式,再利用数轴求出不等式组的解集,最后在不等式组的解集中求出整数解.

解答 原不等式可化为

$\begin{cases} 3(1-x)>2(x+9), & ① \\ 2(x-3)-5(x+4) \leqslant -14. & ② \end{cases}$

解不等式①,得$x<-3$.

解不等式②,得$x \geqslant -4$.

所以原不等式组的解集是$-3>x \geqslant -4$.

其中,整数解为$x=-4$.

例 4 a为何值时,方程组$\begin{cases} 2x+ay=4, \\ x+4y=8 \end{cases}$的解为正数.

解析 将a看做"常数",求出x,y,再讨论条件"正数",求出a.

解答 解方程组,得$\begin{cases} x=\dfrac{8a-16}{a-8}, \\ y=\dfrac{-12}{a-8}. \end{cases}$

由题意,得$\begin{cases} \dfrac{8a-16}{a-8}>0, & ① \\ \dfrac{-12}{a-8}>0. & ② \end{cases}$

由②,得$a-8<0$.

由此确定①,得$8a-16<0$.

所以$\begin{cases} a<8, \\ a<2. \end{cases}$

故解集为$a<2$.

警示误区

本例得到的不等式组$\begin{cases} \dfrac{8a-16}{a-8}>0, \\ \dfrac{-12}{a-8}>0 \end{cases}$不是一元一次不等式组,因此,解答这道题时,要灵活处理,促使问题转化为一元一次不等式组来解答.

点评 相等与不相等是问题的两个方面,既相互统一,又可以互相转化,具体体现在:①运用不等式(组)可以讨论方程(组)的解的正负性;②运用不等式(组),用逼近的方法求特殊方程(组)的解.

例5 你能求出三个不等式 $5x-1>3(x+1)$，$\frac{1}{2}x-1>5-\frac{3}{2}x$，$x-1<3x+1$ 的解集的公共部分吗？

解析 先分别解每一个不等式，再利用图 9-3-6 所示的数轴求出不等式组的解集.

解答 解不等式 $5x-1>3(x+1)$，得 $x>2$.

解不等式 $\frac{1}{2}x-1>5-\frac{3}{2}x$，得 $x>3$.

解不等式 $x-1<3x+1$，得 $x>-1$.

> **特别提示**
> 由三个、四个等一元一次不等式组成的一元一次不等式组的解法和由两个一元一次组成的不等式组的解法一样.求公共解集时，最好是借助数轴的直观性求解.

图 9-3-6

所以三个不等式的解集的公共部分为 $x>3$.

潜 能开发广角

延伸技巧

大家知道，已知不等式组，我们可以求出这个不等式组的解集，反过来，已知不等式组的解集，也能确定这个不等式组中未知的系数，因为无论什么事物在一般的情况下都有其两面性.

例6 (1)若不等式组 $\begin{cases} 2x-3a<7b, \\ 6b-3x<5a \end{cases}$ 的解集是 $5<x<22$.求 a,b 的值.

(2)已知不等式组 $\begin{cases} \dfrac{2x-1}{3}>1, \\ x>a \end{cases}$ 的解集为 $x>2$，求 a 的范围.

解析 已知不等式组的解集，求某些字母的值(或范围)，是不等式组解集确定方法的逆向应用.处理这类问题时，可先求出原不等式组含有某些字母的解集，然后对照已知，"对号入座"，采取有针对性的方法.

解答 (1)原不等式组可化为 $\begin{cases} x<\dfrac{1}{2}(3a+7b), \\ x>\dfrac{1}{3}(6b-5a). \end{cases}$

> **警示误区**
> 这里由 $\begin{cases} x>2, \\ x>a \end{cases}$ 得 $a\leqslant 2$ 中，等于号不能漏掉了，为什么？

依题意，得 $\frac{1}{3}(6b-5a)<x<\frac{1}{2}(3a+7b)$.

又由题意知，该不等式组的解集是 $5<x<22$.

所以 $\begin{cases} \dfrac{1}{3}(6b-5a)=5, \\ \dfrac{1}{2}(3a+7b)=22. \end{cases}$

解得 $\begin{cases} a=3, \\ b=5. \end{cases}$

(2)原不等式组可化为 $\begin{cases} x>2, \\ x>a. \end{cases}$ 依题意,知 $x>2$,所以 $a\leqslant 2$.

前沿考向

列不等式(组)解决一些实际问题应用题,是中考考点之一.在将实际问题转化为数学问题的过程中,寻找不等量关系是关键,把问题所叙述的情境进一步数式化是十分重要的.其中,求出不等式(组)的整数解是解决有关不等式(组)类问题的常见题型.

例 7 (2004 年江苏实验区试题)某校为了奖励在数学竞赛中获奖的学生,买了若干本课外读物准备送给他们.如果每人送 3 本,则剩余 8 本;如果前面每人送 5 本,则最后一人得到的课外读物不足 3 本.设该校买了 m 本课外读物,有 x 名学生获奖,请解答下列问题:

(1)用含 x 的代数式表示 m;

(2)求出该校的获奖人数及所买课外读物的本数.

解析 m 与 x 之间的相等关系有:每人送 3 本,则剩余 8 本.

不等关系有:

① 总本数不少于$(x-1)$人、每人 5 本的本数;

② 总本数减少 3 本一定少于$(x-1)$人、每人 5 本的本数.

解答 (1)$m=3x+8$.

(2)根据题意,得 $\begin{cases} 3x+8-5(x-1)\geqslant 0, \\ 3x+8-5(x-1)<3. \end{cases}$

解这个不等式组,得 $5<x\leqslant 6\dfrac{1}{2}$.

因为 x 为正整数,所以 $x=6$.

当 $x=6$ 时,$m=3x+8=26$.

答:该校的获奖人数为 6 人,所买课外读物的本数为 26 本.

例 8 某中学有若干名学生住宿舍,若每间宿舍住 4 人,则有 20 人没有宿舍住;若每间住 8 人,则有一间宿舍住不满.求住宿学生的人数及宿舍的间数.

解答 解法一:

设该校有住宿学生 x 人,则有宿舍 $\dfrac{x-20}{4}$ 间.

根据题意，得 $x<\dfrac{8(x-20)}{4}<x+8$.

解得 $40<x<48$.

x 取整数，得 $41,42,43,44,45,46,47$.

又 $\dfrac{x-20}{4}$ 必为正整数，

所以 $x=44,\dfrac{x-20}{4}=6$.

解法二：

设该校有 x 间宿舍，学生 $(4x+20)$ 人.

根据题意，得 $0<8x-(4x+20)<8$.

解得 $5<x<7$.

因为 x 取正整数，所以 $x=6,4x+20=44$.

解答三：

设该校有 x 间宿舍，y 名学生.

根据题意，得 $\begin{cases} y=4x+20, & ① \\ 0<8x-y<8. & ② \end{cases}$

将①代入②，得 $5<x<7$.

因为 x 取正整数，所以 $x=6,y=4x+20=44$.

答：学生 44 人，宿舍 6 间.

点评 本例主要考查应用不等式组解实际问题的能力和对问题的分析及综合运用知识的能力. 应正确找出实际问题中的关系式，理解关键词，如"一间宿舍住不满"，还要确定准确的取值范围.

问题探究

情境 生活中充满数学，学习数学知识的目的就是为了解决实际问题，你能帮助五星公司设计出租船方案吗？

案例 五星公司决定周末组织 48 名员工到附近公园坐船游园，公司先派财务科小张去了解船只的租金情况，小张看到了租金价格如下表.

船　型	每只限载人数（人）	租金（元）
大　船	5	3
小　船	3	2

你能帮助小张设计出租船方案，使得船只不留空座，且所付租金最少吗？

思考 本例中的租船方案要满足两个条件：一是不留空座，二是租金最少. 可以先不考虑租金，只考虑有几种租船方案使得船只不留空座（即满载），然后再从这些方案中选择最佳方案. 若设租大船 x 只，小船 y 只，则有 $5x+3y=48$，由于 x 为整数，故本例实

特别提示

①站的角度不同，思考问题的思维方式不同，体现出来的不等关系式就有区别. 解法一是利用"人数"作为不等关系，解法二是利用宿舍的间数为不等关系的，比较一下，解法二比解法一思维要直接些. ②解法三列的是混合组，其实质是解法二的"翻版". 同学们，你说是吗？

质是求一个二元一次方程的整数解.

发现 设需租大船 x 只,小船 y 只.

由题意,得 $5x+3y=48$,即 $y=16-\dfrac{5}{3}x$.

又因为 x,y 都是非负整数,

所以 $\begin{cases} x\geqslant 0, \\ 16-\dfrac{5}{3}x\geqslant 0. \end{cases}$ 解得 $0\leqslant x\leqslant \dfrac{48}{5}$.

所以当 $x=0,3,6,9$ 时,$y=16,11,6,1$.

故共有 4 种租船方案,列表如下:

	方案一	方案二	方案三	方案四
大船 x(只)	0	3	6	9
小船 y(只)	16	11	6	1
应付租金(元)	32	31	30	29

由上表可知,选择方案四为最佳方案.

反思 解有关类似的不定方程时,一般把其中的一个未知数视为常数,用它的代数式表示另外的一个未知数,再利用问题中已知或隐含的条件构建不等式(组),把问题中的解限制在某两个数值范围内,进行筛选后,得到符合题意的答案.这种用逼近的方法求特殊方程(组)的解的思想,值得学习和借鉴.

问题研讨

已知 $x=1$ 是不等式 $\begin{cases} \dfrac{3x-5}{2}\leqslant x-2a, \\ 3(x-a)<4(x+2)-5 \end{cases}$ 的解,求 a 的取值范围.

小明:先求出不等式组的解集,由 $x=1$ 是不等式组的解,利用不等式组的解的定义,列出关于 a 的不等式组求解.

原不等式组变形为 $\begin{cases} 3x-5\leqslant 2x-4a, \\ 3x-3a<4x+3, \end{cases}$ 即 $\begin{cases} x\leqslant 5-4a, \\ x>-3a-3. \end{cases}$

因为不等式组有解,

所以 $-3a-3<x\leqslant 5-4a$.

因为 1 是原不等式组的解,

所以 $-3a-3<1\leqslant 5-4a$,

所以 $\begin{cases} -3a-3<1, \\ 5-4a\geqslant 1, \end{cases}$ 解得 $-\dfrac{4}{3}<a\leqslant 1$.

小颖:可以根据不等式组的解的意义,直接将 $x=1$ 代入不等式组中,解题的过程有可能简单一些.

因为 1 是原不等式组的解,故有 $\begin{cases} \dfrac{3-5}{2} \leqslant 1-2a, & ① \\ 3(1-a) < 4(1+2)-5. & ② \end{cases}$

解①,得 $a \leqslant 1$;解②,得 $a > -\dfrac{4}{3}$.

故 a 的值的取值范围为 $-\dfrac{4}{3}x < a \leqslant 1$.

师评:小明和小颖的解答都是利用不等式组的解的意义来解题的.在解法上,小颖的解法是直接应用不等式组的"解"的意义,从思维的过程上去分析,小颖的解法比小明的解法优.

随堂能力测试

一、填空题

1. 不等式组 $\begin{cases} 2x-1>0, \\ -x+3>0 \end{cases}$ 的解集是 _____;不等式组 $\begin{cases} x \geqslant a, \\ x \leqslant a \end{cases}$ 的解集是

_____.

2. 不等式 $-1 < \dfrac{3x+4}{5} \leqslant 2$ 的整数解的和为 _____.

3. 不等式组 $\begin{cases} x>2, \\ x>a \end{cases}$ 的解集是 $x>2$,则 a 的范围是 _____.

4. 不等式组 $\begin{cases} 2x+3<5, \\ 2-3x \geqslant 8 \end{cases}$ 的解集为 _____.

5. 长度分别为 3 cm,7 cm,x cm 的三根木棒围成一个三角形,则 x 的取值范围是

_____(cm).

二、选择题

6. 不等式组 $\begin{cases} 3-2x>0, \\ 2x-7 \leqslant 4x+7 \end{cases}$ 的非负整数解的个数为 (   )

　A. 2 个　　　　　　B. 1 个　　　　　　C. 0 个　　　　　　D. 无数多个

7. 不等式组 $\begin{cases} x>-\dfrac{2}{3}, \\ x-4 \leqslant 8-2x \end{cases}$ 的最小整数解是 (   )

　A. 0　　　　　　　B. 1　　　　　　　C. 2　　　　　　　D. 3

8. 如果不等式组 $\begin{cases} x+8<4x-1, \\ x>m \end{cases}$ 的解集是 $x>3$,那么 m 的取值范围是 (   )

　A. $m \geqslant 3$　　　　B. $m \leqslant 3$　　　　C. $m=3$　　　　D. $m<3$

9. 一种灭虫药粉 30 kg,含药率是 15%.现在要用含药率较高的同种灭虫药粉 50 kg 和

它混合,使混合后的含药率大于 20% 且小于 35%,则所用药粉的含药率 x 的范围是

( )

A. $15\% < x < 23\%$　　B. $15\% < x < 35\%$　　C. $23\% < x < 47\%$　　D. $23\% < x < 50\%$

10. 某种出租车的收费标准是:起步价 7 元(即行驶距离不超过 3 km 都需付 7 元车费),超过 3 km,每增加 1 km,加收 2.4 元(不足 1 km 按 1 km 计).某人乘这种出租车从甲地到乙地共支付车费 19 元,设此人从甲地到乙地经过的路程是 x km,那么 x 的最大值是

( )

　　A. 11　　　　　　B. 8　　　　　　　　C. 7　　　　　　　　D. 5

三、解答题

11. 解下列不等式组,并把解集在数轴上表示出来:

(1) $\begin{cases} 4(x-3)-5x \geqslant -15, \\ \dfrac{2x-3}{3} - \dfrac{x+1}{2} < -2; \end{cases}$　　　　(2) $\begin{cases} 3(1-x) \geqslant 2-5x, \\ \dfrac{x+2}{3} > 2x-1. \end{cases}$

12. k 为何值时,方程组 $\begin{cases} x+y=2k, \\ x-y=4 \end{cases}$ 中的 $x>1$,$y<1$.

13. 已知关于 x,y 的方程组 $\begin{cases} x+y=2a+7, \\ x-2y=4a-3 \end{cases}$ 的解为正数,且 x 的值小于 y 的值.求 a 的取值范围.

14. 一群女生住若干间宿舍,每间住 4 人,剩下 19 人无房住;每间住 6 人,有一间宿舍住不满.

(1)如果有 x 间宿舍,那么可以列出关于 x 的不等式组:_____.

(2)可能有多少间宿舍,多少名学生?你得到几个解?它符合题意吗?

15.(2003 年南京)如图 9-3-7,阅读对话,求 x 的取值范围,并判断这个球场是否可以用作国际足球比赛.(注:用于国际比赛的足球场是长在 100 m 到 110 m 之间,宽在 64 m 到 75 m 之间)

图 9-3-7

16. 仔细观察图 9 - 3 - 8,认真阅读对话.

图 9 - 3 - 8

根据对话的内容,试求出饼干和牛奶的标价各是多少元.

17. 下面是三种食品 A,B,C 中微量元素硒与锌的含量及单价表,某公司准备将三种食品混合成 100 kg,混合后每千克含硒不低于 5 个单位含量,含锌不低于 4.5 个单位含量,要想成本最低,问三种食品各取多少千克.

	A	B	C
硒(单位含量/kg)	4	4	6
锌(单位含量/kg)	6	2	4
单价(元/kg)	9	5	10

18. 有 A,B,C,D,E 五支队分在同一小组进行单循环足球比赛,争夺出线权,比赛规则规定:胜一场得 3 分,平一场得 1 分,负一场得 0 分;小组积分最多的前两支队伍出线,如果出现并列第二名,将进行附加赛. 小组赛结束后,A 队的积分为 8 分,那么 A 队会出线吗? 会被淘汰吗?

标 答与点拨

1. $\dfrac{1}{2} < x < 3$ $x = a$ 2. 0 3. $a \leqslant 2$ 4. $x \leqslant -2$ 5. $4 < x < 10$

6. A   7. A   8. B   9. C   10. B

11. (1) $x < -3$ (2) $-\dfrac{1}{2} \leqslant x < 1$

12. 由 $x = k + 2 > 1, y = k - 2 < 1$,得 $-1 < k < 3$.

13. 解方程组 $\begin{cases} x = \dfrac{8a+11}{3} > 0, \\ y = \dfrac{-2a+10}{3} > 0, \end{cases}$ 得 $-\dfrac{11}{8} < a < 5$.

又由 $x < y$,得 $a < -\dfrac{1}{10}$,故 $-\dfrac{11}{8} < a < -\dfrac{1}{10}$.

14. (1) $\begin{cases} 4x + 19 < 6x, \\ 4x + 19 > 6(x-1). \end{cases}$

(2) $\dfrac{19}{2} < x < \dfrac{25}{2}$

故 x 取 10,11,12,即可能有 59 或 63 或 67 名学生,均符合题意.

15. 根据题意列不等式为

$\begin{cases} 2(70+x) > 350, \\ 70x < 7\,560. \end{cases}$

解得 $105 < x < 108$.

答:此足球场可作为国际足球比赛场地.

16. 设饼干和牛奶标价分别为 x 元、y 元. 有 $\begin{cases} x + y > 10, \\ x < 10, \\ 0.9x + y = 9.2, \\ x 为整数, \end{cases}$ 得 $\begin{cases} x = 9, \\ y = 1.1. \end{cases}$

17. A,B,C 三种食品分别取 37.5 kg,12.5 kg,50 kg.

18. A 队的积分为 8 分,则一定是 2 胜 2 平 0 负,则五支队没有一支队伍取得全胜.如果有一支队伍积分为 10 分,则它是 3 胜 1 平,不妨假设为 B 队,且 A,B 两队之间平局,由于至少出现两次平局,则五支队积分总和小于等于 $8×3+2×2=28$(分),此时,C,D,E 三队的积分总和 $m≤28-10-8=10$(分),不妨假设 C 队在这三支队伍中积分最多,若 D,E 之间出现胜负关系,则 C 队积分最多为 7 分,A 队小组第二,出线;如果 D,E 之间是平局,此时 10 场比赛中至少出现 3 场平局,五支队伍的积分总和将不能超过 27 分,C,D,E 三队的总积分 $m≤27-10-8=9$(分),则 C 队的积分最多是 $9-2=7$(分),即 A 队依然是小组第二名,出线.如果有一支队伍积分为 9 分,则它是 3 胜 0 平 1 负,不妨假设它是 B 队,则它一定给了 A 队,战胜了其他三支队,则 C,D,E 每支队伍都至少输一场比赛,而且胜的场次最多是 2 场,每一队伍积分最多不会超过 7 分,所以 A 队第二,出线.如果积分最高就是 8 分,则 A 队不会被淘汰,但可能出现三支队伍同时积 8 分,不妨假设为 A,B,C 三队,他们彼此之间打平,又都战胜了 D,E 两队.

单元总结与测评

知 识结构图解

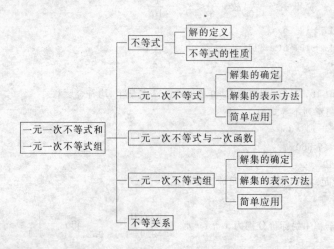

方 法技巧规律

综合方法

类比方法是指在不同对象之间,或者在事物与事物之间,根据它们某些方面(如特征、属性、关系)的相似之处进行比较.通过类比可以发现新旧知识的相同点和不同点,有助于利用已有知识去认识新知识和加深理解新知识.如学习不等式的基本性质,应将其与等式的基本性质进行类比;学习一元一次不等式的解法,应将其与一元一次方程的解法进行类比;学习用不等式解应用题,应将其与用一元一次方程解应题类比.

一、类比一元一次方程的解法解一元一次不等式(组)

例1 解不等式 $\dfrac{2+x}{2} \geqslant \dfrac{2x-1}{3}$,并把解集在数轴上表示出来.

解析 不等式中含有分母,应先根据不等式的基本性质2去掉分母,再作其他变形.去分母时,不要忘记分子加括号.

解答 去分母,得 $3(2+x) \geqslant 2(2x-1)$,

去括号,得 $6+3x \geqslant 4x-2$,

移项,得 $3x-4x \geqslant -2-6$,

合并同类项,得 $-x \geqslant -8$,

系数化为1,得 $x \leqslant 8$.

这个不等式的解集在数轴上如图 9-1 所示.

易错规律

一元一次不等式和一元一次方程,前者是不等式,后者是等式,一字之差,揭示了问题的两个方面,两字相同却道出了它们之间的内在联系.

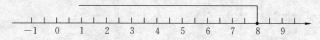

图 9-1

点评 解一元一次不等式与解一元一次方程的步骤异同见下表:

$ax=b$	$ax>b$	$ax<b$
解:当 $a\neq 0$ 时,$x=\dfrac{b}{a}$; 当 $a=0,b\neq 0$ 时,无解; 当 $a=0,b=0$ 时,x 为任意有理数.	解:当 $a>0$ 时,$x>\dfrac{b}{a}$; 当 $a<0$ 时,$x<\dfrac{b}{a}$; 当 $a=0,b\geqslant 0$ 时,无解; 当 $a=0,b<0$ 时,x 为任意有理数.	解:当 $a>0$ 时,$x<\dfrac{b}{a}$; 当 $a<0$ 时,$x>\dfrac{b}{a}$; 当 $a=0,b\leqslant 0$ 时,无解; 当 $a=0,b>0$ 时,x 为任意有理数.

例 2 求不等式 $10-4(x-3)\geqslant 2(x-1)$ 的非负整数解,并把它的解在数轴上表示出来.

解析 先求出不等式的解集,再在解集中求出符合条件的非负整数.

解答 去括号,得 $10-4x+12\geqslant 2x-2$,

移项,得 $22+2\geqslant 2x+4x$,

合并同类项,得 $24\geqslant 6x$,即 $6x\leqslant 24$.

把 x 的系数化为 1,得 $x\leqslant 4$.

解集 $x\leqslant 4$ 中非负整数解是 $0,1,2,3,4$.

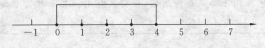

方法规律

　求不等式的非负整数解,要先求出不等式的解集,再按要求从解集中确定非负整数解.同时,通过本例我们还可以体会出方程的解与不等式的解及解集的区别和联系.

图 9-2

二、类比一元一次方程(组)解应用题的方法列不等式解应用题

例 3 x 取什么值时,代数式 $\dfrac{5x+4}{6}$ 的值不小于 $\dfrac{7}{8}-\dfrac{1-x}{3}$ 的值?并求出 x 的最小值.

解析 首先应根据问题中所给的不等关系,列出能够反映全部含义的不等式,然后再解不等式.

解答 根据题意,得 $\dfrac{5x+4}{6}\geqslant\dfrac{7}{8}-\dfrac{1-x}{3}$,

去分母,得 $4(5x+4)\geqslant 21-8(1-x)$,

去括号,得 $20x+16\geqslant 21-8+8x$,

移项,合并同类项,得 $12x\geqslant -3$,

系数化为 1,得 $x\geqslant -\dfrac{1}{4}$.

所以当 x 取不小于 $-\dfrac{1}{4}$ 的值时,代数式 $\dfrac{5x+4}{6}$ 的值不小于 $\dfrac{7}{8}-\dfrac{1-x}{3}$ 的值,x 的最小值是 $-\dfrac{1}{4}$.

点评 列不等式与列方程类似,要善于抓住问题中的"关键词".本例的关键词是"不小于",解此类问题,一般应将"不小于"译成"大于或等于"构建不等式.

例 4 已知关于 x,y 的方程组 $\begin{cases}3x+2y=p+1,\\4x+3y=p-1\end{cases}$ 的解满足 $x>y$,求 p 的最小整数值.

解析 此题是由已知条件转化为解不等式的类型题.根据题意,应先求出 x,y,然后根据 $x>y$ 建立关于 p 的不等式,待确定出 p 的范围后,即可求出 p 的最小整数值.

解答 解关于 x,y 的方程组 $\begin{cases}3x+2y=p+1,\\4x+3y=p-1.\end{cases}$

得 $\begin{cases}x=p+5,\\y=-p-7.\end{cases}$

因为 $x>y$,所以 $p+5>-p-7$,

所以 $p>-6$.

故 p 的最小整数值为 -5.

警示误区

满足 $x>-6$ 的最小整数值为 $x=-5$,不是 $x=-7$. 为了防止这种错误的出现,可以先画数轴再找点.

点评 (1)本题条件看起来陌生,但抓住关键“$x>y$”就能解决问题. 故应先求出方程组的解,再运用这个关键条件.

(2)本例综合考查方程的解与不等式的解的联系. 所谓方程的解,就是未知数的值,故先求出未知数的值,再建立不等式.

例 5 (2004 年湖北实验区试题)一筐橘子分给若干个儿童,如果每人分 4 个,则剩下 9 个;如果每人分 6 个,则最后一个儿童分得的橘子数少于 3 个. 问:共有几个儿童,分了多少个橘子?

解析 本题的不等关系是最后一个儿童分得的橘子数少于 3 个,此外还应注意另一个隐含的不等关系是:最后一个儿童分得的橘子数应不少于 0 个. 如图 9 - 3 所示.

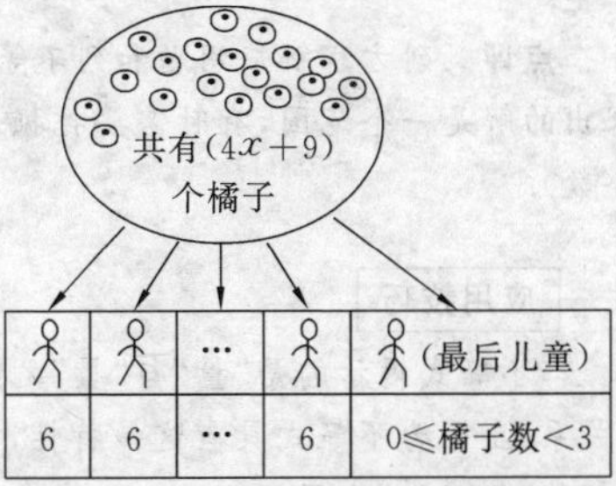

图 9 - 3

解答 设共有 x 个儿童,则共有 $(4x+9)$ 个橘子.

根据题意,得 $0\leqslant 4x+9-6(x-1)<3$.

解这个不等式组,得 $6<x\leqslant 7.5$.

因为 x 是整数,所以 x 取 7.

所以 $4x+9=4\times 7+9=37$.

所以,共有 7 个儿童,分了 37 个橘子.

解题规律

本例中的关键词语为“最后一个儿童分得的橘子数少于 3 个”,于是在分析题意时本例采用图示法,这种分析问题,尤其是分析应用问题的方法值得体会.

点评 善于挖掘题目中的条件的内涵是解题的一项重要基本功. 本例在分析题意时,挖掘出橘子数 $x\geqslant 0$ 对解题大有帮助. 如果挖掘不出这一点,对 x 的讨论将会十分烦琐. 同学们,你们说呢?

例 6 学生若干人,住若干间宿舍,如果每间住 4 人,则余 19 人没住处;如果每间住 6 人,则有一间宿舍不空也不满. 求有多少间宿舍,多少名学生.

解析 该题是方程和不等式的综合性问题,解题的关键是正确分析题中的相等关系和不等关系.

相等关系是:每间住 4 人,余 19 人没住处.

不等关系是:每间住 6 人,则有一间不空也不满.

解答 设有学生 x 人,宿舍 y 间.

根据题意,得 $\begin{cases} x=4y+19, & ① \\ 0<6y-x<6. & ② \end{cases}$

将①代入②,有 $0<6y-(4y+19)<6$,

解得 $\dfrac{19}{2}<y<\dfrac{25}{2}$.

y 是整数,所以 y 只能取 $10,11,12$.

当 $y=10$ 时,$x=59$;

当 $y=11$ 时,$x=63$;

当 $y=12$ 时,$x=67$.

答:有 10 间宿舍,59 名学生;或有 11 间宿舍,63 名学生;或有 12 间宿舍,67 名学生.

点评 列方程解应用题和列不等式解应用题列式方法是类似的,所不同的是后者求出的解是一个范围,有时需要挖掘题目的条件内涵才能确定其解(如本例中 x,y 是整数).

> **应用技巧**
>
> 不等式揭示的是"量"与"量"之间的不等关系,其实质反映了量与量之间的大小关系.正因为不等式具有这一特性,因此在生活、生产实践中应用十分广泛,常用来解答"策略类"应用题.

三、利用不等式(组)解"决策类"应用题

例7 某家电生产企业根据市场调查分析,决定调整生产方案,准备每周(按 120 个工时计算)空调、彩电、冰箱共生产 360 台且冰箱至少生产 60 台,已知生产这些产品每台所需工时和每台产值(单位为万元)如下表:

家电名称	空 调	彩 电	冰 箱
工 时	$\dfrac{1}{2}$	$\dfrac{1}{3}$	$\dfrac{1}{4}$
产 值	0.4	0.3	0.2

问:每周应生产空调、彩电、冰箱各多少台,才能使产值最高?最高产值多少元?

解析 本例中要求生产空调、彩电、冰箱各多少台,需要求三个量,一般情形下,需找出三个独立的条件,建立方程组求解.但是本例中只有两个相等条件,只能构建两个方程,因此,挖掘问题中的隐含条件显得十分重要.

解答 设空调生产 x 台,彩电生产 y 台,冰箱生产 z 台.则有

$$\begin{cases} x+y+z=360, & ① \\ \dfrac{1}{2}x+\dfrac{1}{3}y+\dfrac{1}{4}z=120, & ② \\ x\geqslant 0,y\geqslant 0,z\geqslant 60. & ③ \end{cases}$$

由①、②得 $\begin{cases} y=360-3x, & ④ \\ z=2x. & ⑤ \end{cases}$ 将④、⑤分别代入③中,有

$$\begin{cases} x\geqslant 0, \\ 360-3x\geqslant 0,\text{解得 } 30\leqslant x\leqslant 120. \\ 2x\geqslant 60. \end{cases}$$

下面考虑总产值,设为 f,则依题意有 $f=0.4x+0.3y+0.2z$.

将 $y=360-3x,z=2x$ 代入,整理得

$f=0.4x+0.3(360-3x)+0.4x=108-0.1x$.

由于 $30\leqslant x\leqslant 120$,所以 $96\leqslant 108-0.1x\leqslant 105$,

即 $96\leqslant f\leqslant 105$.

故当 $x=30$ 时,产值达到最大,且最大值为 105 万元,此时 $y=270,z=60$.

因此每周生产空调 30 台、彩电 270 台、冰箱 60 台时,总产值最高,最高产值为 105 万元.

点评 "决策类"应用题其实质是择优(优选法),就本题而言其实质是选择最优方案,一般情形下,先用代数式表示出总产值,然后根据代数式中的字母的取值范围确定其最佳方案.

四、利用不等式(组)解"合理安排"等问题

例 8 (2003 年湖南试验区试题)我市某化工厂现有甲种原料 290 kg,乙种原料 212 kg,计划利用这两种原料生产 A,B 两种产品共 80 件.生产一件 A 产品需要甲种原料 5 kg,乙种原料 1.5 kg;生产一件 B 产品需要甲种原料 2.5 kg,乙种原料 3.5 kg.

问:该化工厂现有的原料能否保证生产? 若能的话,请你设计出来.

解析 抓关键语句"保证生产","保证生产"的实质是生产 A,B 种产品 80 件后,原料"不会超过"现有的原料."不会超过"的内涵是构建不等式组.

解答 设安排生产 A 种产品 x 件,则生产 B 种产品 $(80-x)$ 件.

依题意,得 $\begin{cases} 5x+2.5(80-x)\leqslant 290, \\ 1.5x+3.5(80-x)\leqslant 212. \end{cases}$

解方程组,得 $34\leqslant x\leqslant 36$.

因为 x 为整数,所以 x 只能取 34 或 35 或 36.

该工厂现有的原料能保证生产,有三种生产方案:

第一种:生产 A 种产品 34 件,B 种产品 46 件.

第二种:生产 A 种产品 35 件,B 种产品 45 件.

第三种:生产 A 种产品 36 件,B 种产品 44 件.

点评 本例为 2003 年湖南岳阳市中考题,得分率为 60%,错因:思维.很多同学因列方程组而无法求解.学数学、用数学,应充分地联系实际.如果建立方程组,其实质是甲种原料 290 kg、乙种原料 212 kg 同时用完,事实上,由于生产中两种原料的用料不同而产生了四种可能性,即甲用完,乙用不完,或甲用完,乙用完,或甲用不完,乙用完,或甲、乙都未用完,而解答错误的同学只注意到这四种情况中的一种,因而解答不完整.

例 9 某校食堂在开晚餐前有 a 名学生在食堂排队等候就餐,开始卖晚餐后,仍有学生前来排队买晚餐.设学生前来排队买晚餐的人数按固定的速度增加,食堂每个窗口卖晚餐的速度也是固定的.若开放一个窗口,则需要 40 min 才使排队等候的学生全部买到晚餐;若同时开放两个窗口,则需 15 min 就可使排队等候的学生全部买到晚餐.

(1)写出开放一个窗口时,开始卖晚餐后窗口卖晚餐的速度 y(人/min)与每分钟新增加的学生人数 x(人)之间的关系.

(2)食堂为了提高服务质量,减少学生排队的时间,计划在 8 min 内让排队等候的学生全部买到晚餐,以使后到的学生能随到随买,求至少要同时开放几个窗口.

解析 本例可以看做一道工程问题的应用题,其数量关系可列为下表:

	时间(min)	进餐总数(人)	每个窗口的速度(人/min)
开一个窗口	40	$a+40x$	$\dfrac{a+40x}{40}$
开两个窗口	15	$a+15x$	$\dfrac{a+15x}{15} \cdot \dfrac{1}{2}$
开 n 个窗口	$\leqslant 8$	$\geqslant a+8x$	$\geqslant \dfrac{a+8x}{8} \cdot \dfrac{1}{n}$

解答 (1)$y = \dfrac{a+40x}{40}$.

(2)设至少要同时开放 n 个窗口.

依题意,得 $\begin{cases} \dfrac{a+40x}{40} = \dfrac{a+15x}{30}, & ① \\ a+8x \leqslant \dfrac{a+15x}{30} \cdot 8n. & ② \end{cases}$

由于①,得 $x = \dfrac{a}{60}$.

代入②,得 $a+8 \cdot \dfrac{a}{60} \leqslant \dfrac{a+15 \cdot \dfrac{a}{60}}{30} \cdot 8n$,

即 $a+8 \cdot \dfrac{a}{60} \leqslant 8n \cdot \dfrac{a}{24}$,即 $n \geqslant \dfrac{17}{5}$.

n 取不小于 $\dfrac{17}{5}$ 的最小正整数,所以 $n=4$.

答：至少要同时开放 4 个窗口.

点评 许多社会生活、生产、科学等方面的问题，经过数学上的抽象往往可以转化为数学问题.日常生活中的情境，或一些非常规性问题，也都可以通过数学建模的方法抽象为数学应用题.这类应用题，可以通过建立方程模型、函数模型、不等式模型或规划决策，采用数学模型求得解决.

体验探究 利用方程可以解决很多实际问题，利用不等式也可以解决很多实际问题，在现实生活中，不等关系更为普遍.利用不等关系解答实际问题的难点在于找出适合题意的不等关系，确定不等式的适合题意的整数解，更是一个难点.下面的案例设计富有新意，你不妨试一试.

案例 1 有人问老师，他教的班里有多少学生，老师说："一半学生在学数学，四分之一的学生在学音乐，七分之一的学生在学微机，还有剩下的不足 6 名学生在操场中踢足球."试问：这个班共有多少名学生？

小明：这个问题中，存在着不等关系的量，故可以建立不等式的模型求解.

设这个班共有 x 名学生，依题意有 $x-\left(\dfrac{x}{2}+\dfrac{x}{4}+\dfrac{x}{7}\right)<6$，所以 $x<56$.

又因为 x 是正整数，所以这个班的学生人数不确定，只要是小于或等于 55 的整数即可.

点评 一般情况下，每个班的人数是确定的，小明的解答肯定是不正确.在这种情况下，我们可以举例反思，按照小明的答案取 $x=54$，那么老师的回答中，四分之一的学生在学音乐，又怎样解释呢？难道有 $\dfrac{1}{2}$ 人也在学音乐吗？问题出在什么地方呢？

问题出在对题目中的隐含条件未加注意，更谈不上深究了.小明仅考虑到班级总人数是正整数，忽视了"$\dfrac{x}{2}$，$\dfrac{x}{4}$，$\dfrac{x}{7}$"也都应该是正整数，铸成大错.

解答 设该班共有 x 名学生，则有 $x-\left(\dfrac{x}{2}+\dfrac{x}{4}+\dfrac{x}{7}\right)<6$，即 $x<56$.

又因为 x，$\dfrac{x}{2}$，$\dfrac{x}{4}$，$\dfrac{x}{7}$ 都是正整数，

所以 $x=28$.

答：该班共有学生 28 人.

案例 2 为了为了保护环境，某企业决定购买 10 台污水处理设备.现有 A,B 两种型号的设备，其中每台的价格、月处理污水量及年消耗费如下表：

	A 型	B 型
价格(万元/台)	12	10
处理污水量(t/月)	240	200
年消耗费(万元/台)	1	1

经预算,该企业购买设备的资金不高于 105 万元.

(1)请你设计该企业的几种购买方案.

(2)若该企业每月产生的污水量为 2 040 t,为了节约资金,应选择哪种购买方案?

(3)在第(2)问的条件下,若每台设备的使用年限为 10 年,污水厂处理污水费为每吨 10 元,请你计算:该企业自己处理污水与将污水排到污水厂处理相比较,10 年节约资金多少万元?(注:企业处理污水的费用包括购买设备的资金和消耗费)

小明:我认为这个问题中(1)、(2)小问可以采用穷举法(即枚举法)来解决,将所有可能出现的结果——列举出来,然后通过检验、比较进行筛选,确定符合条件的结果.

(1)列表:

	A 型(台)	B 型(台)	合计资金(万元)
方案 1	0	10	100
方案 2	1	19	102
方案 3	2	8	104
方案 4	3	7	106
方案 5	4	6	108
方案 6	5	5	110

超过了 105 万元

......

由列表可知,符合条件的方案只有两种,即购 A 型 1 台,B 型 9 台或购 A 型 2 台,B 型 8 台.

(2)列表:

	A 型(t)	B 型(t)	合计(t)
方案 1	240	200×9	2 040
方案 2	480	200×8	2 080

显然选择方案 1,即购 A 型 1 台,B 型 9 台.

小华:我认为像小明这样思考有缺陷.当满足条件的情况很多时,这种方法很烦琐,应建立不等式的模型求解较好.

(1)设购买污水处理设备 A 型 x 台,则 B 型 $(10-x)$ 台.

根据题意,有 $12x+10(10-x)\leqslant105$.

解这个不等式,得 $x\leqslant2.5$.

因为 x 取非负整数,所以 x 取 0,1,2.

所以有三种购买方案:

购 A 型 0 台,B 型 10 台;

购 A 型 1 台,B 型 9 台;

购 A 型 2 台,B 型 8 台.

(2)由于不管哪种方案,都要以处理掉 2 040 t 污水为前提,

所以 $240x+200(10-x)\geqslant 2\,040$，

解得 $x\geqslant 1$，所以 x 为 1 或 2.

当 $x=1$ 时，购买资金 $12\times 1+10\times 9=102$（万元）；

当 $x=2$ 时，购买资金 $12\times 2+10\times 8=104$（万元）.

所以应选择的方案为：购 A 型 1 台，B 型 9 台.

小颖：你认为小明、小华的解法谁最优？

第(3)问的解答，请你参加：

10 年企业自己处理污水的总资金为 _____ 元；

污水厂处理 10 年所需费用为 _____ 元；

能节约资金 _____ 万元.

综 合能力测评

一、填空题

1.(1)不等式组 $\begin{cases} 2x-1<x+1, \\ x+8>4x-1 \end{cases}$ 的正整数解为 _____.

(2)有 10 名菜农，每人可种甲种蔬菜 3 亩或乙种蔬菜 2 亩，已知甲种蔬菜每亩可收入 0.5 万元，乙种蔬菜每亩可收入 0.8 万元.若要总收入不低于 15.6 万元，则最多只能安排 _____ 人种甲种蔬菜.

二、选择题

2.(1)如果 $a<0$，$ab<0$，则化简 $|b-a+4|-|a-b-6|$ 的结果为 （　　）

  A.-2 B.2 C.-10 D.$2b-2a-2$

(2)用 120 根火柴，首尾相接围成一个三条边互不相等的三角形，已知最大边长是最小边长的 3 倍，则最小边用了 （　　）

  A.20 根火柴   B.18 或 19 根火柴

  C.19 根火柴   D.19 或 20 根火柴

三、解答题

3.解下列不等式或不等式组：

(1)$5x-2\leqslant 3(x+1)$；   (2)$\begin{cases} 5x-2>3(x+1), \\ x-2\leqslant 14-3x. \end{cases}$

4. 不等式组 $\begin{cases} 2x-a<1, \\ x-2b>3 \end{cases}$ 的解集为 $1>x>-1$,求 $(a+1)(b-1)$ 的值.

5. 当 x 为何值时,能使不等式 $6x+2>3x-4$ 和 $\dfrac{2x+1}{3}-\dfrac{1-x}{2}\leqslant 1$ 同时成立?并求出 x 的最大值.

6. 若方程组 $\begin{cases} 3x+y=k+1, \\ x+3y=3 \end{cases}$ 的解 x,y 满足 $0<x+y<1$.求 k 的取值范围.

7. 下面是一张 2004 年欧洲杯小组赛 B 组的前两轮的每场比赛的成绩表:

	法 国	英 格 兰	克 罗 地 亚	瑞 士
法 国	——	2:1	2:2	
英 格 兰	1:2	——		3:0
克 罗 地 亚	2:2		——	0:0
瑞 士		0:3	0:0	——

规定:胜一场积 3 分,平一场积 1 分,负一场积 0 分.

(1)从前两轮的比赛成绩看,有没有哪支球队肯定出线(取前两名出线)?

(2)法国队要想小组出线,最后对瑞士队一战至少要积多少分? 英国队呢?

(3)第三轮比赛结束后,法国和英格兰分别积 7 分、6 分组内出线.

请将四支球队的积分、胜、平、负情况填入下表:

	比赛总场数	胜的场数	平的场数	负的场数	积　分
法　国	3				
英格兰	3				
克罗地亚	3				
瑞　士	3				

8. 某车间有 20 名工人,每人每天可加工甲种零件 5 个或乙种零件 4 个. 在这 20 名工人中,派 x 人加工甲种零件,其余的加工乙种零件,已知每加工一个甲种零件可获利 16 元,每加工一个乙种零件可获利 24 元.

(1)写出此车间每天可获利 y(元)与加工甲种零件 x(人)的关系式.

(2)若要使车间每天获利不低于 1 800 元,问:至少要派多少人加工乙种零件?

9. 先阅读下列一段文字,然后解答问题.

某农场 300 名职工耕种 51 公顷土地,分别种有水稻、蔬菜与棉花. 种植这些农作物每公顷所需人数与产值如下表所示:

农作物	每公顷所需人数	每公顷预计产值(万元)
水　稻	4	4.5
蔬　菜	8	9
棉　花	5	7.5

设水稻、蔬菜与棉花种植面积分别为 x, y, z 公顷.

(1)用含 x 的代数式分别表示 y 和 z.

(2)若总产值 p 满足关系式 $360 < p \leqslant 370$（x,y,z 均为正整数），那么这个农场怎样安排水稻、蔬菜与棉花的种植面积才能使产值最高？

标 答与点拨

1. (1)1 [点拨:不等式组的解集为 $x < 2$.]

(2)4 [点拨:设安排 x 人种甲种蔬菜,则 $0.5 \times 3x + 0.8 \times 2(10-x) \geqslant 15.6$.]

2. (1)A [点拨:由 $a < 0$,$ab < 0$,得 $a < 0$,$b > 0$.]

(2)B

3. (1)$x \leqslant \dfrac{5}{2}$ (2)$\dfrac{5}{2} < x \leqslant 4$

4. -6 [点拨:不等式组的解集 $3+2b < x < \dfrac{1+a}{2}$,即 $\begin{cases} 3+2b = -1, \\ \dfrac{1+a}{2} = 1. \end{cases}$ 所以 $\begin{cases} a = 1, \\ b = -2. \end{cases}$]

5. $-2 < x \leqslant 1$ 最大值是 1 [点拨:解不等式组 $\begin{cases} 6x+2 > 3x-4, \\ \dfrac{2x+1}{3} - \dfrac{1-x}{2} \leqslant 1. \end{cases}$]

6. $-4 < k < 0$ [点拨:两方程相加,得 $x+y = \dfrac{k+4}{4}$.]

7. (1)目前法国队积分最高,分别是法国队积 4 分,英格兰队积 3 分,克罗地亚队两平积 2 分,瑞士积 1 分,没有球队肯定出线.

(2)法国队最后一战至少要积 1 分,即与瑞士队战平即可出线;英格兰队至少总共积 6 分,才能出线,其他三支球队可能有一支球队的总积大于或等于 6.

(3)法国队 2 胜 1 平 0 负积 7 分,英国队 2 胜 0 平 1 负积 6 分,克罗地亚队 1 胜 2 平 1 负积 2 分,瑞士 0 胜 1 平 2 负积 1 分.

8. (1)$y = -16x + 1\,920$. [点拨:依题意,得 $y = 16 \times 5x + 24 \times 4(20-x)$.]

(2)至少派 13 人加工乙种零件. [点拨:由(1),有 $-16x + 1\,920 \geqslant 1\,800$,得 $x \leqslant 7.5$.]

9. (1)$y = 15 + \dfrac{1}{3}x$ $z = 36 - \dfrac{4}{3}x$

(2)依题意,得 $p = 4.5x + 9y + 7.5z = -2.5x + 405$（$14 \leqslant x < 18$）.

从而 $x = 15$,相应地 $y = 20$,$z = 16$ 时,产值最高.

第十章

JIAOCAI DONGTAI QUANJIE

实 数

10.1 平 方 根

教 材内容全解

一、算术平方根

一般地,如果一个正数 x 的平方等于 a,即 $x^2=a$,那么这个正数 x 叫做 a 的算术平方根. a 的算术平方根记为 $\sqrt{a}$,读作"根号 a", a 叫做被开方数.

规定:0 的算术平方根是 0.

提醒 (1)算术平方根的定义指明了求一个非负数的算术平方根的方法,即:若求 $a(a\geq0)$ 的算术平方根,实则考虑什么非负数的平方等于 a.

(2) $\sqrt{a}$ 是表示非负数 a 的算术平方根的专用符号,它表示两个方面的意义:①表示求根号内非负数的算术平方根,是运算符号;②求 a 的算术平方根,其思维方式与乘方是逆向思维.

例1 求下列各数的算术平方根:

(1)900; (2)1; (3) $\dfrac{49}{64}$; (4)14.

解析 由算术平方根的定义可知,求一个非负数的算术平方根的运算与平方运算是互逆运算,所以可以借助平方运算来求这些数的算术平方根.

解答 (1)因为 $30^2=900$,所以 900 的算术平方根是 30,即 $\sqrt{900}=30$.

(2)因为 $1^2=1$,所以 1 的算术平方根是 1,即 $\sqrt{1}=1$.

特别提示

在求 a 的算术平方根时,若 a 是有理数的平方, a 的算术平方根就不带根号;若 a 不是有理数的平方, a 的算术平方根就带有根号.

(3)因为 $\left(\dfrac{7}{8}\right)^2 = \dfrac{49}{64}$，所以 $\dfrac{49}{64}$ 的算术平方根是 $\dfrac{7}{8}$，即 $\sqrt{\dfrac{49}{64}} = \dfrac{7}{8}$.

(4)14 的算术平方根为 $\sqrt{14}$.

点评 由于求一个非负数的算术平方根常借助于平方运算，所以熟记常用平方数对求一个数的算术平方根十分有益.

例 2 计算下列各式：

(1) $\sqrt{64}$；　　(2) $\sqrt{(-13)^2}$；　　(3) $(\sqrt{2})^2$.

解析 (1)首先应弄清 $\sqrt{64}$ 的意义，它表示 64 的算术平方根.(2)表示 $(-13)^2$ 的算术平方根.(3)表示 $\sqrt{2}$ 的平方.

警示误区
一个非负数的算术平方根仍然是非负数. $\sqrt{(-13)^2} = 13$，而不是等于 -13.

解答 (1)因为 $8^2 = 64$，所以 $\sqrt{64} = 8$.

(2)因为 $13^2 = (-13)^2$，所以 $\sqrt{(-13)^2} = \sqrt{169} = 13$.

(3)因为 $\sqrt{2}$ 表示 2 的算术平方根，由算术平方根的定义知 $(\sqrt{2})^2 = 2$.

二、估算 $\sqrt{a}\,(a \geqslant 0)$ 的方法

在日常生活中存在着大量的需要实施求一个非负数的算术平方根的运算来解决的问题.如：将两个面积为 1 的小正方形沿对角线剪开，就能得到一个面积为 2 的大正方形，那么由算术平方根的定义可知，这个正方形的边长为 $\sqrt{2}$. $\sqrt{2}$ 有多大呢？我们可以采用下面的两种方法来估算它的大小.

(1)运用"逼近法"确定 $\sqrt{a}\,(a \geqslant 0)$ 的大小.

以 $\sqrt{2}$ 为例加以说明：

① 预估并确定数 $\sqrt{2}$ 的整数部分.根据平方的定义，把 $\sqrt{2}$ 夹逼在两个连续的正整数之间，确定其整数部分.如 $1^2 < 2 < 2^2$，故知 $1 < \sqrt{2} < 2$，所以 $\sqrt{2}$ 的整数部分为 1.

② 确定 $\sqrt{2}$ 的小数部分.根据平方的定义知，$1.4^2 < 2 < 1.5^2$，故知 $\sqrt{2}$ 的十分位上的数字为 4.

……

如此进行下去，可以得到 $\sqrt{2}$ 的近似值.事实上，它是一个无限不循环小数，$\sqrt{2} = 1.41421356\cdots$

(2)运用计算器求 $\sqrt{a}\,(a \geqslant 0)$ 的近似值.

不同品牌的计算器，按键顺序有所不同，以 $\sqrt{2}$ 为例，依次按键为 $\boxed{2}\ \boxed{\sqrt{}}\ \boxed{=}$，然后再根据精确度取近似值.

例 3 公园有多宽？

某地开辟了一块长方形的荒地，新建了一个以环保为主题的公园.已知这块荒地的

长是宽的 2 倍,它的面积为 400 000 m^2;公园的宽大约是多少? 它有 1 000 m 吗?

解答 设长方形的荒地宽为 x m,则长为 $2x$ m.

依据题意,便知 $x^2 = 200\ 000$,$x = \sqrt{200\ 000}$.

由于 $100^2 = 10\ 000$,而 $1\ 000^2 = 1\ 000\ 000$,

故知 $100 < \sqrt{200\ 000} < 1\ 000$.

所以公园的宽大约为几百米,而不足 1 000 m.

点评 用估算的方法求 $\sqrt{a}(a \geqslant 0)$ 的近似值,采用的方法是逼近法,对结果要依据所研究的问题的要求确定精确的程度.如本例中"它有 1 000 m 吗?"实质是它不到 1 000 m 时可以估算到几百米就行.事实上,随着计算器的普及,利用计算器可以直接求出 $\sqrt{200\ 000}$ 的近似值,但是,采用本例的逼近法,对培养数感大有帮助.

例 4 通过估算,比较 $\dfrac{\sqrt{5}-1}{2}$ 与 $\dfrac{1}{2}$ 的大小.

解析 将 $\dfrac{1}{2}$ 作这样处理:$\dfrac{1}{2} = \dfrac{2-1}{2}$.

要比较 $\dfrac{1}{2}$ 与 $\dfrac{\sqrt{5}-1}{2}$ 的大小,实则比较 $\sqrt{5}$ 与 2 的大小.

解答 因为 5 > 4,所以 $\sqrt{5} > \sqrt{4}$,即 $\sqrt{5} > 2$,

于是 $\dfrac{\sqrt{5}-1}{2} > \dfrac{2-1}{2}$,即 $\dfrac{\sqrt{5}-1}{2} > \dfrac{1}{2}$.

点评 比较两个数的大小方法很多,最常见的方法是"作差"比较法,这道题也可以做如下处理:

① 求差:$\dfrac{\sqrt{5}-1}{2} - \dfrac{1}{2} = \dfrac{\sqrt{5}-2}{2}$.

② 判断 $\sqrt{5}$ 与 2 的大小:当 $\sqrt{5} > 2$ 时,$\dfrac{\sqrt{5}-1}{2} > \dfrac{1}{2}$;当 $\sqrt{5} < 2$ 时,$\dfrac{\sqrt{5}-1}{2} < \dfrac{1}{2}$.这样就把问题转化为比较 $\sqrt{5}$ 与 2 的大小.

三、平方根

(1)定义:一般地,如果一个数的平方等于 a,那么这个数叫做 a 的平方根或二次方根.就是说,如果 $x^2 = a$,那么 x 叫做 a 的平方根.

(2)性质:正数有两个平方根,它们互为相反数,0 的平方根是 0,负数没有平方根.

(3)表示法:正数 a 的算术平方根可以用 $\sqrt{a}$ 来表示,正数 a 的负的平方根可以用符号 "$-\sqrt{a}$" 表示,正数 a 的平方根可以用符号 "$\pm\sqrt{a}$" 表示,读作"正、负根号 a".

(4)求一个数 a 的平方根的运算叫做开平方.

提醒 ① 知道一个数的算术平方根,就可以立即写出它的负的平方根.② 符号 $\sqrt{a}$

只有当 $a \geqslant 0$ 时有意义,$a < 0$ 时无意义,这是因为负数没有平方根.

例5 求下列各数的平方根:

(1)64;   (2)$\dfrac{49}{121}$;   (3)0.000 4;   (4)$(-25)^2$;   (5)11.

解析 求一个数的平方根的运算是开平方,平方与开平方互为逆运算,因此,我们求一个数的平方根常借助于平方运算.

解答 (1)因为$(\pm 8)^2 = 64$,所以 64 的平方根是 ± 8.

(2)因为$\left(\pm \dfrac{7}{11}\right)^2 = \dfrac{49}{121}$,所以 $\dfrac{49}{121}$ 的平方根是 $\pm \dfrac{7}{11}$.

(3)因为$(\pm 0.02)^2 = 0.000 4$,所以 0.000 4 的平方根是 ± 0.02,即 $\pm \sqrt{0.000\ 4} = \pm 0.02$.

(4)因为$(\pm 25)^2 = (-25)^2$,所以 $(-25)^2$ 的平方根为 ± 25.

(5)11 的平方根是 $\pm \sqrt{11}$.

> **特别提示**
> 一个正数的平方根有两个,不要用算术平方根去"顶替"平方根.另外还要注意一种说法,如 8 是 64 的平方根,64 的平方根是 8,这两句话前者是对的,后者是错的.

点评 运用平方运算求一个非负数的平方根是常用方法.如果被开方数是小数,要注意小数点的位置,也可以先将小数化成分数,再求它的平方根.如果被开方数是带分数,先要将带分数化成假分数.

例6 求下列各式的值:

(1)$\sqrt{1.21}$;   (2)$-\sqrt{81}$;   (3)$\pm\sqrt{\dfrac{49}{81}}$;   (4)$\sqrt{(-25)^2}$.

解析 (1)$\sqrt{1.21}$ 表示 1.21 的算术平方根,所以它的计算结果是一个非负数.

(2)$-\sqrt{81}$ 表示 81 的负的平方根(或表示 81 的算术平方根的相反数),所以它的计算结果是一个负数.

(3)$\pm\sqrt{\dfrac{49}{81}}$ 表示 $\dfrac{49}{81}$ 的平方根,所以它的计算结果应该是两个互为相反数.

(4)$\sqrt{(-25)^2}$ 表示 $(-25)^2$ 的算术平方根,它的结果一定是非负数.

> **特别提示**
> 若 $a \geqslant 0$ 时,$\sqrt{a}$,$-\sqrt{a}$,$\pm\sqrt{a}$ 三个式子所表示的意义不同.如:$\sqrt{81}=9$,$-\sqrt{81}=-9$,$\pm\sqrt{81}=\pm 9$.特别是求一个非负数 a 的平方根时,千万不要表示为 $\sqrt{a}$.

解答 (1)因为 $1.1^2 = 1.21$,所以 $\sqrt{1.21} = 1.1$.

(2)因为 $9^2 = 81$,所以 $-\sqrt{81} = -9$.

(3)因为 $\left(\dfrac{7}{9}\right)^2 = \dfrac{49}{81}$,所以 $\pm\sqrt{\dfrac{49}{81}} = \pm\dfrac{7}{9}$.

(4)因为 $25^2 = (-25)^2$,所以 $\sqrt{(-25)^2} = 25$.

点评 平方根的符号有三种形式:$\pm\sqrt{a}$,$\sqrt{a}$,$-\sqrt{a}$.它们的意义分别是:非负数 a 的平方根,非负数 a 的算术平方根,非负数 a 的负平方根.要特别注意 $\sqrt{a} \neq \pm\sqrt{a}$.

潜 能开发广角

问:平方根与算术平方根有什么区别及联系?

答:区别:

(1)定义不同:"如果一个数的平方等于a,这个数就叫做a的平方根";"非负数a的非负平方根叫做a的算术平方根".

(2)个数不同:一个正数有两个平方根,而一个正数的算术平方根只有一个.

(3)表示方法不同:正数a的平方根表示为$\pm\sqrt{a}$,正数a的算术平方根表示为$\sqrt{a}$.

(4)取值范围不同:正数的算术平方根一定是正数;正数的平方根则一正一负,两数互为相反数.

联系:

(1)具有包含关系:平方根包含算术平方根,算术平方根是平方根中的一种.

(2)存在条件相同:平方根和算术平方根都只有非负数才有.

(3)0的平方根、算术平方根均为0.

例7 下列结论中错误的个数为 ( )

① $\sqrt{(-2)^2}=-2$; ② $\sqrt{16}$的算术平方根是4;

③ $12\frac{1}{4}$的算术平方根是$\frac{7}{2}$; ④ $(-\pi)^2$的算术平方根是$\pm\pi$.

A.1个 B.2个 C.3个 D.4个

解析 ①错,$\sqrt{(-2)^2}=\sqrt{4}=2$. ②错,$\sqrt{16}=4$,4的算术平方根是2.

③ 对,$\sqrt{12\frac{1}{4}}=\sqrt{\frac{49}{4}}=\frac{7}{2}$. ④ 错,算术平方根没有负数.

只有1个正确,应选C.

解答 C

例8 $\sqrt{4}$的平方根是 ( )

A.2 B.±2 C.$-\sqrt{2}$ D.$\pm\sqrt{2}$

解析 $\sqrt{4}=2$,所以2的平方根是$\pm\sqrt{2}$,应选D.

解答 D

例9 下列各式中,正确的是 ( )

A.$\sqrt{16}=\pm4$ B.$\pm\sqrt{16}=4$ C.$(\sqrt{2})^2=2$ D.$\sqrt{(-27)^2}=-27$

解析 A错,等号左边表示的是算术平方根,右边却是正负两个值.

B错,等号左边表示的是平方根,右边应该是±4.

C对,因为$\sqrt{2}$是2的算术平方根,由算术平方根的定义可得$(\sqrt{2})^2=2$.

D错,$\sqrt{(-27)^2}$表示的是$(-27)^2$的算术平方根,不可能得-27.

解答 C

点评 例7考查算术平方根的概念,任何非负数的算术平方根都是非负数.例8主要考查的是对平方根概念的灵活运用,任何一个正数 a 都有两个平方根,此题应先将所求的平方根的数计算出来, $\sqrt{4}=2$,实际上是求2的平方根.如果没有正确理解平方根的概念,知道任何正数的平方根都是成对出现的话,解这类题极易出错.例9主要考查平方根的表示法,解题的关键是利用平方根、算术平方根的定义及符号表示的含义来判断,注意等号的左右两边应该是相等的.

┌─────────────┐
│ **揭示规律** │
└─────────────┘

算术平方根 $\sqrt{a}$ 的双重非负数:①被开方数 a 是非负数;②算术平方根 $\sqrt{a}$ 本身是非负数.即 $\sqrt{a}$ 中有 $a \geq 0$, $\sqrt{a} \geq 0$.特别注意,当 $a < 0$ 时, $\sqrt{a}$ 没有意义.

一、在 $\sqrt{a}$ 中,利用隐含条件 $a \geq 0$ 解题

例10 x 为何值时,下列各式有意义?

(1) $\sqrt{2x}$;   (2) $\sqrt{-x}$;   (3) $\sqrt{x+1}$;   (4) $\sqrt{1-x}+\sqrt{x}$;

(5) $\dfrac{x}{\sqrt{x+1}}$;   (6) $\sqrt{x^2}$;   (7) $\sqrt{x^2+1}$;   (8) $\dfrac{1}{\sqrt{x^2}}$.

解析 本题中的(1)、(2)、(3)、(4)、(6)、(7)6个式子都表示被开方数的算术平方根,其根号下的被开方数必须是非负数才有意义,当被开方数为负数时无意义;第(5)、(8)两小题要注意分母不能为0.

解答 (1)当 $2x \geq 0$,即 $x \geq 0$ 时, $\sqrt{2x}$ 有意义.

(2)当 $-x \geq 0$,即 $x \leq 0$ 时, $\sqrt{-x}$ 有意义.

(3)当 $x+1 \geq 0$,即 $x \geq -1$ 时, $\sqrt{x+1}$ 有意义.

(4)当 $\begin{cases} 1-x \geq 0, \\ x \geq 0, \end{cases}$ 即 $0 \leq x \leq 1$ 时, $\sqrt{1-x}+\sqrt{x}$ 有意义.

(5)当 $x+1 > 0$,即 $x > -1$ 时, $\dfrac{x}{\sqrt{x+1}}$ 有意义.

(6)当 $x^2 \geq 0$,即 x 取任意实数时, $\sqrt{x^2}$ 有意义.

(7)当 $x^2+1 \geq 0$,即 x 取任意实数时, $\sqrt{x^2+1}$ 有意义.

(8)当 $x^2 > 0$,即 $x \neq 0$ 时, $\dfrac{1}{\sqrt{x^2}}$ 有意义.

点评 (1)使式子有意义的问题主要考虑三个方面:①对于平方根或算术平方根,要求其被开方数必须大于或等于零;②对于分母中含字母的式子,要求其分母不等于零;③对于整式,式子中的字母可以取任意数.

(2)因为 x 取任何数都有 $x^2 \geqslant 0$，所以 $x^2+1>0$（非负数＋正数＝正数），$-x^2-1=$
$-(x^2+1)<0$（正数的相反数是负数）.

例 11 已知 a,b 为实数，$\sqrt{a-5}+2\sqrt{10-2a}=b+4$，求 a,b 的值.

解析 根据算术平方根的意义，有隐含条件 $a-5\geqslant 0$，且 $10-2a\geqslant 0$，即 $a\geqslant 5$，且
$a\leqslant 5$，所以 $a=5$.

把 $a=5$ 代入已知等式中，求得 $b=-4$.

解答 根据算术平方根的意义，

得 $\begin{cases} a-5\geqslant 0, \\ 10-2a\geqslant 0, \end{cases}$ 即 $\begin{cases} x\geqslant 5, \\ x\leqslant 5, \end{cases}$ 得 $a=5$.

把 $a=5$ 代入 $\sqrt{a-5}+2\sqrt{10-2a}=b+4$，

得 $b+4=0$，解得 $b=-4$.

所以 $a=5,b=-4$.

> **特别提示**
> 因为"被开方数是非负数"这个性质平方根也有，所以，此题也可以说"根据平方根的意义"，得
> $\begin{cases} a-5\geqslant 0, \\ 10-2a\geqslant 0. \end{cases}$

二、在 $\sqrt{a}$ 中,利用隐含条件 $\sqrt{a}\geqslant 0$ 解题

例 12 若 $|x-y+2|$ 与 $\sqrt{x+y-1}$ 互为相反数，求 $(x+y)^{2005}$ 的值.

解答 由条件可得 $|x-y+2|+\sqrt{x+y-1}=0$.

因为 $|x-y+2|\geqslant 0$，$\sqrt{x+y-1}\geqslant 0$.

由非负数的性质，$\begin{cases} x-y+2=0, \\ x+y-1=0. \end{cases}$

解方程组，得 $\begin{cases} x=-\dfrac{1}{2}, \\ y=\dfrac{3}{2}. \end{cases}$ 所以 $(x+y)^{2005}=\left(-\dfrac{1}{2}+\dfrac{3}{2}\right)^{2005}=1$.

点评 (1)非负数具有以下性质:①几个非负数的和仍是非负数;②几个非负数的和为零,则每一个非负数都为零.

(2)算术平方根 $\sqrt{a}(a\geqslant 0)$ 是非负数.到目前为止,我们学过了三种非负数:①绝对值;②平方数 a^2（或偶数次方）;③算术平方根 $\sqrt{a}(a\geqslant 0)$.

拓广探索

从几个简单的、个别的、特殊的情况去研究、探索、归纳出一般的规律和性质,反过来,应用一般的规律和性质去解决特殊的问题,这是数学中经常使用的思想方法.你能用这种方法探索出下面的两个问题吗?

(1)对于任意数 a，$\sqrt{a^2}$ 等于多少?

(2)对于任意非负数 a，$(\sqrt{a})^2$ 等于多少?

特例引路 计算类似 $\sqrt{a^2}$ 和 $(\sqrt{a})^2$ 的式子.

(1)计算 $\sqrt{2^2}$，$\sqrt{(-3)^2}$，$\sqrt{5^2}$，$\sqrt{(-6)^2}$，$\sqrt{7^2}$，$\sqrt{0^2}$ 的值.

(2)计算 $(\sqrt{4})^2$，$(\sqrt{9})^2$，$(\sqrt{25})^2$，$(\sqrt{36})^2$，$(\sqrt{49})^2$，$\sqrt{0}$ 的值.

解答 (1) $\sqrt{2^2}=\sqrt{4}=2$.

$$\sqrt{(-3)^2}=\sqrt{9}=3.$$

$$\sqrt{5^2}=\sqrt{25}=5.$$

$$\sqrt{(-6)^2}=\sqrt{36}=6.$$

$$\sqrt{7^2}=\sqrt{49}=7.$$

$$\sqrt{0^2}=0.$$

(2) $(\sqrt{4})^2=2^2=4$.

$$(\sqrt{9})^2=3^2=9.$$

$$(\sqrt{25})^2=5^2=25.$$

$$(\sqrt{36})^2=6^2=36.$$

$$(\sqrt{49})^2=7^2=49.$$

$$(\sqrt{0})^2=0^2=0.$$

对比分析 省去中间的步骤,分类进行比较:

(1) $\sqrt{2^2}=2$，$\sqrt{(-6)^2}=6$，$\sqrt{0^2}=0$;

(2) $(\sqrt{4})^2=4$，$(\sqrt{9})^2=9$，$(\sqrt{0})^2=0$.

发现规律 (1)对于任意数 a，$\sqrt{a^2}=|a|$;

(2)对于任意非负数 a，$(\sqrt{a})^2=a$.

反思论证 根据平方根(算术平方根)的定义知:当 $a^2=(\pm a)^2$ 时,a 是 $(\pm a)^2$ 的平方根;当 $a>0$ 时,a 是 $(\pm a)^2$ 的算术平方根.

即 $\sqrt{(\pm a)^2}=a$,所以 $\sqrt{a^2}=|a|$.

由平方根的定义同样可得 $(\sqrt{a})^2=a$.

应用创新 计算 $\sqrt{(2-x)^2}$ $(x>2)$.

解答 $\sqrt{(2-x)^2}=|2-x|$.

因为 $x>2$,则原式 $=x-2$.

探究活动

问题 阅读下面数学领域的滑稽短剧,你觉得结果 $2=3$ 荒谬吗? 你能找出它的错误根源吗?

第一幕:等式 $4-10=9-15$;

第二幕:等式两边同时加 $6\frac{1}{4}$,

$$4-10+6\frac{1}{4}=9-15+6\frac{1}{4};$$

第三幕:上式变形,得

$$2^2-2\times2\times\frac{5}{2}+(\frac{5}{2})^2=3^2-2\times3\times\frac{5}{2}+(\frac{5}{2})^2;$$

第四幕:利用 $a^2-2ab+b^2=(a-b)^2$ 得到

$$(2-\frac{5}{2})^2=(3-\frac{5}{2})^2;$$

第五幕:两边开平方,得

$$\sqrt{(2-\frac{5}{2})^2}=\sqrt{(3-\frac{5}{2})^2},$$

即 $2-\frac{5}{2}=3-\frac{5}{2}$;

第六幕:两边加上 $\frac{5}{2}$,得到等式:$2=3$!

探究过程 看似步步有据的推理过程,实则在第五幕中潜藏着错误:

从 $(2-\frac{5}{2})^2=(3-\frac{5}{2})^2$ 推出 $2-\frac{5}{2}=3-\frac{5}{2}$ 是错误的.

因为如果 $a=b$,一定有 $a^2=b^2$;但如果 $a^2=b^2$,则不一定有 $a=b$,还有可能有 $a=-b$.事实上 $2-\frac{5}{2}=-\frac{1}{2}$,$3-\frac{5}{2}=\frac{1}{2}$ 就是 $a=-b$ 的情况,即 $(-\frac{1}{2})^2=(\frac{1}{2})^2$,但 $-\frac{1}{2}\neq\frac{1}{2}$.所以才会有 $2=3$ 这样的荒谬结果.

探究评析 学习平方根,一定要注意"非负性"的有关运用,如本活动中其实是考查了 $\sqrt{a^2}=|a|=\begin{cases}a & (a\geq0),\\ -a & (a<0)\end{cases}$ 这一性质的运用,即 $\sqrt{a^2}$ 的非负数,因为它表示 a^2 的算术平方根.

随堂能力测试

一、填空题

1.如果 $a^2=3$,那么 $a=$ _____. 如果 $\sqrt{a}=3$,那么 $a=$ _____.

2.0.04 的平方根是 _____;0.04 的算术平方根是 _____;0.04 的平方是 _____.

3.$2-\sqrt{3}$ 的相反数是 _____,绝对值是 _____.

4.$\sqrt{5^2}=$ _____,$\sqrt{(-2)^2}=$ _____,$\sqrt{a^2}=$ _____.

5. 若 $4x^2=49$,则 $x=$ _____;若 $81x^2-25=0$,则 $x=$ _____.

6. 小明房间的面积为 $10.8~\text{m}^2$,房间地面恰由 120 块相同的正方形地砖铺成,每块地砖的边长是 _____.

7. 一个正方形的面积扩大为原来的 4 倍,它的边长变为原来的 _____ 倍;面积扩大为原来的 9 倍,它的边长变为原来的 _____ 倍;面积扩大为原来的 n 倍,则它的边长变为原来的 _____ 倍.

二、选择题

8. 下列说法中,不正确的是 ( )

A. $-\sqrt{2}$ 是 2 的平方根　　　　　　　B. $\sqrt{2}$ 是 2 的平方根

C. 2 的平方根是 $\sqrt{2}$　　　　　　　　D. 2 的算术平方根是 $\sqrt{2}$

9. 下列各式中无意义的是 ( )

A. $-\sqrt{7}$ 　　　B. $-\sqrt{(-7)^2}$ 　　　C. $\sqrt{-7}$ 　　　D. $\sqrt{7}$

10. 下列各式中,正确的个数是 ( )

① $\sqrt{0.9}=0.3$;

② $\sqrt{1\frac{7}{9}}=\pm\frac{4}{3}$;

③ -3^2 的平方根是 -3;

④ $\sqrt{(-5)^2}$ 的算术平方根是 -5;

⑤ $\pm\frac{7}{6}$ 是 $1\frac{13}{36}$ 的平方根.

A. 1 个 　　　B. 2 个 　　　C. 3 个 　　　D. 4 个

11. "$\frac{4}{25}$ 的平方根是 $\pm\frac{2}{5}$",用数学式子可以表示为 ( )

A. $\sqrt{\dfrac{4}{25}}=\pm\dfrac{2}{5}$　　　　　　B. $\pm\sqrt{\dfrac{4}{25}}=\pm\dfrac{2}{5}$

C. $\sqrt{\dfrac{4}{25}}=\dfrac{2}{5}$　　　　　　　D. $-\sqrt{\dfrac{4}{25}}x=-\dfrac{2}{5}$

12. 下列判断正确的是 ( )

A. 一个数的倒数值等于它本身,这个数是 1

B. 一个数的绝对值等于它本身,这个数是正数

C. 一个数的相反数等于它本身,这个数是 0

D. 一个数的平方根等于它本身,这个数是 1

13. 若 a 是 $(-4)^2$ 的平方根,b 的一个平方根是 2,则代数式 $a+b$ 的值为 ( )

A. 8

B. 0

C. 8 或 0

D. 4 或 -4

三、解答题

14. 已知 $2a-1$ 的平方根是 ± 3，$3a+b-1$ 的算术平方根是 4，求 $a+2b$ 的平方根.

15. 有一个正数 x 的两个平方根分别是 $2a-3$ 与 $5-a$，你知道 a 是多少吗? 这个正数 x 又是多少?

16. 若 a 的两个平方根是方程 $3x+2y=2$ 的一组解，(1)求 a 的值；(2)求 a^2 的算术平方根.

17. 求满足 $-\sqrt{2}<x<\sqrt{5}$ 的整数解.

18. 交通警察通常根据刹车后车轮滑过的距离估计车辆行驶的速度，所用的经验公式是 $v=16\sqrt{df}$，其中 v 表示车速(单位：km/h)，d 表示刹车后车轮滑过的距离(单位：m)，f 表示摩擦因数. 在某次交通事故调查中，测得 $d=20$ m，$f=1.2$，肇事汽车的车速大约是多少? (结果精确到 0.001 km/h)

19. 借助计算器可以求出:

$\sqrt{4^2+3^2}=\underline{\hspace{2cm}}$，$\sqrt{44^2+33^2}=\underline{\hspace{2cm}}$，

$\sqrt{444^2+333^2}=\underline{\hspace{2cm}}$，$\sqrt{4\,444^2+3\,333^2}=\underline{\hspace{2cm}}$，$\cdots$

仔细观察上面几道题的计算结果，试猜想:

$\sqrt{\underbrace{44\cdots4}_{2\,005\uparrow}{}^2+\underbrace{33\cdots3}_{2\,005\uparrow}{}^2}=\underline{\hspace{2cm}}$.

标 答与点拨

1. $\pm\sqrt{3}$ 9 **2.** ±0.2 0.2 0.001 6 **3.** $\sqrt{3}-2$ $2-\sqrt{3}$ **4.** 5 2 $|a|$

5. $\pm\dfrac{7}{2}$ $\pm\dfrac{5}{9}$ **6.** 0.3 m **7.** 2 3 $\sqrt{n}$

8. C **9.** C **10.** A **11.** B **12.** C **13.** C

14. 依题意得 $\begin{cases} 2a-1=(\pm3)^2, \\ 3a+b-1=4^2, \end{cases}$ 解得 $\begin{cases} a=5, \\ b=2. \end{cases}$

所以 $a+2b=9$,所以 $a+2b$ 的平方根为 ±3.

15. $2a-3+5-a=0$,解得 $a=-2$,$x=(5-a)^2=49$.

16. (1)依题意,得 $3\sqrt{a}-2\sqrt{a}=2$,解得 $a=4$.

或 $-3\sqrt{a}+2\sqrt{a}=2$(舍去).

(2)$a^2=4^2=16$,所以 a^2 的算术平方根为 4.

17. $-1,0,1,2$

18. $v=16\sqrt{20\times1.2}\approx78.384$ (km/h).

19. 5 55 555 5 555 $\underbrace{55\cdots5}_{2\,005个}$

10.2 立 方 根

教 材内容全解

一、立方根与开立方

一般地,如果一个数的立方等于 a,那么这个数叫做 a 的立方根或三次方根.这就是说,如果 $x^3=a$,那么 x 叫做 a 的立方根.

例如:由于 $3^3=27$,所以 3 是 27 的立方根.

求一个数的立方根的运算,叫做开立方.

提醒 立方根的定义与平方根的定义是类似的,正如开平方与平方互为逆运算一样,开立方与立方也互为逆运算.因此,可以根据这种关系求一个数的立方根.

例 1 下列语句对不对?为什么?

(1)12 是 1 728 的立方根.

(2)$-\dfrac{1}{27}$ 的立方根是 $\dfrac{1}{3}$.

(3)64 的立方根是 ±4.

(4)0 的立方根是 0.

解析 利用立方根的定义进行判断.

解答 (1)因为 $12^3 = 1\ 728$,

所以"12 是 1 728 的立方根"这句话是正确的.

(2)因为 $\left(\dfrac{1}{3}\right)^3 = \dfrac{1}{27} \neq -\dfrac{1}{27}$,

所以" $-\dfrac{1}{27}$ 的立方根是 $\dfrac{1}{3}$ "这句话是错误的.

(3)因为 $(+4)^3 = 64, (-4)^3 = -64 \neq 64$,

所以 4 是 64 的立方根,-4 不是 64 的立方根.

故"64 的立方根是 ± 4 "这句话是错误的.

(4)因为 $0^3 = 0$,而除了 0 以外,任何数的立方都不等于 0,

所以 0 的立方根只有一个,就是 0.

所以"0 的立方根是 0"这句话是正确的.

点评 如果一个数的立方等于 a,那么这个数叫做 a 的立方根,因此要判断一个数 x 是不是某数 a 的立方根,就看 x^3 是否等于 a.求一个数 a 的立方根,就是要把立方等于 a 的数找出来.

二、立方根的性质

一个数的立方根有如下性质:

一个数的立方根只有一个,正数的立方根为正数,负数的立方根为负数,0 的立方根是 0.

提醒 平方根与立方根的不同点和相同点.

平方根与立方根有许多不同之处,如:一个正数的平方根有两个,但立方根只有一个;负数没有平方根,但却有立方根.立方根与平方根也有相同之处,就是"0 的立方根只有一个,就是 0 本身".

例2 求下列各数的立方根:

(1)0.729;　　　(2) $-2\dfrac{10}{27}$;　　　(3) ± 125.

解析 可以借助一个数的立方运算求立方根.

解答 (1)因为 $0.9^3 = 0.729$,所以 0.729 的立方根是 0.9.

(2)因为 $-2\dfrac{10}{27} = -\dfrac{64}{27}, \left(-\dfrac{4}{3}\right)^3 = -\dfrac{64}{27}$,

所以 $-2\dfrac{10}{27}$ 的立方根是 $-\dfrac{4}{3}$.

(3) $5^3 = 125, (-5)^3 = -125$,

所以 -125 的立方根是 -5,125 的立方根是 5.

点评 运用立方运算求一个数的立方根是常用的方法.求带分数的立方根,先将带

> **特别提示**
> ①熟记 $1\sim 10$ 的立方,对求立方根很有好处.②分清平方根与立方根的区别,对求一个数的立方根同样也很有好处.

分数化为假分数.

三、立方根的表示

类似于平方根,一个数 a 的立方根,用符号"$\sqrt[3]{a}$"表示,读作"三次根号 a",其中 a 是被开方数,3 是根指数.例如,$\sqrt[3]{8}$ 表示 8 的立方根,即 $\sqrt[3]{8}=2$;$\sqrt[3]{-8}$ 表示 -8 的立方根,即 $\sqrt[3]{-8}=-2$.$\sqrt[3]{a}$ 中的根指数 3 不能省略.

提醒 ①算术平方根的符号 $\sqrt{a}$,实际上是省略了 $\sqrt[2]{a}$ 中的根指数 2,$\sqrt[2]{a}$ 读作"二次根号 a".②表示立方根时,根指数 3 是不能省略的,若省去了,就变为二次方根.只有二次方根的根指数才能省略.

例 3 计算下列各式的值:

(1) $-\sqrt[3]{\dfrac{27}{8}}$;   (2) $\sqrt[3]{-0.027}$;   (3) $\sqrt[3]{4+\dfrac{17}{27}}$.

解答 (1) $-\sqrt[3]{\dfrac{27}{8}}$ 表示 $\dfrac{27}{8}$ 的立方根的相反数.

因为 $\sqrt[3]{\dfrac{27}{8}}=\dfrac{3}{2}$,所以 $-\sqrt[3]{\dfrac{27}{8}}=-\dfrac{3}{2}$.

(2) $\sqrt[3]{-0.027}$ 表示 -0.027 的立方根,所以 $\sqrt[3]{-0.027}=-0.3$.

(3) $\sqrt[3]{4+\dfrac{17}{27}}=\sqrt[3]{\dfrac{125}{27}}=\dfrac{5}{3}$.

点评 ①立方根的根指数 3 不能省略,也不要在计算过程中漏写.如 $\sqrt[3]{4+\dfrac{17}{27}}=\sqrt{4\dfrac{17}{27}}=\sqrt[3]{\dfrac{125}{27}}=\dfrac{5}{3}$,这是一个比较典型的错例,必须引起注意.②当被开方数较复杂时,必须先进行整理后再进行求值.

四、两个互为相反数的立方根之间的关系

探究 因为 $\sqrt[3]{-8}=-2$,$-\sqrt[3]{8}=-2$,所以 $\sqrt[3]{-8}=-\sqrt[3]{8}$;

因为 $\sqrt[3]{-27}=-3$,$-\sqrt[3]{27}=-3$,所以 $\sqrt[3]{-27}=-\sqrt[3]{27}$;

一般地 $\sqrt[3]{-a}=-\sqrt[3]{a}$.

提醒 求一个负数的立方根时,只要先求出这个负数的绝对值的立方根,然后再取它的相反数,也就是说,三次根号内的负号可以移到根号外面.例如:$\sqrt[3]{-125}=-\sqrt[3]{125}$,$\sqrt[3]{-0.0064}=-\sqrt[3]{0.0064}$.

例 4 求下列各式的值:

(1) $\sqrt[3]{0.008}$;   (2) $-\sqrt[3]{-\dfrac{1}{27}}$;

(3) $\sqrt[3]{-2+\dfrac{3}{64}}$;   (4) $-\sqrt[3]{-2\dfrac{10}{27}}$.

解析 解这类题要注意符号,当被开方数是负数时,要把原式变成它的相反数的立方根的相反数.

解答 (1) $\sqrt[3]{0.008}=0.2$;

(2) $-\sqrt[3]{-\dfrac{1}{27}}=-\left(-\sqrt[3]{\dfrac{1}{27}}\right)=\sqrt[3]{\dfrac{1}{27}}=\dfrac{1}{3}$;

(3) $\sqrt[3]{-2+\dfrac{3}{64}}=\sqrt[3]{-\dfrac{125}{64}}=-\sqrt[3]{\dfrac{125}{64}}=-\dfrac{5}{4}$;

(4) $-\sqrt[3]{-2\dfrac{10}{27}}=-\left(-\sqrt[3]{2\dfrac{10}{27}}\right)=\sqrt[3]{2\dfrac{10}{27}}=\sqrt[3]{\dfrac{64}{27}}=\dfrac{4}{3}$.

五、利用计算器求立方根

一些计算器设有 $\boxed{\sqrt[3]{}}$ 键,用它可以求出一个数的立方根(或近似值). 例如,用计算器求 $\sqrt[3]{1\,845}$,可以按照下面的步骤进行,

依次按键 1 8 4 5 $\boxed{\sqrt[3]{}}$ $\boxed{=}$,显示:12.264 940 81.

这样就得到 $\sqrt[3]{1\,845}$ 的近似值 12.264 940 81.

有些计算器需要用第二功能键求一个数的立方根.

例如,用这种计算器求 $\sqrt[3]{1\,845}$,可以依次按键 1 8 4 5 $\boxed{\text{2ndF}}$ $\boxed{\sqrt[3]{}}$ $\boxed{=}$,显示:12.264 940 81.

提醒 实际上,很多有理数的立方根是无限不循环小数,例如 $\sqrt[3]{2}$、$\sqrt[3]{3}$ 等都是无限不循环小数,因此,一般很难计算出它们的值,常用有理数近似地表示它们,而采用的工具为计算器.

例 5 一个正方体的体积为 980 cm³,试估算这个正方体的棱长(误差小于 1 cm).

解答 设正方体的棱长为 a cm,则有 $a^3=980$,即 $a=\sqrt[3]{980}$.

因为 $729<980<1\,000$,

所以 $\sqrt[3]{729}<\sqrt[3]{980}<\sqrt[3]{1\,000}$,即 $9<\sqrt[3]{980}<10$.

答:这个正方体的棱长为 9 cm 或 10 cm.

点评 由于题目中要求误差小于 1 cm,而 9 cm 和 10 cm 与 $\sqrt[3]{980}$ cm 的误差都不超过 1 cm,因此,这两个答案都满足要求. 当然,凭着对数的"感觉",我们可以认为 $\sqrt[3]{980}$ 更接近于 10,所以答 10 cm 是比较好的答案.

例 6 很久很久以前,在古希腊的某个地方发生大旱,地里的庄稼都干死了,人们找不到水喝,于是大家一起到神庙里去向神祈求. 神说:"我之所以不给你们水喝,是因为你们给我做的这个正方体祭坛太小,如果你们做一个比它大 1 倍的祭坛放在我面前,我就会给你们降水."大家觉得好办,于是很快做了一个新祭坛送到神那里,新祭坛的边

长是原来的 2 倍,可是,神愈发恼怒,他说:"你们竟敢愚弄我! 这个祭坛的体积根本不是原来的 2 倍,我要进一步惩罚你们!"想一想,新祭坛的体积是原来的体积的多少倍? 要做一个体积是原来祭坛的 2 倍的新祭坛,它的边长应是原来的多少倍?(精确到 0.01)

解析 正方体的体积计算公式为棱长的立方.

解答 (1)设原祭坛的棱长为 a,则新祭坛的棱长为 $2a$.

此时,新祭坛的体积为 $(2a)^3 = 8a^3$.

显然,新祭坛的体积是原来祭坛体积的 8 倍.

(2)设原祭坛的棱长为 a,新祭坛的棱长为 b.

依题意,有 $b^3 = 2a^3$.

所以 $\left(\dfrac{b}{a}\right)^3 = 2$,即 $\dfrac{b}{a} = \sqrt[3]{2}$.

利用计算器,按键顺序为 $2\ \boxed{\sqrt[3]{}}\ \boxed{=}$,

显示:1.259 921 05.

答:神要做的一个体积是原来祭坛的 2 倍的新祭坛,它的棱长大约是原来的 1.26 倍.

潜能开发广角

思维诊断

本节中常见的思维误区是:①审题不清,不细;②混淆平方根、算术平方根及立方根的概念;③混淆平方根与立方根的性质;④符号错误.

例 7 $\sqrt{81}$ 的算术平方根是_____.

错解 $\sqrt{81}$ 的算术平方根是 9 .

错因分析 上述解答错误的原因是没有审清题意,误认为是求 81 的算术平方根.事实上,$\sqrt{81} = 9$.本题求 $\sqrt{81}$ 的算术平方根,实质是求 9 的算术平方根.因为 $3^2 = 9$,所以 9 的算术平方根是 3.

正确解答 因为 $\sqrt{81} = 9$,而 $3^2 = 9$,所以 9 的算术平方根是 3,即:$\sqrt{81}$ 的算术平方根是 3.

例 8 $(-8)^2$ 的平方根是_____.

错解 $\sqrt{(-8)^2} = -8$.

错因分析 因为 $(-8)^2 = 64$ 是一个正数,而正数的平方根有两个,$(-8)^2$ 的平方根是 $\pm\sqrt{(-8)^2} = \pm\sqrt{64} = \pm 8$.

正确解答 $\pm\sqrt{(-8)^2}=\pm\sqrt{64}=\pm 8.$

例 9 当 x _____ 时，$\sqrt{2x+3}$ 有意义.

错解 当 $2x+3>0$ 时，即 $x>-\dfrac{3}{2}$ 时，$\sqrt{2x+3}$ 有意义.

错因分析 正数和零都有平方根，只有负数没有平方根，也就是说，当 $2x+3=0$ 时，$\sqrt{2x+3}$ 也有意义.

正确解答 当 $2x+3\geqslant 0$ 时，即 $x\geqslant-\dfrac{3}{2}$ 时，$\sqrt{2x+3}$ 有意义.

例 10 当 x _____ 时，$\sqrt[3]{3-x}$ 有意义.

错解 当 $3-x\geqslant 0$ 时，即 $x\leqslant 3$ 时，$\sqrt[3]{3-x}$ 有意义.

错因分析 因为此题中的根号" $\sqrt[3]{}$ "是三次根号，$\sqrt[3]{3-x}$ 表示 $3-x$ 的立方根，而任何数(正数、零、负数)都有立方根，也就是说，$\sqrt[3]{3-x}$ 总有意义.上述错解的原因是混淆了平方根与立方根的性质，误认为凡是带根号的数，根号下的被开方数都不能是负数.

正确解答 因为任何数都有立方根，所以 x 无论取什么数时，$\sqrt[3]{3-x}$ 都有意义.

点评 从例 7 到例 10 都是一些基本概念题，最易心理性失误，解题时粗心大意，急于求成.粗心大意是指在解题的过程中马虎、不细心，它是一种不良的心理素质，主要表现为审题不清，知识点没有及时回应等.例如，对 $\sqrt{2x+3}$ 与 $\sqrt[3]{3-x}$ 不加思考，误认为两个方根的被开方数都必须是非负数等.

> **前沿考向**
>
> 　　立方根是比较重要的概念之一，中考命题中，常把立方根与平方根综合起来命题，题型多为填空题、选择题，试题难度不大，属低档题.

例 11 (2004 年深圳试验区试题)16 的算术平方根是 _____；-27 的立方根是 _____ .

解析 本题主要考查算术平方根和立方根的概念.

解答 因为 $4^2=16$，所以 16 的算术平方根为 4.

因为 $(-3)^3=-27$，所以 -27 的立方根为 -3.

例 12 (2004 年河南试验区试题)-8 的立方根与 4 的算术平方根的和是（　　）

A.0　　　　　　B.4　　　　　　C.-4　　　　　　D.0 或 -4

解析 因为 -8 的立方根是 -2，4 的算术平方根为 2.

所以 -8 的立方根与 4 的算术平方根的和，即 $-2+2=0$.

解答 A

例 13 (2004 年江苏试验区试题)计算：

$$\sqrt{(-2)^2}=\underline{\hspace{2cm}};-\sqrt[3]{-8}=\underline{\hspace{2cm}};-\sqrt[3]{1-\frac{19}{27}}=\underline{\hspace{2cm}}.$$

解析 $\sqrt{(-2)^2}=\sqrt{4}=2.$

$-\sqrt[3]{-8}=\sqrt[3]{8}=2.$

$-\sqrt[3]{1-\frac{19}{27}}=-\sqrt[3]{\frac{8}{27}}=-\frac{2}{3}.$

解答 2 2 $-\dfrac{2}{3}$

例 14 如果 $A=^{a-2b+3}\sqrt{a+3b}$ 是 $a+3b$ 的算术平方根,$B=^{2a-b-1}\sqrt{1-a^2}$ 为 $1-a^2$ 的立方根,求 $A+B$ 的平方根.

解析 因为 A 是 $a+3b$ 的算术平方根,可知根指数 $a-2b+3=2$;B 是 $1-a^2$ 的立方根,则 $2a-b-1=3$.从而建立关于 a,b 的方程组,求出 a 与 b 的值,分别代入两个根式 A 和 B,再求 $A+B$ 的平方根.

解答 由题意,得 $\begin{cases}a-2b+3=2,\\2a-b-1=3.\end{cases}$ 解得 $\begin{cases}a=3,\\b=2.\end{cases}$

所以 $A=\sqrt{a+3b}=\sqrt{9}=3,B=\sqrt[3]{1-9}=\sqrt[3]{-8}=-2.$

所以 $\pm\sqrt{A+B}=\pm\sqrt{3-2}=\pm 1.$

点评 例11、例12考查平方根与立方根的概念,不可粗心大意.例13注意不要弄错符号.例14解题的关键是认真审题,弄清题意.

问题探究

问题 你能发现规律吗?

(1)利用计算器计算,并将计算结果填在表中.你发现了什么规律?你能说出其中的道理吗?

$\cdots$	$\sqrt{0.062\,5}$	$\sqrt{0.625}$	$\sqrt{6.25}$	$\sqrt{62.5}$	$\sqrt{625}$	$\sqrt{6\,250}$	$\sqrt{62\,500}$	$\cdots$
$\cdots$	0.25	0.790 569 415$\cdots$	2.5	7.905 694 15$\cdots$	25	79.056 941 5$\cdots$	250	$\cdots$

(2)利用计算器计算,并将计算结果填在表中.你发现了什么规律?

$\cdots$	$\sqrt[3]{0.000\,216}$	$\sqrt[3]{0.216}$	$\sqrt[3]{216}$	$\sqrt[3]{216\,000}$	$\cdots$
$\cdots$	0.06	0.6	6	60	$\cdots$

发现 ①将被开方数的小数点向右(或左)每移动两位,平方根的小数点就向右(或向左)移动一位.②将被开方数的小数点向右(或左)每移动三位,立方根的小数点就向右(或向左)移动一位.

例 15 (1)用计算器计算 $\sqrt{3}$(结果保留 4 个有效数字),并利用你发现的规律说出 $\sqrt{0.03}$,$\sqrt{300}$,$\sqrt{30\,000}$ 的近似值.你能根据 $\sqrt{3}$ 的值说出 $\sqrt{30}$ 是多少吗?

(2)用计算器计算 $\sqrt[3]{100}$（结果保留 4 个有效数字），并利用你发现的规律求 $\sqrt[3]{0.000\,1}$，$\sqrt[3]{0.1}$，$\sqrt[3]{100\,000}$ 的近似值.

解答 （1）利用计算器，计算得 $\sqrt{3}\approx1.732$.

由发现的规律，得 $\sqrt{0.03}=0.173\,2$，$\sqrt{300}=17.32$，$\sqrt{30\,000}=173.2$.

由 $\sqrt{3}$ 的值不能求出 $\sqrt{30}$ 的值，因为 30 对 3 小数点向右只移动了一位.

（2）利用计算器，计算得 $\sqrt[3]{100}\approx4.642$.

由发现的规律，得 $\sqrt[3]{0.000\,1}=0.046\,42$，$\sqrt[3]{0.1}=0.464\,2$，$\sqrt[3]{100\,000}=46.42$.

随堂能力测试

一、填空题

1.64 的平方根是_____，64 的立方根是_____.

2.立方根是 3 的数是_____，平方根是 3 的数是_____.

3.平方根等于它本身的数是_____，立方根等于它本身的数是_____.

4.一个数的立方根是 m，则这个数是_____.

5.-216 的立方根是_____，立方根是 -0.2 的数是_____.

6.若 $x^2=64$，则 $\sqrt[3]{x}=$_____.

二、选择题

7.下列说法中，不正确的是 （　　）

　A.8 的立方根是 2 　　　　　　B.-8 的立方根是 -2

　C.0 的立方根是 0 　　　　　　D.$\sqrt[3]{a^3}$ 的立方根是 a

8.若 $x^2=(-3)^2$，$y^3-27=0$，则 $x+y$ 的值是 （　　）

　A.0 　　　　　　　　　　　　B.6

　C.0 或 6 　　　　　　　　　　D.以上答案均不正确

9.$\sqrt[3]{(-7)^3}$ 的正确结果是 （　　）

　A.7 　　　　　　　　　　　　B.-7

　C.±7 　　　　　　　　　　D.无意义

10.某数的立方根是它本身，这样的数有 （　　）

　A.1 个 　　　　　　　　　　　B.2 个

　C.3 个 　　　　　　　　　　　D.4 个

11.一个正数的算术平方根是 8，则这个数的相反数的立方根是 （　　）

　A.4 　　　　　　　　　　　　B.-4

　C.±4 　　　　　　　　　　D.±8

12.下列运算中不正确的是 （　　）

A. $\sqrt[3]{-a}=-\sqrt[3]{a}$　　　　　　　　B. $-\sqrt[3]{27}=3$

C. $\sqrt[3]{2^3-3^2}=-1$　　　　　　　　D. $-\sqrt[3]{|-64|}=-4$

13. 下列说法错误的是　　　　　　　　　　　　　　　　　　　　（　　）

A. $\sqrt[3]{a}$ 中的 a 可以是正数、负数、零　　B. 数 a 的立方根只有一个

C. $\sqrt{64}$ 的立方根是 ±2　　　　　　　D. $\sqrt[3]{-5}$ 表示 -5 的立方根

三、解答题

14. 若 $\sqrt{a+8}$ 与 $(b-27)^2$ 互为相反数，求 $\sqrt[3]{a}-\sqrt[3]{b}$ 的值.

15. 已知 $x-2$ 的平方根是 ±2，$2x+y+7$ 的立方根是 3，求 x^2+y^2 的平方根.

16. 若 $A=\sqrt[x-y]{x+y+3}$ 是 $x+y+3$ 的算术平方根，$B=\sqrt[x-2y+3]{x+2y}$ 是 $x+2y$ 的立方根，试求 $B-A$ 的立方根.

17. (1)填表：

a	0.000 001	0.001	1	1 000	1 000 000
$\sqrt[3]{a}$					

(2)由上表你发现了什么规律？请用语言叙述这个规律.

(3)根据你发现的规律填空.

  ① 已知$\sqrt[3]{3}=1.442$,则 $\sqrt[3]{3\ 000}=$ _____ ，$\sqrt[3]{0.003}=$ _____ ；

  ② 已知 $\sqrt[3]{0.000\ 456}=0.076\ 96$,则 $\sqrt[3]{456}=$ _____ .

18. 看图 10 - 2 - 1 后答题.

图 10 - 2 - 1

  问题:b 为 $\sqrt{19}$ 的小数部分,求 $\sqrt{19}-b$ 的值.

19. 美化城市,改善人们的居住环境已成为城市建设的一项重要内容.某市城区近几年来,通过拆迁旧房、植树、种草、修建公园等措施,使城区绿化面积不断增加(如图 10 - 2 - 2 所示).

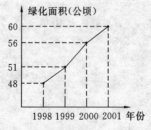

图 10 - 2 - 2

(1)根据图中所提供的信息,回答下列问题:

　　2001 年底的绿化面积为_____公顷,比 2000 年底增加了_____公顷;

　　1999 年、2000 年、2001 年这三年中,绿化面积增加最多的是_____年.

(2)若 2001 年后每年绿化面积增长率为 x,则 2002 年的绿化面积为_____,2003 年的绿化面积为_____.

(3)若 2003 年底城市绿化面积要达到 72.6 公顷,试求 2002 年和 2003 年的绿化面积的平均增长率 x 的值.

标 答与点拨

1. ± 8　4　**2.** 27　9　**3.** 0　$-1,0,1$　**4.** m^3　**5.** -6　-0.008　**6.** 2

7. D　**8.** C　**9.** B　**10.** C　**11.** B　**12.** B　**13.** C

14. $\sqrt{a+8}+(b-27)^2=0$,所以 $a=-8,b=27$,所以 $\sqrt[3]{a}-\sqrt[3]{b}=-5$.

15. 由条件可得 $\begin{cases} x-2=(\pm 2)^2, \\ 2x+y+7=3^3, \end{cases}$ 解得 $\begin{cases} x=6, \\ y=8. \end{cases}$

　　所以 $x^2+y^2=100$,所以 $\pm\sqrt{100}=\pm 10$.

16. 依题意,得 $\begin{cases} x-y=2, \\ x-2y+3=3, \end{cases}$ 解得 $\begin{cases} x=4, \\ y=2. \end{cases}$

　　所以 $A=\sqrt{x+y+3}=3,B=\sqrt[3]{x+2y}=2$.

　　故 $\sqrt[3]{B-A}=-1$.

17. (1) 0.01,0.1,1,10,100

　　(2) 被开方数扩大 1 000 倍,立方根就扩大 10 倍.

　　(3) ① 14.42　0.144 2　② 7.696

18. $\sqrt{19-b}$ 的值为 4.

19. (1) 60　4　2000

　　(2) 60(1+x)　$60(1+x)^2$

　　(3) 10%.

10.3 实　数

教材内容全解

一、无理数的概念

我们知道,很多数的平方根和立方根都是无限不循环小数,无限不循环小数又叫做无理数.

提醒 (1)判断一个数是不是无理数,关键看它能不能写成无限不循环小数,而把无理数写成无限不循环小数不但麻烦,而且是我们现有知识无法解决的难题.因此,必须熟记以下几种常见的无理数:①所有开不尽的方根都是无理数,如 $\sqrt{2},\sqrt{3},\sqrt{7},-\sqrt[3]{2}$ 等.但要注意,并非带根号的数就一定是无理数,如 $\sqrt{4},\sqrt[3]{27}$ 等.②圆周率 π 及一些含 π 的数都是无理数,例如 $\pi,2\pi,\dfrac{\pi}{3},\pi+1$ 等.③像似循环,但不循环的无限小数是无理数,例如 $0.101\,001\,000\,1\cdots,2.737\,337\,333\,7\cdots,$ 等等.

(2)由于无理数的引进,数的范围就由原来的有理数域扩大到实数域.今后,我们研究问题或各种运算,如果没有特殊的说明就必须在实数范围内进行.

例1 下列各数,哪些是有理数,哪些是无理数?

$$-\pi,-3.14,-\sqrt{3},1.732,0,0.\dot{3},18,\sqrt{\dfrac{25}{36}},\dfrac{21}{32},\sqrt{7},-\sqrt{16},0.585\,88\cdots$$

解析 根据我们所掌握的无理数的三种常见类型,首先可以知道 $-\pi,-\sqrt{3},\sqrt{7},$ $0.585\,88\cdots$ 是无理数,然后再看剩下的是不是有理数.因为 $-\sqrt{16}=-4,\sqrt{\dfrac{25}{16}}=\dfrac{5}{4},$ -3.14 和 1.732 是有限小数,0 和 18 及 $-\sqrt{16}$ 是整数,$0.\dot{3}$ 是循环小数,$\sqrt{\dfrac{25}{36}}$ 和 $\dfrac{21}{32}$ 都是分数,故剩下的数都是有理数.

解答 $-\pi,-\sqrt{3},\sqrt{7},0.585\,88\cdots$ 是无理数,其余是有理数.

点评 -3.14 不是 $-\pi$,前者是有限小数,后者是无限不循环小数.同样,1.732 不是 $\sqrt{3}$.

二、实数的概念及分类

1.概　念

有理数和无理数统称为实数.

2.实数的分类

(1)按定义分类

$$实数\begin{cases}有理数\begin{cases}整数\\分数\end{cases}——有限小数或无限循环小数\\无理数——无限不循环小数\end{cases}$$

(2)按性质分类

像有理数一样,无理数也有正负之分.例如,$\sqrt{2},\sqrt[3]{3},\pi$ 是正无理数;$-\sqrt{2},-\sqrt[3]{3},-\pi$ 是负无理数.由于非零有理数和无理数都有正负之分,所以实数也可以这样分类:

$$实数\begin{cases}正实数\begin{cases}正有理数\\正无理数\end{cases}\\0\\负实数\begin{cases}负有理数\\负无理数\end{cases}\end{cases}$$

例2 把下列各数分别填在相应的括号内:$-\dfrac{1}{2},0,0.16,3\dfrac{1}{2},0.1\dot{5},\sqrt{3},-\dfrac{2}{3}\sqrt{5},$

$\dfrac{\pi}{3},\sqrt{16},\sqrt[3]{-8},-8,3.141\ 592\ 6,0.010\ 010\ 001\cdots$

整数$\{$ $\cdots\}$;分数$\{$ $\cdots\}$;正数$\{$ $\cdots\}$;

负数$\{$ $\cdots\}$;有理数$\{$ $\cdots\}$;无理数$\{$ $\cdots\}$.

解答 整数$\{0,-8,\sqrt{16},\sqrt[3]{-8},\cdots\}$;

分数$\left\{-\dfrac{1}{2},3\dfrac{1}{2},0.16,0.1\dot{5},3.141\ 592\ 6,\cdots\right\}$;

正数 $\left\{0.16,3\dfrac{1}{2},0.1\dot{5},\sqrt{3},\dfrac{\pi}{3},\sqrt{16},3.141\ 592\ 6,\right.$

$0.010\ 010\ 001\cdots,\cdots\}$;

负数$\left\{-\dfrac{1}{2},-\dfrac{2}{3}\sqrt{5},\sqrt[3]{-8},-8,\cdots\right\}$;

有理数$\left\{-\dfrac{1}{2},0,0.16,3\dfrac{1}{2},0.1\dot{5},\sqrt{16},\sqrt[3]{-8},-8,3.141\ 592\ 6,\cdots\right\}$;

无理数$\left\{\sqrt{3},-\dfrac{2}{3}\sqrt{5},\dfrac{\pi}{3},0.010\ 010\ 001\cdots,\cdots\right\}$.

> **特别提示**
>
> 像 $\dfrac{\pi}{3},\dfrac{\sqrt{2}}{2},\dfrac{3+\sqrt{2}}{2}$ 等这样的数仍然是无理数,而不是分数.要正确理解这一点,还得从定义入手.

点评 $3.141\ 592\ 6$ 是一个有限小数,不是 π,所以它是有理数.$\sqrt{16},\sqrt[3]{-8}$虽然带有根号,但它们开得尽方,所以是有理数.所有的分数都是有理数.

例3 判断下列命题中正确的个数有　　　　　　　　　　　(　　)

① 实数不是有理数就是无理数.

② 无理数都是无限小数.

③ 有理数都是有限小数.

④ 不带根号的数都是有理数.

⑤ 带根号的数都是无理数.

A.1个　　　　B.2个　　　　C.3个　　　　D.4个

解析　① 正确,因为有理数、无理数统称实数.

② 正确,因为无理数是无限不循环小数,当然是无限小数.

③ 不正确,有理数中也有无限小数,如 $\frac{1}{3}$.

④ 不正确,π 不带根号,而它是无理数.

⑤ 不正确,$\sqrt{9}$ 带有根号,而它是一个有理数.

解答　B

> **特别提示**
>
> 应紧扣无理数的定义,才能避免错误,千万不要"想当然",去试图确立无理数的其他定义及标准.

三、实数和数轴上的点的对应关系

事实上,每一个无理数都可以用数轴上的一个点表示出来,这就是说,数轴上的点有些表示有理数,有些表示无理数.

当数从有理数扩充到实数后,实数与数轴上的点就是一一对应的,即每一个实数都可以用数轴上的一个点来表示,反过来,数轴上的每一个点都表示一个实数.

提醒　① 由教材第161页可知,边长为1的正方形的对角线是 $\sqrt{2}$,因此,图10 - 3 - 1足以说明数轴上的点不只是表示有理数,还可以表示无理数.

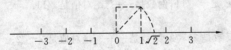

图10 - 3 - 1

② 事实上,还可以在数轴上表示 $\sqrt{3}$,$\sqrt{5}$,$\sqrt{7}$,…点.

四、实数的有关概念和性质

1.有关概念

有理数中的一些概念,如相反数、绝对值以及大小的比较方法在实数范围内仍然成立.

(1)相反数

实数的相反数与有理数的相反数意义一样.如果 a 表示一个正实数,$-a$ 表示一个负实数,a 与 $-a$ 互为相反数.另外规定:0的相反数仍然是 0.

例如,$\frac{1}{3}$ 与 $-\frac{1}{3}$,$\sqrt{2}$ 与 $-\sqrt{2}$,π 与 $-\pi$,$\sqrt{2}+1$ 与 $-(1+\sqrt{2})$ 互为相反数.

(2)绝对值

实数的绝对值意义也和有理数一样.一个正实数的绝对值就是它本身,一个负实数的绝对值是它的相反数,0的绝对值是0.例如,

$|\sqrt{2}|=\sqrt{2}$,$|-\sqrt{2}|=\sqrt{2}$,$|\pi|=\pi$,$|-\pi|=\pi$,$|0|=0$ 等.

(3)实数的大小比较

有理数大小比较法则在实数范围内仍成立.

对于数轴上的任意两个点,右边的点所表示的实数总比左边的点表示的实数大.

2.性 质

(1)a 与 b 互为相反数 $\Leftrightarrow a+b=0$.

(2)a 与 b 互为倒数 $\Leftrightarrow ab=1$.

(3)任何实数的绝对值都是非负数,即 $|a|\geqslant 0$.

(4)互为相反数的两个数的绝对值相等,即 $|a|=|-a|$.

(5)正数的倒数是正数,负数的倒数是负数,零没有倒数.

例 4 求下列各数的相反数、倒数和绝对值:

(1)$\sqrt[3]{-64}$；　　　　(2)$\sqrt{225}$；　　　　(3)$\sqrt{11}$；　　　　(4)$\sqrt{2}-2$.

解析 实数范围内,相反数、倒数、绝对值的意义和有理数范围内的相反数、倒数、绝对值的意义完全相同.

解答 (1)因为 $\sqrt[3]{-64}=-4$,所以 $\sqrt[3]{-64}$ 的相反数是 4,倒数是 $-\dfrac{1}{4}$,绝对值是 4.

(2)因为 $\sqrt{225}=15$,所以 $\sqrt{225}$ 的相反数是 -15,倒数是 $\dfrac{1}{15}$,绝对值是 15.

(3)$\sqrt{11}$ 的相反数是 $-\sqrt{11}$,倒数是 $\dfrac{1}{\sqrt{11}}$,绝对值是 $\sqrt{11}$.

(4)$\sqrt{2}-2$ 的相反数是 $2-\sqrt{2}$,倒数是 $\dfrac{1}{\sqrt{2}-2}$,绝对值是 $2-\sqrt{2}$.

点评 数 a 的绝对值表示为 $|a|$,

由绝对值的定义可得 $|a|=\begin{cases}a & (a>0),\\ 0 & (a=0),\\ -a & (a<0).\end{cases}$

因为 $\sqrt{2}<2$,所以 $\sqrt{2}-2<0$,

所以 $|\sqrt{2}-2|=-(\sqrt{2}-2)=2-\sqrt{2}$.

例 5 已知实数 a,b,c 在数轴上的位置如图 10-3-2 所示:

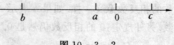

图 10-3-2

(1)比较 a,b,c 三个实数的大小;

(2)比较 a,b,c 的绝对值的大小.

解析 (1)根据实数大小比较的原则可知 $b<a<c$.

(2)实数的绝对值的几何意义与有理数完全相同,一个数的绝对值就是数轴上表示这个数的点到原点的距离.根据 a,b,c 在数轴上的位置到原点 O 的距离可知 a,b,c 的

绝对值的大小关系是 $|a|<|c|<|b|$.

解答 (1) $b<a<c$.

(2) $|a|<|c|<|b|$.

例6 比较下列各数的大小：

(1) $-\pi$ 和 -3.1415;   (2) $2\dfrac{2}{3}$ 与 $\sqrt{7}$.

解析 (1)先比较绝对值的大小,再得两负数的大小.

(2)如果不采用计算器,比较一个有理数和一个无理数的大小可以采用算术平方根比较法,即被开方数大的算术平方根大.

> **特别提示**
>
> 比较一个有理数与无理数的大小方法是借助算术平方根,通过比较被开方数的大小得出结果.

解答 (1)因为 $|-\pi|=\pi=3.14159\cdots$,

$|-3.1415|=3.1415$,

而 $\pi>3.1415$,

所以 $-\pi<-3.1415$.

(2)因为 $2\dfrac{2}{3}=\dfrac{8}{3}=\sqrt{\dfrac{64}{9}}$,而 $\sqrt{7}=\sqrt{\dfrac{63}{9}}$,所以 $2\dfrac{2}{3}>\sqrt{7}$.

五、实数的运算

在实数范围内,可以进行加、减、乘、除、乘方及开方运算,而且有理数的运算法则和运算律在实数范围内仍然成立.实数混合运算的运算顺序与有理数运算顺序基本相同,先乘方、开方,再乘、除,最后算加、减.同级运算按照从左到右顺序进行,有括号先算括号里的.

在实数运算中,当遇到无理数,并且需要求出结果的近似值时,可以按照所要求的精确度用相应的近似有限小数去代替无理数,再进行计算.

例7 计算：

(1) $\sqrt{3}+\sqrt{2}$ (精确到 0.01);

(2) $\dfrac{\sqrt{5}}{2}+2.34-\pi$(精确到十分位);

(3) $\sqrt{2}\times(-2\sqrt{7})-\sqrt{10}$(保留三位有效数字).

解析 在实数运算中,当遇到无理数时,可以按要求取近似值,将无理数转化成有理数,再进行计算.

> **特别提示**
>
> 取无理数的近似值时,一般要比要求的精确度多取一位小数,计算的结果再四舍五入.如(2)中要求结果精确到十分位, $\sqrt{5}$ 可取 2.24.

解答 (1) $\sqrt{3}+\sqrt{2}\approx1.732+1.414\approx3.15$.

(2) $\dfrac{\sqrt{5}}{2}+2.34-\pi\approx\dfrac{1}{2}\times2.236+2.34-3.14\approx0.3$.

(3) $\sqrt{2}\times(-2\sqrt{7})-\sqrt{10}\approx(1.414)\times(-2)\times2.645-$

$3.162\approx-10.6$.

潜能开发广角

开放课堂

问：$\sqrt{3}$ 是无理数，$\dfrac{\sqrt{3}}{4}$，$\dfrac{1+\sqrt{3}}{4}$，$\dfrac{1}{\sqrt{3}}$ 是无理数吗？

甲：$\dfrac{\sqrt{3}}{4}$，$\dfrac{1+\sqrt{3}}{4}$，$\dfrac{1}{\sqrt{3}}$ 是分数的形式，故是分数，所以 $\dfrac{\sqrt{3}}{4}$，$\dfrac{1+\sqrt{3}}{4}$，$\dfrac{1}{\sqrt{3}}$ 是有理数，而不是无理数．

乙：$\dfrac{\sqrt{3}}{4}$，$\dfrac{1+\sqrt{3}}{4}$，$\dfrac{1}{\sqrt{3}}$ 是分数的形式，但不是分数．因为 $\sqrt{3}$ 是无限不循环小数，除以 4 后仍然是无限不循环小数，故 $\dfrac{\sqrt{3}}{4}$ 是无理数，而不能说成是分数．$\dfrac{1+\sqrt{3}}{4}$，$\dfrac{1}{\sqrt{3}}$ 也都是无理数，而不是分数．

师：甲的答案是错误的，是分数形式不一定就是分数．判断一个数是不是无理数，要从定义上去判断，不要想当然，要看清这个数的本质．乙的答案是正确的，分析也是对的．乙分析的优点在于抓住定义不放，由定义去说明，去讲理．

问：$\dfrac{\sqrt{3}}{4}$，$\dfrac{1+\sqrt{3}}{4}$，$\dfrac{1}{\sqrt{3}}$ 是无理数，那么下列各数是否是无理数呢？

$$0\times\sqrt{3},\ \sqrt{3}-\sqrt{3},\ \dfrac{0}{\sqrt{3}}.$$

师：这三个数是有理数，而不是无理数．因为有理数的一切运算性质在实数中同样适用，根据运算性质，上式都为零，故而是有理数．像这类判断含有运算，故需要通过结果才能判断．千万不要像甲同学那样只看表象而不看本质．

前沿考向

　　本节的知识点都是中考命题热点，其中实数的有关概念（相反数、绝对值、倒数）最为热点，常以填空题和选择题的形式出现，属低档题．

一、考查无理数的概念

例 8 阅读图 10 - 3 - 3 后解题．

　　如果 $\sqrt{200a}$ 是一个整数，求 a 的最小正整数值．

　　解：因为 $200=2^2\times5^2\times2$，所以 $\sqrt{200a}=\sqrt{2^2\times5^2\times2a}$

　　　　$=2\times5\sqrt{2a}=10\sqrt{2a}$

　　要使 $\sqrt{200a}$ 是一个整数，且 a 取最小正整数值，则 $2a$ 必须是一个非零的完全平方数，所以 $a=2$

图 10 - 3 - 3

根据上述材料试分析：若 $\sqrt{60a}$ 是一个正整数，且 a 为它的取值范围内的最小整数，试求 a 的值.

解析 根据无理数的概念，知：若 a 为有理数，则 $\sqrt{a^2}$ 才是有理数. 本例中提供的解答过程就体现了这一原则，就是设法将被开方数写成一个有理数的平方的形式，然后，再寻求 a 的值.

解答 因为 $60a=4\times15a$，

所以 $\sqrt{60a}=\sqrt{2^2\times15a}=2\sqrt{15a}$.

要使 $\sqrt{60a}$ 是一个整数，且 a 取最小正整数值，

则 $15a$ 必须是一个非零的完全平方数，

所以 $a=15$.

二、考查实数的大小比较

例 9 （2004 年万州试验区试题）比较大小：

$-\sqrt{10}$ ＿＿＿＿ -3.（填"$<$"、"$>$"或"$=$"）

解析 根据实数大小比较法则"两个负数，绝对值大的反而小"，比较两个负数的大小，应先比较它们的绝对值.

解答 因为 $|-\sqrt{10}|=\sqrt{10}$，$|-3|=3=\sqrt{9}$.

又因为 $\sqrt{10}>\sqrt{9}$，所以 $-\sqrt{10}<-\sqrt{9}$.

故应填"$<$".

三、考查相反数的概念

例 10 （2004 年山东试验区试题）下列各组中互为相反数的是 （ ）

A. -2 与 $\sqrt{(-2)^2}$ B. -2 与 $\sqrt[3]{-8}$

C. -2 与 $-\dfrac{1}{2}$ D. $|-2|$ 与 2

解析 因为 $\sqrt{(-2)^2}=\sqrt{4}=2$，

而 -2 与 2 互为相反数，

所以 -2 与 $\sqrt{(-2)^2}$ 互为相反数.

解答 A

> **特别提示**
>
> 选项 C 中的 -2 与 $-\dfrac{1}{2}$ 互为倒数，这里要防止把相反数与倒数两个概念混淆.

四、考查绝对值的相关运算

例 11 （2004 年湖北实验区试题）如果在数轴上表示 a，b 两个实数点的位置如图 10-3-4 所示，那么 $|a-b|+|a+b|$ 化简的结果为 （ ）

图 10-3-4

A. $2a$ B. $-2a$ C. 0 D. $2b$

解析 要化简 $|a-b|+|a+b|$,首先要求出 $a-b$ 和 $a+b$ 的绝对值,而求绝对值关键是判定绝对值内的数是正是负.

解答 由图 a,b 在数轴上的位置可知:

$a<0,b>0,|a|>|b|.$

因为 $a<0,-b<0$,所以 $a-b=a+(-b)<0.$

所以 $|a-b|+|a+b|=(b-a)+(-a-b)=$
$$b-a-a-b=-2a.$$

故应选择 B.

特别提示

　本题是一道数形结合的题目,解题的关键在于通过认真细致地观察图形,弄清数轴上的各点所表示的点的正负性及各数之间的大小关系.

五、概念的综合考查

例 12 选择题.

(1)下列命题中,正确的是 　　　　　　　　　　　　　　( )

A. 无理数包括正无理数、零、负无理数

B. 无理数不是实数

C. 无理数是带根号的数

D. 无理数是无限不循环小数

(2)在实数范围内,下列判断正确的是 　　( )

A. 若 $|x|=|y|$,则 $x=y$

B. 若 $x>y$,则 $x^2>y^2$

C. 若 $|x|=(\sqrt{y})^2$,则 $x=y$

D. 若 $\sqrt[3]{x}=\sqrt[3]{y}$,则 $x=y$

(3)下列命题中,正确的是 　　　　　　　( )

A. 绝对值等于它本身的实数只有 0

B. 倒数等于它本身的实数只有 1

C. 相反数等于它本身的实数只有 0

D. 算术平方根等于它本身的实数只有 1

解析 (1)主要考查无理数的定义及分类,解答时要注意无理数的定义及常见形式.

(2)主要考查绝对值、方根、乘方的概念及运算性质.

(3)主要考查几类数的应用问题.

解答 (1)D　(2)D　(3)C

警示误区

　这是一组易错题,应注意以下几点:

　(1)题容易误选 A 和 C.错选 A 的原因是把 0 看成无理数,错选 C 是把无理数和带根号的数混为一谈.

　(2)题容易误选 A 和 B.这类题可采用"特殊值法"逐一排除.

　(3)题这类问题最好转化为方程来考虑,四个命题可以分别得出方程 $|x|=x,\dfrac{1}{x}=x,$ $-x=x,\sqrt{x}=x,$解之即为结果.

数海花絮

无理数"π"的计算小史

几千年来,人们为了寻求圆周率 π 的越来越精密的近似值而付出了巨大的心血.

起初人们通过经验和实例得到了粗略的 π 值.第一个以科学方法计算 π 值的是古

希腊数学家阿基米德(前287—前212),他用正多边形来逼近圆周,得到 $\frac{223}{71} < \pi < \frac{22}{7}$.

中国古代数学家在圆周率计算方面有着卓越的成就.公元3世纪,刘徽创造了一种比阿基米德更巧妙的方法,他算出圆周率 $\pi \approx \frac{157}{50} = 3.14$,现在叫做"徽率".南北朝时代的祖冲之(429—500)得到 $3.141\ 592\ 6 < \pi < 3.141\ 592\ 7$,并得到了圆周率的另外两个近似分数: $\pi \approx \frac{22}{7}$ 和 $\pi \approx \frac{355}{113}$.前者称为"约率",后者称为"密率".

祖冲之的记录保持了将近一千年.1430年,阿拉伯数学家阿尔·卡西才算得 π 的准确到小数点后14位的近似值.到16世纪,德国人奥托和荷兰人安托尼兹又重新计算出密率 $\pi \approx \frac{355}{113}$.

文艺复兴以后,欧洲数学家用无穷级数法代替正多边形逼近的几何方法,使圆周率的计算更为简捷.用手工计算 π 值的最高记录是1946年英国人弗戈森创造的,他将 π 的值准确到小数点后620位.

进入电脑时代,圆周率的计算更是突飞猛进.1949年,科学家们在第一台电子计算机ENIAC上将 π 值准确到2 035位小数.1989年,美国哥伦比亚大学查德诺夫斯基兄弟在计算机上算出 π 值的4.8亿位可靠数字,若将这些数字印出来将长达数百公里!而到了1999年,日本学者金田安政及其合作者在一台日立SR—800计算机上,算得的 π 值竟准确到2 061亿多位.现在,计算 π 的近似值已成为测试计算机运行速度和精确度的一个重要指标.

随堂能力测试

一、填空题

1.把下列各数中的无理数填在表示无理数集合的大括号内:

   $0.99\cdots,0.121\ 121\ 112\cdots,\frac{\pi}{2},\sqrt{9},-\sqrt[3]{4},1+\sqrt{2}$.

   无理数的集合{＿＿＿＿＿＿＿＿＿＿＿＿＿＿＿}.

2. $\sqrt{5}-3$ 的相反数是＿＿＿＿＿＿,它的绝对值是＿＿＿＿＿＿.

   $|\sqrt{5}-\sqrt{7}| = $＿＿＿＿＿＿, $\sqrt[3]{9}$ 与2.5的大小关系是＿＿＿＿＿＿.

3.若 x,y 为实数,且满足 $\sqrt{x-1}+(3x+y-1)^2 = 0$,则

   $\sqrt{5x+y^2} = $＿＿＿＿＿＿.

4.如图10-3-5所示,A,B 两点的坐标分别为 $A(-1,+\sqrt{2}),B(-\sqrt{5},0)$,则 $\triangle OAB$ 的面积(精确到0.1)为

   ＿＿＿＿＿＿.

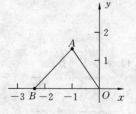

10-3-5

5.平面内有四点,它们的坐标分别为 $A(1,4\sqrt{5}),B(3,$

$2\sqrt{5}),C(2,\sqrt{5}),D(4,-2\sqrt{5})$.将 A,B,C,D 四点构成的四边形向上平移 $\sqrt{5}$ 个单位，则得到的新的四边形的四个顶点的坐标分别是 _____，_____，_____，

_____．

二、选择题

6. 下列各数中，一定是无理数的是 （ ）

　　A. 带根号的数　　B. 无限小数　　C. 不循环小数　　D. 无限不循环小数

7. 如果 $|x|-x=0$，则 x 为 （ ）

　　A. 正实数　　　B. 负实数　　　C. 非正实数　　　D. 非负实数

8. 下列命题错误的是 （ ）

　　A. $\sqrt{3}$ 是无理数　　　　　　　B. $\pi+1$ 是无理数

　　C. $\dfrac{\sqrt{3}}{2}$ 是分数　　　　　　　D. $\sqrt{2}$ 是无限不循环小数

9. 全体小数所在的集合是 （ ）

　　A. 分数的集合　　　　　　　B. 有理数的集合

　　C. 无理数的集合　　　　　　D. 实数的集合

10. 下列说法中正确的是 （ ）

　　A. 倒数等于本身的数只有1

　　B. 算术平方根等于本身的数只有1

　　C. 绝对值等于本身的数只有0

　　D. 相反数等于本身的数只有0

三、解答题

11. 化简：$|1-\sqrt{2}|+|\sqrt{2}-\sqrt{3}|+|\sqrt{3}-2|$．

12. 已知实数 a,b 满足 $\sqrt{a-\dfrac{1}{4}}+|2b+1|=0$，求 $b\sqrt{a}$ 的值．

13. 观察下列各式：

$$\sqrt{1+\dfrac{1}{3}}=2\sqrt{\dfrac{1}{3}},\quad \sqrt{2+\dfrac{1}{4}}=3\sqrt{\dfrac{1}{4}},$$

$$\sqrt{3+\dfrac{1}{5}}=4\sqrt{\dfrac{1}{4}},\cdots$$

请你将猜想到的规律用含自然数 $n(n \geq 1)$ 的代数式表示出来：_____.

14. 根据图 10 - 3 - 6 拼图的启示，

(1)计算 $\sqrt{2}+\sqrt{8}=$ _____；

(2)计算 $\sqrt{8}+\sqrt{32}=$ _____；

(3)计算 $\sqrt{32}+\sqrt{128}=$ _____.

15. 已知 $|x| < 2\sqrt{3}$，x 是整数，求 x.

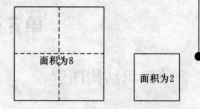

图 10 - 3 - 6

16. 要使人造地球卫星能绕地球运转，必须使它的速度大于第一宇宙速度而小于第二宇宙速度．第一宇宙速度的计算公式是 $v_1 = \sqrt{gR}$(m/s)，第二宇宙速度的计算公式是 $v_2 = \sqrt{2gR}$(m/s)，其中 $g = 9.8$ m/s^2，$R = 6.4 \times 10^6$ m．求第一、第二宇宙速度．（结果保留两个有效数字）

标 答与点拨

1. $0.121\ 121\ 112\cdots$，$\dfrac{\pi}{2}$，$-\sqrt[3]{4}$，$1+\sqrt{2}$

2. $3-\sqrt{5}$　$3-\sqrt{5}$　$\sqrt{7}-\sqrt{5}$　$\sqrt[3]{9} < 2.5$

3. 3　4. 1.6

5. $(1,5\sqrt{5})$　$(3,3\sqrt{5})$　$(2,2\sqrt{5})$　$(4,-\sqrt{5})$

6. D　7. D　8. C　9. D　10. D

11. 原式 $=\sqrt{2}-1+\sqrt{3}-\sqrt{2}+2-\sqrt{3}=1$.

12. $a = \dfrac{1}{4}$，$b = -\dfrac{1}{2}$，所以 $b\sqrt{a} = -\dfrac{1}{4}$.

13. $\sqrt{n+\dfrac{1}{n+2}} = (n+1)\sqrt{\dfrac{1}{n+2}}$

14. (1)$3\sqrt{2}$　(2)$6\sqrt{2}$　(3)$12\sqrt{2}$

15. $-3, -2, -1, 0, 1, 2, 3$

16. $v_1 = \sqrt{9.8 \times 6.4 \times 10^6} \approx 7.9 \times 10^3$(m/s).

$v_2 = \sqrt{2 \times 9.8 \times 6.4 \times 10^6} \approx 11.2 \times 10^3$(m/s).

单元总结与测评

知 识结构图解

方 法技巧规律

方法规律

转化思想在本章中的应用：

在数学研究中，常常需要将复杂问题转化为简单问题，将生疏问题转化为熟悉问题。事实上，许多运算一经从复杂到简单，从生疏到熟悉的转化，问题就迎刃而解。例如，求一个负数的立方根时，可以转化为求一个正数的立方根的相反数；在实数的近似计算中，遇到有理数时，可根据要求取其近似值，转化为有理数进行计算。在研究实数的分类时需要研究分数与小数的互化问题，即任何一个分数都可以化成有限小数或无限循环小数；反之，任何有限小数或无限循环小数都可以化成分数。

一、有关平方根的概念问题

例1 求下列各数的平方根：

(1)36;   (2)1.44;   (3)$\dfrac{49}{36}$.

解析 根据平方根的定义，求一个数 a 的平方根可转化为求一个数的平方等于 a 的运算。具体解题步骤是：找出平方等于 a 的数，写出平方根；根据定义，从平方式中确定 a 的平方根；表示出开平方的结果。

解答 (1)因为 $(\pm 6)^2 = 36$，所以 36 的平方根为 ± 6，即 $\pm\sqrt{36} = \pm 6$.

(2)因为 $(\pm 1.2)^2 = 1.44$，所以 1.44 的平方根为 ± 1.2，即 $\pm\sqrt{1.44} = \pm 1.2$.

特别提示

一个正数有两个平方根，漏掉一个答案是不对的，不要漏掉负平方根。

(3)因为 $\left(\pm\dfrac{7}{6}\right)^2 = \dfrac{49}{36}$，所以 $\dfrac{49}{36}$ 的平方根为 $\pm\dfrac{7}{6}$，即 $\pm\sqrt{\dfrac{49}{36}} = \pm\dfrac{7}{6}$.

例2 计算下列各式的值：

(1) $\sqrt{1.96}$；　　　(2) $-\sqrt{49}$；　　　(3) $\pm\sqrt{\dfrac{16}{81}}$；　　　(4) $\sqrt{(-15)^2}$.

解析　解答这类问题的关键是要弄清平方根的三种符号 $\pm\sqrt{a}$，$\sqrt{a}$，$-\sqrt{a}$ 的意义. 在本例中，$\sqrt{1.96}$ 表示 1.96 的算术平方根，$-\sqrt{49}$ 表示 49 的负的平方根. $\pm\sqrt{\dfrac{16}{81}}$ 表示 $\dfrac{16}{81}$ 的平方根，$\sqrt{(-15)^2}$ 表示 $(-15)^2$ 的算术平方根.

解答　(1)因为 $(1.6)^2=1.96$，所以 $\sqrt{1.96}=1.6$.

(2)因为 $(\pm7)^2=49$，所以 $-\sqrt{49}=-7$.

(3)因为 $\left(\pm\dfrac{4}{9}\right)^2=\dfrac{16}{81}$，所以 $\pm\sqrt{\dfrac{16}{81}}=\pm\dfrac{4}{9}$.

(4) $\sqrt{(-15)^2}=\sqrt{225}=15$.

点评　正确解答本题的关键是明确三种符号 $\sqrt{a}$，$\pm\sqrt{a}$，$-\sqrt{a}$ 的区别. $\sqrt{a}$ 表示 a 的算术平方根，$\pm\sqrt{a}$ 表示 a 的平方根，$-\sqrt{a}$ 表示 a 的算术平方根的相反数(或表示 a 的负的平方根). 要特别注意 $\sqrt{a}\neq\pm\sqrt{a}$.

思想方法

分类思想：

当被研究的问题包含多种可能情况，不能一概而论时，必须按可能出现的所有情况来分别讨论，得出各种情况下相应的结论，这种处理问题的思维方法称为分类.

本章在研究平方根、算术平方根及立方根的性质时，都是将有理数按其数性进行分类讨论的，如"一个正数有两个平方根，它们互为相反数；0 有一个平方根，它是 0 本身；负数没有平方根"，"正数有一个正的立方根；负数有一个负的立方根；0 的立方根仍旧是 0".

为了正确地进行分类，就必须明确分类的原则和分类的标准. 分类必须遵循以下三条原则：一是每一次分类要按照同一标准进行；二是分类的各子项应该互不相容；三是分类的各子项之和必须等于母项. 如实数的分类：

(1)按定义分类

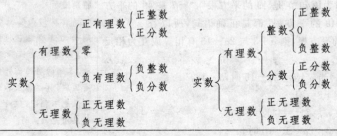

（2）按大小分类

$$实数\begin{cases}正数\begin{cases}正有理数\begin{cases}正整数\\正分数\end{cases}\\正无理数\end{cases}\\零\\负数\begin{cases}负有理数\begin{cases}负整数\\负分数\end{cases}\\负无理数\end{cases}\end{cases}$$

二、分类思想应用

例 3 已知数 m 的平方根是 $a+3$ 及 $2a-15$，求 m.

解析 因为正数有两个平方根，并且它的两个平方根互为相反数，0 有一个平方根，负数没有平方根，所以，这个数一定是非负数.当这个数 m 是正数时，$a+3$ 与 $2a-15$ 为相反数；当这个数是 0 时，应有 $a+3=2a-15=0$.这样分两种情况进行分析和解答.

解答 因为负数没有平方根，所以这个数一定是非负数.

（1）若这个数是正数，则有 $a+3+2a-15=0$，解得 $a=4$.

所以 $a+3=7$，$2a-15=-7$，故 $m=49$.

（2）假设这个数是零，则 $a+3=0$，且 $2a-15=0$，

解得 $a=-3$，且 $a=\dfrac{15}{2}$，矛盾.

综上所述，这个数是 49.

点评 语句"7 是 49 的平方根"或"-7 是 49 的平方根"都是正确的，但反过来，"49 的平方根是 7"，或"49 的平方根是 -7"都是错误的，应该完整地回答："49 的平方根是 7 或 -7（即 ±7）."所以，假设本题中的"这个数"是正数时，则 $a+3$ 与 $2a-15$ 互为相反数，而不能有 $a+3=2a-15$ 这种关系.

例 4 已知 $a+3$ 与 $2a-15$ 是 m 的平方根，求 m 的值.

解析 因为语句"7 是 49 的平方根"，"-7 是 49 的平方根"，"±7 是 49 的平方根"都是正确语句，所以若 $a+3$ 和 $2a-15$ 是 m 的平方根，则 $a+3$ 与 $2a-15$ 有相等或互为相反数两种情况.

解答 （1）当 $a+3=2a-15$ 时，$a=18$，

$a+3=18+3=21$.

故这个数 $m=21^2=441$.

（2）当 $a+3+2a-15=0$ 时，$a=4$，

> **特别提示**
>
> 分类可以有不同的方法，但必须按同一标准分类.本例中根据平方根的性质进行分类讨论，使解答过程趋于完美，思维过程更加严密.

> **特别提示**
>
> 当我们面临数学问题而无法确定它的情形时，就需要进行分类讨论.本例两题的已知条件有区别，所以解法和计算结果也不相同，但对分类的应用是相同的.

$a+3=7, 2a-15=-7.$

故这个数 m 为 $(\pm 7)^2$，即 49.

综上所述，m 的值为 49 或 441.

揭示规律

实数分为有理数和无理数. 事实上，有理数的运算律和运算性质在实数范围内仍然成立. 这里要特别提醒的是：实数与数轴上的点具有一一对应关系，而有理数与数轴上的点不是一一对应关系.

三、非负数的应用

例 5 已知实数 x,y 满足 $\sqrt{2x-3y-1}+|x-2y+2|=0$，求 $2x-\dfrac{4}{5}y$ 的平方根.

解析 求实数 x,y 的值是求 $2x-\dfrac{4}{5}y$ 的平方根的关键. 由非负数的性质知，有限个非负数之和等于零，必须每个非负数等于零，从而得到一个关于 x,y 为未知数的二元一次方程组，解出 x,y 的值.

解答 因为 $\sqrt{2x-3y-1}\geqslant 0$，$|x-2y+2|\geqslant 0$，

而 $\sqrt{2x-3y-1}+|x-2y+2|=0$，

所以 $\begin{cases}2x-3y-1=0,\\x-2y+2=0.\end{cases}$ 解得 $\begin{cases}x=8,\\y=5.\end{cases}$

所以 $2x-\dfrac{4}{5}y=2\times 8-\dfrac{4}{5}\times 5=16-4=12.$

所以 $\pm\sqrt{2x-\dfrac{4}{5}y}=\pm\sqrt{12}.$

四、综合创新应用

例 6 已知 $5+\sqrt{7}$ 的小数部分是 a，$5-\sqrt{7}$ 的小数部分是 b，求 $a+b$ 的值.

解析 本题的关键是求出 a,b 的值. a,b 都是无理数的小数部分，确定无理数的小数部分的方法是：首先确定其整数部分，然后用这个无理数减去它的整数部分，即得其小数部分.

解答 因为 $2<\sqrt{7}<3$，

所以 $7<5+\sqrt{7}<8$，

所以 $5+\sqrt{7}$ 的整数部分是 7，

其小数部为 $a=5+\sqrt{7}-7=\sqrt{7}-2.$

又 $-3<-\sqrt{7}<-2$，

方法规律

本例采用"夹逼法"来确定一个无理数的整数部分. 所谓夹逼法，就是把数学问题的解限制在某两个数值范围内，然后通过"链式"不等式或经过筛选，得到符合题意的答案，巧妙地使用它求解，犹如探囊取物一般.

所以 $2<5-\sqrt{7}<3$.

所以 $5-\sqrt{7}$ 的整数部分是 2,

所以其小数部分是 $b=5-\sqrt{7}-2=3-\sqrt{7}$.

所以 $a+b=(\sqrt{7}-2)+(3-\sqrt{7})=\sqrt{7}-2+3-\sqrt{7}=1$.

点评 无理数是无限不循环小数,它有小数部分和整数部分两个部分组成,整数部分一般采用夹逼法可以"逼"出其值,而小数部分是一个无限不循环小数,无法表示出来,因此,可以用这个无理数减去它的整数部分来表示出它的小数部分.如 $\sqrt{2}$ 的小数部分可表示为 $\sqrt{2}-1$,$\sqrt{7}$ 的小数部分为 $\sqrt{7}-2$ 等.

例 7 阅读下列题一的解法,根据题一的解法,解答第二题.

题一:求下式中的 x.

$9(3x+2)^2-64=0$.

解析 根据平方根的定义,若 $x^2=a(a\geqslant0)$,则 x 是 a 的平方根,则有 $x=\pm\sqrt{a}$. 这里可以把 $(3x+2)$ 看成一个整体,先求出 $3x+2$ 的值,再求 x 的值.

解答 因为 $9(3x+2)^2=64$,所以 $(3x+2)^2=\dfrac{64}{9}$,

所以 $3x+2=\pm\sqrt{\dfrac{64}{9}}$,即 $3x+2=\pm\dfrac{8}{3}$,

当 $3x+2=\dfrac{8}{3}$ 时,$x=\dfrac{2}{9}$;

当 $3x+2=-\dfrac{8}{3}$ 时,$x=-\dfrac{14}{9}$.

题二:(2004 年湖北黄石市中考试题)为了解决下岗职工生活困难的问题,在近两年的财政改革中,市政府采用一系列政策措施,据统计 2002 年市财政用于解决下岗职工生活困难资金为 160 万元,预计 2004 年将达到 176.4 万元.求 2002 年到 2004 年市财政每年投入解决下岗职工生活困难资金的平均增长率.

(参考数据:$1.03^2=1.060\ 9,1.04^2=1.081\ 6,1.05^2=1.102\ 5,1.06^2=1.123\ 6$)

解析 分阶段分别弄清每年用于解决下岗职工的资金,为理清关系可列表.

	增长率	实投资金(万元)
2002 年	—	160
2003 年	x	$160(1+x)$
2004 年	x	$160(1+x)(1+x)$

解答 设每年投入解决下岗职工的资金的平均增长率为 x.

依题意,有 $160(1+x)^2=176.4$.

解方程,即 $(1+x)^2=\dfrac{176.4}{160}$,所以 $(1+x)^2=1.102\ 5$.

由题中提供的数据可得 $1+x=1.05$ 或 $1+x=-1.05$.

解得 $x=5\%$,或 $x=-205\%$.

经检验,增长率为 5% 符合题意.

答:2002 年到 2004 年市财政每年投入解决下岗职工生活困难资金的平均增长率为 5%.

综合能力测评

一、填空题

1. 若 $|x|=\sqrt{3}$,则 $x=$ _____;$|\pi-3.14|=$ _____;$|\sqrt{2}-\sqrt{3}|=$ _____.

2. 如果正数 x 的平方根是 $a+2$ 与 $3a-6$,则 $\sqrt[3]{63+a}=$ _____.

3. 若 $a^2=3$,$\sqrt{b}=2$,且 $a \cdot b<0$,则 $a+b+\sqrt{3}=$ _____.

4. 点 A 在数轴上表示的数为 $3\sqrt{5}$,点 B 在数轴上对应的数为 $-\sqrt{5}$,则 A,B 两点间的距离为 _____.

5. 若 $x<2+\sqrt{5}$,则满足不等式的正整数解有 _____.

二、选择题

6. 下列说法中,正确的个数是 ( )

① 0.4 的算术平方根是 0.2.

② 无限小数都是无理数.

③ 数轴上的点,不表示无理数就表示有理数.

④ 立方根等于本身的数必是 1 和 0.

A. 1 个   B. 2 个   C. 3 个   D. 4 个

7. 下列说法中,不正确的是 ( )

A. 若 a 为实数,则 $|a|\geqslant 0$ B. 若 a 为实数,则 a 的倒数是 $\dfrac{1}{a}$

C. 若 a 为实数,则 $a^2\geqslant 0$ D. 若 $\sqrt{a}$ 有意义,则 $\sqrt{a}\geqslant 0$

8. 一个自然数的算术平方根是 a,则比这个自然数大 2 的自然数的算术平方根是

( )

A. $a+1$ B. $a+2$ C. $\sqrt{a}+1$ D. $\sqrt{a^2+2}$

9. 如果 $\sqrt[3]{2(2x+3)}$ 的值与 $\sqrt[3]{3(1-x)}$ 的值互为相反数,那么 x 等于 ( )

A. -8 B. 8   C. -9 D. 9

10. 如果 $-2a$,$1-a$,a 三个数在数轴上所对应的点从左至右依次排列,那么 a 的取值范围是 ( )

A. $a>0$ B. $a<0$ C. $a>\dfrac{1}{2}$ D. a 为任意实数

三、解答题

11. 如果 $y=\sqrt{2x-1}+\sqrt{1-2x}+2$，求 $4x+y$ 的平方根.

12. 阅读下面的文字后解答问题.

大家知道 $\sqrt{2}$ 是无理数，而无理数是无限不循环小数，因此，$\sqrt{2}$ 的小数部分我们不可能全部地写出来，于是小明用 $\sqrt{2}-1$ 来表示 $\sqrt{2}$ 的小数部分. 你同意小明的表示方法吗？事实上，小明的表示方法是有道理的，因为 $\sqrt{2}$ 的整数部分是1，将这个数减去其整数部分，差就是小数部分.

请解答：已知 $10+\sqrt{3}=x+y$，其中 x 是整数，且 $0<y<1$，求 $x-y$ 的相反数.

13. 物体自由下落的高度 h (m)和下落时间 t (s)的关系式是：在地球上大约是 $h=4.9t^2$，在月球上大约是 $h=0.8t^2$. 当 $h=20$ m 时，(1)物体在地球上和月球上自由下落的时间各是多少？(2)物体在哪里下落得快？

14. 已知 $A=\sqrt[x-y]{x+y+3}$ 是 $x+y+3$ 的算术平方根，$B=\sqrt[x-2y+3]{x+2y}$ 是 $x+2y$ 的立方根. 试求 $B-A$ 的立方根.

15. 根据爱因斯坦的相对论，当地球过去1 s 时，宇宙飞船内只经过 $\sqrt{1-\left(\dfrac{v}{c}\right)^2}$ s(公式内的 c 指光速：30×10^5 km/s；v 指宇宙飞船速度). 假定有一对25岁和28岁的亲兄弟，哥哥乘坐以光速98%的速度飞行的宇宙飞船，作了5年科学考察后回到了地球，这个5年是指地面上的5年，所以弟弟的年龄已是30岁. 请你用上述公式推算一下,哥哥在这段时间内长了几岁?此时哥哥的年龄是多少?

标 答与点拨

1. $\pm\sqrt{3}$ $\pi-3.14$ $\sqrt{3}-\sqrt{2}$

2. 4

3. 4

4. $4\sqrt{5}$

5. 1,2,3,4

6. A **7.** B **8.** D **9.** C **10.** C

11. 由条件可得 $\begin{cases} 2x-1\geqslant 0, \\ 1-2x\geqslant 0, \end{cases}$ 得 $\begin{cases} x=\dfrac{1}{2}, \\ y=2. \end{cases}$

所以 $\pm\sqrt{4x+y}=\pm 2$.

12. 依题意 $x=11,y=\sqrt{3}-1$,所以 $x-y$ 的相反数为 $\sqrt{3}-12$.

13. (1)当 $h=20$ m 时,

地球上下落时间 $t=\sqrt{\dfrac{4.9}{20}}\approx 0.5$ (s).

月球上下落时间 $t=\sqrt{\dfrac{0.8}{20}}=0.2$ (s).

(2)在月球上下落得快.

14. 依题意,知 $\begin{cases} x-y=2, \\ x-2y+3=3, \end{cases}$ 得 $\begin{cases} x=4, \\ y=2. \end{cases}$

所以 $A=3,B=2$,所以 $\sqrt[3]{B-A}=-1$.

15. 地球过去 1 s 时,宇宙飞船内只经过 $\sqrt{1-\left(\dfrac{0.98c}{c}\right)^2}\approx 0.2$ (s).

因此地球上经过 5 年,宇宙飞船上只经过 $0.2\times 5=1$(年).

故哥哥在这段时间内长了 1 岁,此时哥哥的年龄为 29 岁.